Niels Roelen

LEVEN NA URUZGAN

Uitgeverij Carrera, Amsterdam 2013

Aan Mareine en Ties:
Voor wie ik liefheb, wil ik heten
(Neeltje Maria Min)

Omslagontwerp Riesenkind
Omslagbeeld Riesenkind
Typografie Perfect Service

ISBN 978 90 488 1639 2
NUR 301

www.uitgeverijcarrera.nl

Carrera is een imprint van Dutch Media Uitgevers bv.

Tussen mijn vinger en mijn duim
Rust plomp de pen; een knus pistool.

Seamus Heaney

DEEL I – THUIS

1

'Wat doen die apenpakken hier?'

Vik keek opzij en zag een gezette, hoogblonde vrouw. 'Is de pleuris soms uitgebroken?' De zwaar opgemaakte vrouw nam niet de moeite om discreet te zijn, net zomin als ze haar zwaar Amsterdams accent probeerde te verbergen.

Vik wist niet precies waarom ze op Schiphol waren geland. Normaal landen soldaten na een missie op het vliegveld van Eindhoven, dat een aparte militaire aankomst- en vertrekhal heeft. Achter de douane stonden geen andere mensen dan familie van militairen. Nu er om Vik heen ook burgers stonden – vaak in zomerse kleding in het vliegtuig naar een koud Nederland gestapt, alsof ze zo wilden benadrukken wie reiziger en wie achterblijver was – merkte hij hoe ze in hun uniformen de aandacht trokken. Een apenpak dus, dat de meeste mensen op een afstand hield. Als een soort attractie waar de meeste mensen niet in durfden, stonden ze hier, op donderdag 29 november 2007 om zeven uur 's morgens, te wachten op hun rugzakken die de gewone koffers op de bagageband zouden omsingelen. Een vreedzame omsingeling overigens; hun wapens hadden ze allang af moeten geven.

Vik voelde het klamme zweet in zijn oksels en rook de muffe lucht van een in een vliegtuig doorgebrachte nacht zonder je te kunnen wassen. Misschien dat andere reizigers zich ergerden aan de geur van zweetvoeten, alcohol en goedkope knoflooksaus – de belangrijkste investering die ze de afgelopen twee dagen in Kreta hadden gedaan –, maar voor henzelf was stank iets geworden dat je nauwelijks meer opmerkte. Het was erbij gaan horen in de maanden dat ze actief waren in de Afghaanse woestijn.

Vik nam de ruimte zorgvuldig in zich op. Twee marechaussees manoeuvreerden behendig hun Segways tussen de reizigers door. De hoge positie die ze hadden op het apparaat gaf ze naast een beter overzicht ook een onbewust overwicht. Zoals zij de reizigers in de gaten hielden, hield Vik hen in de gaten. Als er iets zou voorvallen, zou dat aan hun reactie waarschijnlijk het eerst te merken zijn.

Enkele minuten geleden had een generaal ze welkom terug geheten in Nederland, het land dat trots zou zijn op zijn jongens. De woorden waren langs hem heen gegaan. Hij had om zich heen gekeken, om nog even te genieten van de vertrouwdheid van de groep soldaten met wie hij zo lang had samengewerkt. Hij wist dat die groep uiteen zou vallen zodra ze de douane zouden passeren. Vanaf dat moment zouden ze alleen nog maar oog hebben voor hun familie achter de ramen. Vik had zijn zus er al zien staan, samen met Fleur en Daan. Daan zwaaide trots naar hem. Fleur keek verlegen weg, alsof ze niet kon geloven dat haar vader weer thuis was. Onhandig zwaaide Vik terug.

Naast hem was inmiddels een ouder echtpaar komen staan, dat oprechte vragen begon te stellen over Afghanistan. Vragen die hij op de automatische piloot beantwoordde, op een net niet onvriendelijke toon. Hij probeerde zich te concentreren. Achterdochtig hield hij de ruimte om hem heen in de gaten, afgeleid door elke beweging en elk geluid dat hem opviel. De indrukken deden pijn in zijn hoofd, vlak achter zijn ogen, alsof hij te lang naar een stroboscoop had gekeken. De patrouille met hond, het krijsende kind, de koffers en de lange stewardessen in blauwe uniformen bereikten zijn hersenen als allemaal losse beelden. Vik sloot zijn ogen even en schudde zijn hoofd om tot rust te komen. Daarna dwong hij zichzelf om zo veel mogelijk recht voor zich uit te staren, maar hij werd weer afgeleid door een jongetje van een jaar of zes dat drammerig in zijn buggy zat te jengelen. *Een klap voor zijn kop zou hij moeten krijgen.* In de blik die hij wisselde met Larie zag hij dat hij niet de enige was die er zo over dacht.

'De wereld hier is compleet gestoord,' zei Vik.

'Je kunt van die Afghanen zeggen wat je wilt, maar die kutkinderen daar jankten in ieder geval niet om niks,' fluisterde Larie. 'Nog even en dan zijn we van dat gezeik af en kunnen we naar huis.' Hij wees naar de bagageband, waar nu de eerste tassen op verschenen.

'Ik rook het al,' zei Vik.

Het oude echtpaar dat zojuist nog naar hun ervaringen had gevraagd keek verbaasd op.

'Ruikt u niets?' vroeg Vik.

De man snoof en schudde zijn hoofd. 'Nee, sorry.'

'Die zachte, zoetige geur is de geur van het Afghaanse woestijnstof dat in onze kleren is gaan zitten.' Hoewel hij dacht blij te zijn dat hij die woestijn achter zich had gelaten, maakte plotseling een vreemd soort heimwee zich van hem meester.

De band draaide. Vik keek niet achterom naar Daan en Fleur, die ongetwijfeld met hun neuzen tegen het raam op hem stonden te wachten. In de verte zag hij zijn rugzak aankomen. Hij zou erheen kunnen lopen om hem te pakken, maar in plaats daarvan bleef hij staan. Hij zag hoe Wijn, Thomas, Tardjiman en de anderen hun tassen van de band trokken en over hun schouders hingen. Er hing een vreemd soort volwassenheid om hen heen, die ze voor hun vertrek naar Afghanistan niet hadden gehad. Verloren jongens.

Langzaam maakte Vik zich klaar om naar de bagageband te lopen. *Morgen word ik wakker naast mijn vrouw, gaat mijn uniform uit, loop ik door de stad. Alleen.*

Hij voelde een hand op zijn linkerschouder vallen. Hij keek om en zag de uitgestoken grote hand van Leon. Leon en Bob waren, na gewond geraakt te zijn in Afghanistan, naar Kreta gekomen om toch als complete eenheid naar huis te gaan. Vik had ze in Kreta voor het hotel de medaille uitgereikt die de anderen in Afghanistan al opgespeld hadden gekregen. Beiden liepen nog op krukken, en beiden wisten ze ondertussen wat ze in Afghanistan nog niet beseften: de verwondingen hadden hun toekomst veranderd. Vik greep de uitgestoken rechterhand van Leon en legde zijn linkerhand op Leons schouder. Ze keken elkaar aan zonder iets te zeggen, en voelden de greep van hun handen langzaam steviger worden. Vik had een diep respect voor Leon, die met zijn gebroken benen toch zijn groep bij elkaar had weten te houden. Met gevaar voor eigen leven was hij op het zwaarbeschadigde rupsvoertuig geklommen om een eventuele aanval van de taliban eigenhandig af te kunnen slaan.

'Bedankt, pik,' zei Leon. Even had Vik moeite om zijn tranen te bedwingen, maar hij werd net op tijd gered door een vriendelijke en stevige klap op zijn rug. De enorme tassen leken klein vergeleken bij de lach op de gezichten van de mannen om hen heen. Ze zouden zonder enige schroom de laatste hindernis naar thuis overwinnen door hun vrouw, vriendin, kinderen, ouders, broer of zus te omhelzen.

Hij pakte zijn rugzak, hing hem aan één hengsel over zijn rechterschouder en liep met rechte rug langs de marechaussee met de herdershond door de douane.

Net achter de schuifdeuren bleef Vik even staan. Als een gevangene die werd vrijgelaten nam hij de aankomsthal in zich op. Hier had hij nog overzicht en ruimte, een paar meter voor hem zou dat ophouden. Alsof ze popsterren stonden op te wachten, hadden familieleden, vrienden en collega's zich achter de in een halve cirkel geplaatste hekken verschanst. Ze hadden bloemen mee, cadeautjes, zakken drop en spandoeken, zag hij. Vik probeerde de teksten op de spandoeken te lezen, maar de meeste hingen als vlaggen op een windstille dag omlaag omdat degene die hem vast moest houden het spandoek inmiddels ingeruild had voor een van de soldaten. Hij herkende hartjes, en de woorden PAPA, THUIS en HELDEN.

Links had hij zijn zus met Fleur en Daan zien staan, dus daar zouden ze ergens moeten zijn. Vik draaide een kwartslag linksom en liep door de opening in het hek. Nu pas zag hij de mensen die hier waren om de gewone reizigers op te halen. Ze stonden op gepaste afstand achter de mensen die voor de militairen waren gekomen, alsof ze zich moesten schamen voor de gedachte dat zij ook iemand hadden moeten missen voor een futiele vakantie of een zakenreis. Van een afstandje zag Vik de blonde haren en het grijze shirtje van Daan op hem af komen rennen. Hij hurkte om hem in zijn armen op te kunnen vangen. Fleur kwam net achter haar broertje aangerend. Ze had twee verschillende veters door haar blauwe All Star-gympen geregen, een rode en een witte. Allebei hielden ze een dunne bamboestok boven hun hoofd, stokken die normaliter gebruikt werden om de kamerplanten overeind te houden. Op de stokken was een groot kartonnen hart geplakt met de tekst: WELKOM THUIS PAPA! Voor het eerst zag hij nu ook de blonde haren van Lot, die achter een groep mensen uitbundig naar hem zwaaide.

'Pap,' zei Daan, 'kijk eens naar mijn T-shirt.'

'PAPA'S BINKIE,' las hij hardop. 'En bij jou, muppet, wat staat er op jouw shirt?'

Fleur antwoordde niet. Ze sloeg slechts haar armpjes om zijn nek en hield Vik stevig vast. Terwijl Vik zich met Daan en Fleur op zijn arm een weg baande naar Lot voelde hij een traan over zijn wang lopen.

'Hé, Blossum,' zei hij, terwijl hij zijn ogen sloot en zijn lippen zachtjes op die van haar drukte.

'Ik hou van je,' fluisterde ze. Zachtjes kneep ze in zijn billen. Dit was zijn moment, hier nu met Lot, Fleur en Daan; de rest van de wereld bestond even niet. Vik liet zijn vingers door Lots lange haren glijden en rook haar parfum. Hij zocht naar de naam ervan, maar hij kon zich alleen het druppelvormige flesje met de lichtblauwe dop voor de geest halen.

Er rolden meer tranen over zijn wangen. In de afgelopen maanden waren er diverse momenten geweest dat hij gedacht had dit nooit meer mee te maken. Hij had er toen weinig tijd of aandacht aan besteed, maar de hereniging met zijn gezin hier op het vliegveld leek hem wakker te schudden – een reality check in optima forma.

'Hé, broertje.' Vik herkende direct de stem van zijn zus. Hannekes ogen straalden en ze lachte. Hanneke was anderhalf jaar jonger dan hij, maar had hem altijd liefkozend broertje genoemd, omdat Vik tot zijn zestiende de kleinste thuis was geweest. Vik zag ook zijn moeder en zijn schoonouders aankomen. Om hem heen praatten mensen tegen hem. Ze raakten hem aan om even zijn aandacht te trekken en iets tegen hem te zeggen of om gewoon een duim naar hem op te steken. Hij lachte naar zijn kinderen. In plaats van hem vragen te stellen, waren zij gewoon blij dat hij er weer was en dat ze aan hem konden vertellen wat ze allemaal hadden gedaan; dat ze vandaag niet naar school hoefden, maar toch vroeg waren opgestaan.

'Kom,' zei Hanneke, 'dan gaan we naar huis. Je zult wel zin hebben in lekkere broodjes.'

Vik zette de kinderen neer en knikte. De meeste jongens waren inmiddels verdwenen, ieder meegezogen door zijn eigen realiteit, alsof ze individuele reizigers waren geweest. Vik voelde dat Daan enthousiast aan zijn hand trok om hem mee te nemen naar de parkeergarage.

Buiten was het grauw. Holland. Het miezerde een beetje, maar regen voelde als iets bijzonders na vier maanden geen druppel gezien te hebben.

'Wil jij rijden?' vroeg Lot.

'Te moe,' antwoordde hij. De hele nacht was hij wakker geweest.

Iets meer dan een week geleden reed hij nog een patrouille met zijn opvolger. Ze hadden staan wachten tot de IED die ze net op tijd hadden gevonden onschadelijk gemaakt was. Op diezelfde manier hadden ze afgelopen nacht, op een verlaten en verbrokkelde asfaltweg, naast een hek staan wachten op hun vlucht naar Nederland. Nerveus hadden ze elkaar lopen uitdagen. Er werd wat geduwd, getrokken, geslagen en gelachen om de gespeelde opstootjes, tot het ging vervelen. Vik had zich een soort vluchteling gevoeld die wachtte op een stel corrupte douanebeambten die hem over het hek zouden helpen en aan boord van een vliegtuig naar het Westen zouden smokkelen. In het vliegtuig had Vik van de zenuwen niet echt kunnen slapen en was hij maar met zijn iPod gaan spelen.

Zenuwachtig keek hij in de auto om zich heen. Zijn voeten duwden zijn lichaam stevig in de stoel en gespannen hield hij de greep van het portier in zijn handen. De afgelopen maanden had hij geen last gehad van ander verkeer en reden ze zelden harder dan veertig. Lot keek hem bevreemd aan.

'Is er iets?'

'Niks,' antwoordde Vik. 'Ik ben dit gewoon niet meer gewend, dat is alles.'

Om afleiding te zoeken keek Vik op zijn horloge. Eén uur 's middags, zag hij. Hij maakte het bandje los en probeerde uit te vogelen hoe hij zijn klokje tweeënhalf uur terug kon zetten, van de Afghaanse naar de Nederlandse tijd. Pas nu viel hem op dat het de enige tijdzone was die hij kende waar ook een halfuur verschil in werd gemaakt.

In de spiegel zag hij het trotse gezicht van Daan naar hem lachen. Fleur was nog steeds stil. Via de spiegel hield ze zijn blik vast, alsof ze bang was dat ze haar vader weer kwijt zou zijn als ze heel even haar ogen zou sluiten. Fleur had zijn ogen. Ze waren zo fel en helder dat het soms net leek of ze dwars door je heen schenen. De hand van Lot zocht het been van Vik en kneep zachtjes in het vlees vlak boven zijn knie. Vik sloot zijn ogen en voelde langzaam maar zeker een erectie opkomen.

'Komt de hele familie mee naar huis?'

'Je zus heeft allemaal lekkere broodjes en croissants gehaald,' antwoordde Lot met een voorzichtige glimlach om haar lippen. Het was een verkapt ja.

'Kut,' lachte hij zachtjes terug.

'Zij hebben je ook gemist.'

Ze verlieten de snelweg, draaiden de provinciale weg op en sloegen daarna links af Odijk in. Voorbij het gemeentehuis zag Vik de voetbalvelden liggen, bedekt door verdwaalde flarden mist. De bomen eromheen droegen allang geen blad meer en het weiland dat dienstdeed als ijsbaan was onder water gezet voor de naderende winter. Het zag er kil en verlaten uit. Maar dat leek alleen Vik op te vallen.

Tussen de lantaarns door draaide de lichtblauwe gezinsauto het woonerf op. Het zag eruit als een ideaalplaatje; alleen de bruine labrador met boerenshawl ontbrak nog. Achter hen reed de colonne van moeder, broer, zus, schoonouders en overige familie. De stenen in de straat waren zo gelegd dat de auto zelfs bij heel lage snelheden flink schudde, zoals je op de niet-geëgaliseerde paden in de woestijn door elkaar geschud kon worden. Daar was het een gebrek aan infrastructuur, hier een bewust gekozen ontwerp.

Eenmaal binnen keek Vik schichtig om zich heen, alsof hij schrok van de vragen die steeds uit een andere hoek gesteld werden. Het lukte hem nauwelijks om zich te concentreren en een antwoord te produceren. Hij draaide zich om en liep naar de keuken; hij wilde koffie, verse koffie, die hij bij het binnenkomen al had geroken.

'Hoe lang nog tot de broodjes klaar zijn?'

Zijn zus was als altijd druk bezig om voor iedereen te zorgen behalve voor zichzelf. Het beleg had ze op het aanrecht uitgestald naast een enorme mok thee, en af en toe opende ze de oven om te kijken hoe het met de broodjes ging. Hij zag dat ze een pluk van haar steile blonde haar voor haar ogen achter haar oor streek en op de klok van de oven keek.

'Tien minuten,' zei ze. 'De croissants doe ik er gelijk achteraan.'

Vik trok de koffiekan onder het apparaat vandaan en schonk voor zichzelf een half kopje in, dat hij snel achteroversloeg. 'Anders blijf ik niet wakker,' excuseerde hij zich. 'Ik ga even snel douchen.'

Met een vijftal grote passen stond hij boven aan de trap, waar hij zijn blouse en shirt uittrok en in de hoek van de badkamer smeet. Hij hoorde het holle, scherpe geklik van hakken achter hem. Lot. Ze kwam de badkamer binnen. Ze zag er goed uit met haar hakken en minirok. Hij hield van vrouwen op hakken, het maakte hun benen en billen zoveel mooier om naar te kijken.

'Je bent mager,' zei ze, terwijl ze zachtjes over zijn rug wreef.

Vik antwoordde niet. Hij draaide zich om, pakte haar hand en trok haar mee naar de zolder, waar hun slaapkamer was. Hij rook zijn eigen zweet. Het kon hem nu even niet schelen. Bruusk schoof hij haar rokje omhoog en trok in één beweging haar slip met panty en al omlaag. Zonder aarzelen drukte hij zijn neus in haar vagina en snoof de natte, zoete geur op die hij al zo lang niet had geroken of geproefd. Met zijn ogen dicht vond zijn tong moeiteloos haar clitoris en voelde hij hoe haar dijen zich gelijk al aanspanden. Snel duwde hij haar achterover op het bed en schopte zijn broek uit. Met alleen zijn sokken nog aan vree hij wild en vlug met haar. Hij pakte haar lange blonde haren vast, maar ze keek niet op. Haar hoofd lag op haar schouder. Ze glimlachte met haar ogen gesloten. Al na een paar stoten kwam hij in haar klaar.

'Ze wachten beneden op ons,' fluisterde Lot even later.

'Laat ze maar lekker wachten.'

'Nee, nu niet,' antwoordde ze. 'Vanavond halen we alles in.'

Ze pakte een handdoek en veegde zich schoon, waarna ze zich

verder fatsoeneerde. 'Schiet nou maar op, dan zet ik de douche vast aan,' lachte Lot, terwijl ze flirterig hun slaapkamer verliet. Ze had een blos op haar wangen, zag hij, zoals ze dat altijd had als ze met elkaar hadden gevreeën.

2

Vik gooide zijn handdoek in de hoek van de badkamer en liep naakt naar de logeerkamer. Hij schoof de matglazen deur opzij en wierp een blik op zijn kleding.

'Einstein had zeven pakken,' zei Vik tegen zichzelf terwijl hij in de gauwigheid vier spijkerbroeken, twee lades vol T-shirts, een handjevol blouses, een paar colberts en een stapel truien telde in zijn eigen kast. 'Zeven identieke pakken – uniformen –, zodat hij nooit hoefde na te denken over wat hij aan moest.'

Voor Kreta had Vik een jeans, een T-shirt, een hoodie en een paar sneakers meegenomen. Tijdens de rest van zijn uitzending had hij slechts kunnen kiezen uit een schoon of een vuil uniform. Vuil zat over het algemeen het best, vond hij.

In een broek die half op zijn heupen hing en een vaal shirt liep Vik de woonkamer binnen. Hij probeerde iets te eten, maar had eigenlijk geen trek. Koffie had hij nodig, om wakker te blijven. De warme douche had hem in eerste instantie opgefrist, maar nu sloeg de rozigheid toe.

'Hoe was het?'

'Heb je de taliban gezien?'

'Wat heb je allemaal meegemaakt?'

Van alle kanten werden de vragen nu ineens op hem afgevuurd, alsof hij omsingeld was en ze hem in probeerden te sluiten. Het was te veel en te snel. *Weg, iedereen moet hier zo snel mogelijk weg.* Om tijd te winnen nam hij een hap uit een broodje en klapte hij zijn laptop open op de salontafel.

'Ik heb een filmpje meegenomen uit Afghanistan,' zei Vik. 'Het duurt niet heel lang, maar het geeft wel een aardig beeld van wat we daar hebben gedaan.'

Daan zat nieuwsgierig op zijn knieën voor de laptop. De rest van de familie schoof naar het puntje van hun stoel om niets te hoeven missen. Aandachtig keken ze naar de patrouilles, gesprekken met Afghanen, het leven op het kamp en de beelden van gevechten die ze hadden meegemaakt.

Vanaf het moment dat er werd gevochten in beeld, werd het stil. Niemand zei iets en de vragen verstomden. Even hing er een stilte in de kamer als op 4 mei, tot Daan die met enthousiaste stem verbrak.

'Papa, papa,' riep hij wild, 'mag ik nog een keer kijken?'

Van een driejarige verwachtte Vik niet dat hij zou begrijpen wat hij daadwerkelijk gezien had. Voor hem was het film, niet echt, en dus kwam het ook niet echt binnen.

Vik liep naar de kleine keuken en leunde met zijn handen op het zwartgranieten aanrechtblad, terwijl de anderen de film nogmaals bekeken.

'Hebben we iets van drop of zo?' wilde hij weten.

'Nog niet, papa,' zei Fleur, die achter hem aan kwam. 'De winkel was nog niet open, en ik wilde samen met jou drop gaan scheppen.'

'Er zijn nog croissantjes,' zei zijn moeder.

Vik glimlachte en schudde zijn hoofd. Typisch mijn moeder, dacht hij, ik vraag niet om een croissantje, maar ze biedt het me toch aan, omdat het op moet en zonde is om weg te gooien, of omdat het ook lekker is. Het paste bij haar; haar hele uiterlijk straalde fatsoen uit. Nooit iets gedurfds, op die ene keer coupe soleil na.

'Ik heb er al twee op,' loog hij.

'Was dit echt?' hoorde hij iemand anders achter zich vragen.

'Wat?'

'Nou, dat filmpje.' De stem van zijn schoonmoeder klonk dringend, alsof het belangrijk was.

Vik stond nog steeds in de keuken. Hij draaide zich bewust niet om. Misschien was het slechts een vraag om zo snel mogelijk weer over te kunnen gaan op de orde van de dag. Om weer normaal te kunnen doen. Hij vroeg zich af of dit zijn realiteit zou zijn voor de komende periode. Hij had zich er al min of meer op ingesteld dat hij de komende weken keer op keer zijn verhaal zou moeten doen. Dat men van hem zou verwachten dat hij hen mee zou nemen naar Uruzgan, als een gids die een rondleiding geeft langs een tentoonstelling. En aan het einde van de rondleiding zou iedereen behalve de gids weer overgaan tot de orde van de dag.

'Dit valt nog mee,' sprak Vik kalm, bijna emotieloos. 'De keren dat het echt ergens om ging, had niemand de tijd of de behoefte om te filmen.'

Daan had inmiddels het filmpje voor de derde keer weten op te starten. Het geluid van het mitrailleurvuur en de zware explosies waren genoeg om bij Vik de beelden op te roepen die erbij hoorden.

'Vind je het goed dat hij daarnaar kijkt?' Lot stond naast hem; de blos was van haar wangen verdwenen.

Vik haalde zijn schouders op. 'Laat hem maar even.'

Toen hij terugkwam in de kamer was de sfeer veranderd. Het was alsof iedereen ineens bang was om Vik vragen te stellen. Hij voelde dat ze zijn bewegingen met hun ogen volgden. Hij zag dat ze, op dezelfde manier als hij, zochten naar woorden, maar die niet leken te vinden.

'Heb jij daar ook mensen doodgeschoten?' vroeg Francis. Lots moeder was vaak de eerste die in dit soort situaties haar mond opentrok. Zij wilde altijd alles weten.

'Maakt het wat uit?' ontweek Vik de vraag, terwijl hij haar in haar blauwe ogen keek. Hij dacht daar tranen in te zien.

'Laten we zeggen dat ik in trainingen op de schietbaan zelden heb gemist.'

Vik stak zijn borst vooruit en keek, enigszins hautain, omlaag naar de bank. Hij gebruikte zijn houding als een schild om te voorkomen dat er iemand te dichtbij zou komen. Dit wilde hij niet gaan uitleggen. Nu niet in ieder geval. Bovendien hoopte hij dat door zijn ongeïnteresseerde manier van antwoorden en zijn arrogante houding niemand de behoefte zou hebben om nog lang te blijven. Het boeide hem niet wat ze van hem zouden vinden of over hem zouden zeggen in de auto naar huis, als ze maar weg waren. Hij zou zich altijd kunnen beroepen op het feit dat hij net terug was.

Zachtjes wreef Hanneke over zijn rug.

'Dag broertje, wij gaan naar huis.' Ze keek hem even aan en gaf hem een knuffel. 'Volgens mij zit je nu niet op ons te wachten.'

'Dank je,' knikte hij.

Alsof het een afgesproken teken was, besloot ook de rest haar voorbeeld te volgen. Hij zag niet zozeer de mensen weggaan, maar eerder dat de rust de kamer in kwam.

Vik ging languit op de bank liggen en sloot zijn ogen. Daan speelde een spelletje op de computer en Fleur kwam bij hem liggen.

'Ben je moe, papa?' wilde ze weten.

'Ja, muppet, papa heeft weinig geslapen vannacht.'

'Ga maar even lekker slapen, ik pas wel op je.'

Vik keek in haar heldergroene ogen en glimlachte.

'Krijgt papa nog een kus?'

Op een afstandje zag hij Lot staan. Ze volgde het tafereel aandachtig en toen hun blikken elkaar kruisten, zag hij opluchting in haar ogen.

Hij is weer thuis, zag hij haar denken.

3

Tussen de menigte was een klein jongetje dat krijsend een ballon omhooghield.

'Mag ik ook een ballon, papa?' vroeg Daan.

'Als je nou eerst deze meneer netjes een hand geeft, zegt hoe je heet en hoe oud je bent, dan kun je daarna aan hem vragen of je ook een ballon mag.'

Daan keek naar de gele clown met rode lippen die licht voorovergebogen stond met zijn ene arm op zijn rug en de andere vooruitgestoken, alsof hij hem de hand wilde schudden. 'Dat is een pop, hij is niet echt, hoor pap!'

Het was druk hier; mensen wrongen zich langs elkaar heen. Ze gingen gekleed in dikke winterjassen, het hoofd diep weggestoken in een hoge kraag. Vik rilde.

'Is er iets?' vroeg Lot.

Vik schudde zijn hoofd. 'Ik zoek vast een plekje.' Hij keek om zich heen. Er was een aantal plaatsen vrij, maar geen daarvan voldeed aan wat hij zocht.

Eigen schuld, had ik de kinderen maar niet moeten beloven naar de McDonald's te gaan.

'Wat ga jij eigenlijk doen als je thuis bent?' had Larie hem op Kreta gevraagd. Vik had zijn schouders opgehaald en in zijn bier gekeken.

'Mijn wijf neuken en een hamburger eten, niet specifiek in die volgorde.'

'Ik heb je wijf weleens gezien, en puur als vriend zou ik je best willen helpen.' Vik had opzijgekeken, nieuwsgierig naar wat Larie verder nog zou gaan zeggen, of hij het werkelijk zou durven. 'Op Poentjak spraken we toch af dat we elkaar zouden helpen? Dat we alles samen zouden doen?' Achter de ronde bril van Larie had Vik de schittering in zijn ogen gezien. 'Als jij nou die hamburger gaat eten, zorg ik wel voor je vrouw.'

'Dat is nou precies wat ik zo waardeer aan dit bedrijf: die kameraadschap. De onbaatzuchtige manier waarop we altijd en overal bereid zijn de ander te helpen. Het altruïsme is bijna ontroerend,' zei Vik.

Niet specifiek in die volgorde. Het leek hem een vreemde gedachte, maar na al die maanden op rantsoenen en fantasieloos eten uit de eetzaal op het kamp leek een hamburger ineens een soort exclusief teken van – Amerikaanse – vrijheid geworden, iets waar je hevig naar kon verlangen.

Waarom moet iedereen zo dicht bij me komen? vroeg hij zich af terwijl hij zich een weg probeerde te banen door de menigte. *Waarom moeten ze tegen me aan lopen, me aanraken?*

De enige mensen die zo dicht bij hem waren gekomen de afgelopen maanden waren mensen die hij echt vertrouwde, of kinderen. Het waren situaties waarin hij de controle had, en zeker wist dat er altijd mensen in de buurt waren die voor zijn veiligheid zorgden.

Vik schrok van het plotselinge gekrijs van een jongetje dat boos was omdat hij niet in de ballenbak mocht. Daan trok aan zijn broekspijp.

'Daar, papa,' zei hij, 'daar komt een tafeltje vrij.'

Vik knikte. De dienbladen met afval waren op het tafeltje blijven staan, maar het was een plek in de hoek, waar hij veilig met zijn rug tegen de muur kon zitten en een redelijk overzicht had van het restaurant. Terwijl hij met zijn ogen een dikke zwartharige vrouw volgde die door het gangpad liep, kwam Lot aangelopen met het dienblad. Vlak voor de tafel hield ze even in en keek om, om te kunnen zien waar Vik naar keek.

'Die zie je niet veel in Afghanistan,' zei Vik.

'Wat?'

'Zulke vrouwen.' Vik knikte in de richting van de vrouw. 'Dikke vrouwen hebben ze in Uruzgan niet – tenminste, niet zoals hier.'

Lot keek verbaasd, maar vroeg er niet verder over door. 'Laten we gaan eten,' zei ze, 'dan kunnen we zo naar huis en lekker rustig op de bank genieten.' Even keek ze of ze zijn aandacht had weten te krijgen, en flirtte ze met hem door haar shirtje zo te schikken dat Vik haar mooie kanten bh kon zien.

'Ik hoop dat je genoeg trek hebt.' Ze gaf hem een kus en beet toen in haar hamburger.

Bij thuiskomst bracht Vik Fleur en Daan naar bed. Fleur liet vol trots horen hoe goed ze ondertussen kon lezen. Toen hij ze had toegedekt ging hij naar beneden voor een kop koffie. Zwijgend naast Lot dronk hij zijn koffie en liep daarna opnieuw naar boven, waar hij in kleermakerszit op de vloer van Fleurs kamer ging zitten.

'Is er iets?' hoorde hij de stem van Lot achter zich vragen.

'Nee.' Vik wreef even in zijn ogen. 'Ik kom zo.' Terwijl Vik zijn handen door het haar van Fleur liet glijden, hoorde hij dat Lot beneden de televisie aanzette.

'Pap.' Daan was de gang op komen lopen. 'Ik kan niet slapen. Mag ik nog even beneden bij je zitten?'

Vik tilde het mannetje op. 'Het is al laat, bink, zal ik even bij je komen liggen?' Daan knikte en stak zijn vingers in zijn mond. Hij had nooit geduimd.

'Ga je nu niet meer weg, pap?'

'Voorlopig niet, bink.' Even keek Daan hem aan; toen draaide hij zich op zijn zij en viel in slaap.

'Hoe was het in Afghanistan?' Met een half oog keek Lot nog naar haar dagelijkse soap. Stilletjes verliet Vik de kamer.

Vik haalde zijn schouders op. 'Warm en stoffig.' Hij liet een korte stilte vallen. ‘Ik had nooit gedacht dat ik alles wat ik ooit in dienst geleerd had ook in het echt toe zou moeten passen.’

‘Hoe bedoel je?’

‘Precies zoals ik het zeg: de drills, het schieten, de gevechten.’ De hand van Lot gleed vanaf zijn onderrug richting zijn schouder en nek. ‘Ik ben er goed in.’ Vik voelde hoe haar hand ineens verstijfde.

‘Wat?’ zei Lot terwijl ze haar hand wegtrok.

4

Fleur fietste voor Vik uit langs de kinderboerderij. Geiten keken glazig naar het knollerige grasveld. De houten stammen die in piramidevorm op het veld stonden waren donker van kleur. Het door mos aangevreten hout vertoonde diepe gaten. Daan stak zijn handjes onder Viks jas. Hij rilde; waterkoud was het. Ze staken de Nicolaaslaan over en fietsten langs de brievenbus over de Zeisterweg. Lot had gevraagd of hij de kinderen naar school wilde brengen en ze ook weer op wilde halen. In de jaren hiervoor had hij daar door zijn werk nooit de tijd voor genomen, en in de voorbereiding op de missie al helemaal niet. Voor de zekerheid had ze een briefje op de tafel gelegd met de tijden waarop Fleur en Daan moesten worden opgehaald.

Eenmaal op het schoolplein leek zijn aanwezigheid in eerste instantie onopgemerkt te blijven. De ochtendstress van kinderen naar school brengen, werk of andere verplichtingen maakten dat veel ouders in zichzelf gekeerd waren. De ouders die niet werkten vormden vaste groepjes en spraken met elkaar over kinderen, nieuws, roddels of andere al dan niet relevante gebeurtenissen. Een paar van hen leken zich betrapt te voelen als ze zijn kant op keken en even oogcontact met hem hadden. Na een beleefde knik wendden ze hun hoofd af.

'Hé Vik, fijn dat je weer terug bent.' Het was de vader van een klasgenootje van Fleur – Mette of zoiets. De naam van de vader kon Vik zich niet zo snel voor de geest halen.

'Hoe was het in Afghanistan?' Een ronde buik hing over zijn broek uit het colbert. Hij droeg een sjaal tegen de kou, maar geen jas. Waarschijnlijk zou hij zo weer in de inmiddels warme auto stappen en naar zijn werk rijden.

Hoe was het? De nonchalance, de glimlach en het gemak waarmee de vraag gesteld werd, verbaasden Vik. Alsof het om iets gezelligs als een vakantie ging. Het deed hem vermoeden dat veel mensen hier in Nederland geen echt beeld hadden van de situatie in Uruzgan. Wederopbouw was een nobele taak, die je ongetwijfeld een goed gevoel moest geven. Dat het dus gewoon goed met Vik zou gaan leek niet meer dan normaal; daar hoefde je nauwelijks naar te vragen.

Nonchalant haalde Vik zijn schouders op; even overwoog hij om met een wedervraag te antwoorden. Op de vraag hoe het hier in Nederland ging, had niemand tot nog toe een poging gedaan een serieus antwoord te geven. Het werd weggewuifd, alsof wat hier was gebeurd niet interessant en bovendien vanzelfsprekend was, want dat wist toch iedereen? Het had hem het gevoel gegeven dat Nederland bij zijn vertrek op pauze was gezet, en dat hij nu gewoon weer verder kon gaan waar hij was gebleven. Er waren slechts kleine dingen die hem erop wezen dat dat niet zo was. Zoals afgelopen weekend, toen Lot in de auto was gestapt met de kinderen. Vik had gedacht dat ze boodschappen gingen doen en dat ze zo weer terug zouden zijn. Maar toen hij na een kwartiertje belde, bleek dat Lot naar zijn moeder was gereden. Ze was er zo aan gewend geraakt om dingen alleen te doen dat ze hem even was vergeten.

'Gewoon,' zei hij nu maar, terwijl hij de blik van Mettes vader ontweek door naar de zandbak op het schoolplein te staren. 'Afghanistan is een bijzonder land, met bijzondere mensen.' Het was een antwoord waar je eigenlijk alle kanten mee op kon.

'Het is wel raar om weer thuis te zijn. Vijf maanden lang heb ik geen regen gezien.' In dit soort gesprekken was het weer altijd een goed gespreksonderwerp; mensen praten graag over het weer.

De deur van de school was opengegaan en Fleur trok aan de onderkant van zijn winterjas.

'Sorry.' Vik wees naar zijn dochter. 'Ik moet gaan.'

Samen met zijn dochter verdween Vik in de menigte. De kinderen om hem heen gaven hem een opgelucht gevoel. Fleur trok hem mee tot aan haar tafeltje.

'Kijk pap, hier zit ik.'

Vik hurkte neer en sloeg een arm om haar middel; nu waren ze even groot. Hij lachte en negeerde de juf, die met haar kop koffie achter hem was komen staan.

'En je schriftjes?' vroeg Vik. 'Liggen die in dit laatje?' Fleur knikte en liet hem trots haar reken- en schrijfschriftjes zien.

'Het is de bedoeling dat de ouders die binnenkomen samen met hun kind het leesblad lezen dat klaarligt,' onderbrak de juf hen.

Vik keek schuin omhoog en kwam overeind.

'Pardon?'

'Het leesblad,' herhaalde de juf. 'De kinderen moeten met hun ouders het werkblad maken; zo hebben ze een extra leesmoment.'

Vik keek haar verbaasd en geërgerd aan. Hij wist niet wat hem meer irriteerde: het feit dat ze het moment dat hij met zijn dochter deelde verstoorde of de trage, overdreven duidelijkheid waarmee ze hem aansprak.

Begin vijftig schatte hij haar. Ze was lang, ongeveer zijn lengte, maar desondanks had ze weinig uitstraling. Misschien kwam het doordat ze met haar twee handen om de koffiemok gevouwen schuchter naar de koffie bleef staren terwijl ze hem aansprak en hem niet aankeek. Misschien was het de zachte stem, doorspekt met een overdosis begrip.

'Die leesmomenten zijn belangrijk voor eventuele dyslexiegevallen.' Ze schoof haar ouderwetse bril goed op haar neus.

Fantasieloze trut, dacht Vik, die zijn hand uitstak.

'Vik, de vader van Fleur,' stelde hij zich voor. 'Ik geloof niet dat we al kennis hadden gemaakt.'

Onzeker liet ze haar rechterhand los van het kopje en gaf hem een slap, warm handje.

'Jacqueline.'
Even wachtte Vik, maar meer kwam er niet.
Opnieuw zakte Vik door zijn knieën. 'Zullen we lezen?' vroeg hij aan Fleur.
Ze knikte. 'Met mama doe ik altijd om de beurt een regel. Ik begin wel.'
Vijf minuten later klapte juf Jacqueline in haar handen en begon ze tegen de kinderen te praten, alsof de ouders er niet meer waren. Een bel, om duidelijk aan te geven wanneer de lessen begonnen, klonk er blijkbaar niet meer op school. Vik had het gevoel dat hij ineens ongevraagd deel uitmaakte van een omgeving die vroeger bij uitstek het territorium was geweest van docent en leerling. Waar ouders buiten gehouden werden, zoals mannen bij een bevalling vroeger ook buiten moesten blijven wachten tot alles achter de rug was. Hij keek hoe de andere ouders langzaam maar zeker het lokaal verlieten, gaf Fleur nog een kus op haar wang en liep toen nog steeds enigszins verontwaardigd terug naar zijn fiets.

Op de terugweg nam hij een andere route en reed hij langs het oude witte kerkje, waarna hij linksaf, richting de Meent, het centrum in fietste. Eigenlijk kon je hier van een centrum niet spreken; dat was te veel eer voor het kale dorpspleintje. Bij de Primera parkeerde hij zijn fiets om een krantje en een fietsblad te halen. De man achter de toonbank begroette hem vriendelijk.
'Kan ik u ergens mee helpen?' vroeg hij, terwijl Vik met zijn rug naar hem toe de tijdschriften doorzocht.
'Ik kom er wel uit,' probeerde Vik op afstand te houden. De betrokkenheid van de winkelier confronteerde hem op een grappige manier met Afghanistan, waar de rollen al die tijd omgedraaid waren geweest. Als militair stelde je daar vragen om te kijken of er een aanknopingspunt was, iets gemeenschappelijks wat jou een voordeel zou geven, waardoor je een relatie kon opbouwen en er een zekere voorspelbaarheid zou ontstaan. Een gesprek dat het op den

duur mogelijk zou moeten maken om door te kunnen vragen naar werkelijk relevante informatie.

'Hier vindt u alles over vrije tijd, daar sport en levensstijl,' ging de grijze besnorde man onverstoorbaar verder, terwijl hij achter de toonbank vandaan kwam.

Vik knikte trok een *Wieler Revue* uit het rek. Hij draaide zich om en legde het blad samen met *de Volkskrant* en het AD, die hij buiten uit het rek had gevist, op de toonbank. De man leek geen haast te hebben en zette onderweg naar de toonbank nog wat tijdschriften recht, pratend over koetjes en kalfjes. Het gaf Vik het gevoel dat de man tijd wilde rekken, om hem zo lang mogelijk op deze plek te houden. Vik verscherpte zijn blik en nam de man zo onopvallend mogelijk in zich op. Geen afwijkingen in gedrag of kleding. Hij bemerkte geen zenuwen, onverwachte bewegingen of stress. Hij droeg sandalen met daarin roodgeruite sokken. Op sandalen kon je niet vechten.

'Bent u nieuw hier?' vroeg de man. 'Ik geloof niet dat ik u hier eerder heb gezien.'

Vik trok een tientje uit zijn portemonnee en schudde zijn hoofd. 'Ik ben voor mijn werk een tijdje weg geweest.' Hij schoof de kranten onder zijn arm en nam het wisselgeld in ontvangst, dat hij los in zijn zak stak. Hij tikte tegen de rand van zijn pet en draaide zich om.

'Jan,' zei de winkelier, die zijn handen nog op de halfopen kassalade had staan. 'Ik ben de eigenaar van deze winkel.'

Even bleef Vik stilstaan, terwijl hij Jan in zijn ogen keek. Hij twijfelde of hij zich ook voor zou stellen, maar kon geen goede reden bedenken om dat niet te doen. 'Vik,' stelde hij zich voor. 'Als je het niet erg vindt, ga ik thuis rustig een kop koffie drinken en de krant lezen.'

Jan pakte zijn sigaar en aansteker en liep achter Vik aan naar buiten, waar hij toekeek hoe Vik op zijn fiets sprong en wegreed over de Meent richting de slager.

Thuis gooide Vik de kranten op tafel. Vanachter het aanrecht keek hij uit het keukenraam. De straat was grauw en leeg. Op het geluid van de televisie na was het stil. Voor het eerst in vijf maanden was hij echt alleen. Lot was om zeven uur al vertrokken naar haar werk. Vik keek het huis rond. De ruimte, de privacy... Ergens voelde het eerder als bedreigend dan als een vooruitgang. Hij besloot zich af te trekken – niet dat hij er zin in had, maar het was een gewoonte geworden als hij alleen was. In Afghanistan moest je de momenten dat je even alleen was benutten om te masturberen. Je wist nooit wanneer je opnieuw de tijd, of beter: de mogelijkheid zou hebben om het weer te doen.

Terwijl hij onderuitzakte en zijn ogen sloot, maakte hij zijn gulp open en liet hij zijn pik behendig door zijn rechterhand glijden. Het voelde vreemd nu de haast ontbrak. Dat de spanning van een kamergenoot die zomaar binnen zou kunnen vallen ontbrak hinderde hem dusdanig dat het hem niet lukte om op de handeling te focussen. Hij trok de laptop naar zich toe en opende het scherm.

Zonder aarzelen tikte hij 'tube gals' in de zoekbalk van Google. Op advies van de mannen had hij gedurende de missie diverse sites geprobeerd. Tube gals was verreweg de beste gebleken. Hier vond je alles: lesbisch, trio, hardcore en MILFS.

'Kutzooi, leeg!' Met een flits klapte het beeld op zwart en met zijn broek half op zijn heupen zocht hij naar de adapter om de laptop opnieuw op te starten. Wachtend op het geluid van Windows sloot hij opnieuw even zijn ogen. Hij dacht aan het briefje van Lot dat hij op de tafel had gevonden. Haar typische vrouwenhandschrift, de bolle, grote letters:

Lieve Vik,

Even zodat je het niet vergeet: Daan en Fleur volgen sinds het begin van het nieuwe schooljaar een continurooster en eten tussen de middag dus op school. Daan moet om twee uur naar de tandarts, de juf weet ervan, en die moet je dus eerder ophalen. Fleur kun je daarna gelijk ophalen, want zij is om halfdrie uit. (De tandarts zit in dat gebouw tegenover de school waar ook de huisarts zit.)

Om vier uur moet Fleur naar dansen. Ze mag er wel zelf heen fietsen, maar niet in haar eentje terug, omdat het dan al donker is. Daan wilde graag met Dinand spelen, dus je moet maar even afspreken met zijn moeder of dat kan.

Alles voor het eten van vanavond staat in de koelkast, spaghetti meatballs. Zorg jij dat het klaarstaat als ik thuiskom? Ik denk dat ik rond een uurtje of zes thuis ben, maar bel je nog wel even. Als er iets is kun je mij natuurlijk ook gewoon bellen, hè. Nog een weekje en dan hebben we vakantie! :-)

Ik hou van je, dikke zoen, Blossum

Hij dacht aan het nut van lijstjes en vage schema's die mensen erop na hielden. Dat was de vooruitgang; je leven gevangen in een structuur die je van je puberteit, je studie, je eerste baan via je midlifecrisis naar je pensioen hielp. De dood was hier niet iets dat je zomaar kon overkomen, maar slechts het einde van de lijst.

Hij werd wakker van het geluid van de telefoon. Hoe lang had hij zo liggen slapen? Slaapdronken griste hij de telefoon van de bank en nam aan. 'Vik de Wildt.' Het ontbijt, waar hij mee had gewacht tot de kinderen op school zouden zijn, lag in een spoor van kruimels door de kamer naar de plek waar de kat zich had verstopt om het beleg eraf te eten.

'Met Nettie, de juf van Daan,' klonk het aan de andere kant van de lijn. 'U zou Daan toch komen halen voor de tandarts?'

Vik stond op van de bank om op de klok te kijken. Hij voelde de afwezigheid van zijn horloge om zijn pols en verbaasde zich er even over dat je iets kon voelen dat er niet was. Het belang van tijd was voor militairen zo groot dat je altijd en overal een horloge droeg, of je nou sportte, sliep of onder de douche stond.

'Ja, om tien voor twee zou ik hem ophalen. Hoezo?'

'Het is nu twee uur,' klonk het nu enigszins belerend aan de andere kant van de lijn.

'Sorry, ik was in slaap gevallen,' antwoordde Vik 'Ik kom er gelijk aan.'

Kwaad smeet Vik de telefoon tegen de kussens die in de hoek van de bank lagen. 'Verdomme, vuile tyfuszooi!' Alsof er iemand alarm had geroepen, propte hij zijn T-shirt in zijn broek en sloot zijn gulp. Hij wreef over zijn rug, die de laatste dagen steeds stijver leek te worden en meer pijn begon te doen. 'Het zal wel overgaan', mompelde hij. Hij trok een sprintje naar buiten en sprong op zijn fiets om als een idioot naar school te rijden.

5

Vik keek over zijn boek uit het raam toe hoe de eenden vanuit de vijver achter het vakantiehuisje op het zitje bij de achterdeur af kwamen rennen zodra Fleur en Daan naar buiten liepen. Even vroeg hij zich af hoeveel families ze hier per jaar zagen passeren en hoeveel er nodig waren geweest om ze zo geconditioneerd te krijgen dat ze kleine kinderen vanzelf associeerden met broodresten.

Vijf dagen waren ze hier nu; nog twee te gaan. Het zag er weer koud uit buiten; de grauwe mist had iets weg van een koude motregen waarvan de druppels stil leken te hangen in de lucht, alsof er geen zwaartekracht bestond.

Lot had een weekje op een vakantiepark in Zeeland geboekt, 'om even gewoon met z'n vieren te zijn'. Vik had er niet heel enthousiast op gereageerd, al vond hij het wel een prettig idee dat ze nu in ieder geval even niet op bezoek hoefden bij allerlei mensen die hem al zo lang niet hadden gezien.

Tijdens de wandelingen over het strand had hij gevoeld hoe Lot hem had vastgehouden. Ze had hem aangekeken alsof ze hem met haar blik gevangen had willen houden, als een kind dat bang is dat je na het sluiten van de slaapkamerdeur voorgoed zult verdwijnen. Vik had naar Lots aanraking verlangd, maar nu betrapte hij zichzelf erop dat hij niet goed in staat was om ervan te genieten. Hij had zijn ontevreden gevoel proberen te ontwijken door over de zee te staren, steeds verder, iedere keer weer proberend om een punt te ontdekken – een schip, booreiland, vogel of wat dan ook – dat nog verder in zee lag. Hij had gewacht op de ondergaande zon die over de zee zou schijnen, waardoor het water langzaam maar zeker op de licht golvende vlaktes van de Afghaanse woestijn zou gaan lijken.

Van zijn thuiskomst had hij geen grote verwachtingen gehad. Gewoon thuis zijn met Lot en de kinderen leek hem meer dan genoeg. Op Kreta hadden ze er met begeleiders een aantal gesprekken over gevoerd. Ze hadden de tijd genomen om elkaar dingen te zeggen waar ze tijdens de missie niet aan toe waren gekomen, om elkaar te bedanken voor dat moment dat iemand je rug dekte of er gewoon voor je was. Hangend aan de bar had hij het gesprek 's avonds met Larie voortgezet.

'Ik weet niet wat altruïsme betekent, maar ik wilde eigenlijk gewoon zeggen dat je een lekker wijf hebt.'

'Even serieus,' zei Vik, 'wat ga jij doen als je thuis bent?'

Larie haalde zijn schouders op. 'Ik heb geen vriendin, dus ga ik terug naar mijn ouders. Wachten tot ik weer aan het werk mag. Wachten is waar ik in Afghanistan goed in geworden ben. En jij?'

'Ik zou graag ons verhaal opschrijven, gewoon voor later, en ik wil gaan fietsen.'

Vik stak twee vingers op naar de barvrouw en keek opzij naar Larie. 'Ik heb een nieuwe fiets gekocht.' Vik tikte met de hals van zijn flesje tegen dat van Larie. 'Of misschien ga ik wel gewoon even niets doen.'

'Niets doen,' herhaalde hij, waarna ze in één teug de flesjes leegdronken.

Van die plannen was nog niets terechtgekomen. Hij dacht terug aan de tijd voor de uitzending. Een jaar lang hadden ze ernaar toegewerkt. Ze waren naar Normandië geweest om daar de bevrijdingsstranden te bezoeken en het teamgevoel te versterken; de ene oefening werd gevolgd door de andere. Regelmatig was hij twee, drie weken van huis geweest, om dan in de weekenden doodmoe op de bank in slaap te vallen. Toen ze eindelijk weg mochten, kende hij zijn eenheid bijna beter dan zijn eigen gezin.

Eenmaal in Afghanistan hadden ze een kleine vijf maanden aan één stuk door gewerkt. En thuis was hij voor zijn gevoel ineens stil komen te staan. Het verwarde hem, merkte hij. Niet alleen mentaal, maar ook fysiek. Liever was hij gaan werken dan *cold turkey* af te moeten kicken van de adrenaline. Misschien had het wel iets weg van een wielrenner die op de rustdag van de Tour zijn fiets pakt om toch een rondje te gaan fietsen. Voor buitenstaanders een vreemde keuze, maar de renner weet dat de gevolgen van het niet-fietsen desastreus zijn. Alsof hij zijn lichaam anders de ruimte geeft om het over te nemen. Gewoon werken en pas rust nemen als je weer een beetje aan Nederland gewend bent leek hem achteraf beter. Rond kunnen lopen in zijn uniform en mensen in uniform om hem heen hebben, dat zou een hele geruststelling geweest zijn, zo leek hem.

De afwezigheid van de kerels met wie hij had gewerkt viel hem zwaar. Het gaf hem een eenzaam gevoel, eenzamer soms dan hij in Afghanistan was geweest en thuis zo dacht te missen. Het woord 'eenheid' had bij thuiskomst langzaam maar zeker een nieuwe betekenis gekregen. Echt vreemd was het misschien ook niet. Ze hadden in Afghanistan blind op elkaar vertrouwd, een vertrouwen dat door de risico's en de gevechten die ze hadden ondervonden verderging dan binnen welke relatie hier in Nederland ook. Het was er altijd, vierentwintig uur per dag, zeven dagen in de week. Hij had zich geen individu meer gevoeld, maar een belangrijk onderdeel van een groter geheel. Alsof hun eenheid een zelfstandig organisme was.

De vriendschappen hier hadden een andere lading, een andere diepgang. Alsof ze vanbinnen hol waren. Voor de gezelligheid kon je op elkaar rekenen, maar als de koffie en de koek op waren ging iedereen weer naar huis. Hij was vijf maanden weg, en toen hij terugkwam was zijn vrouw er nog en de kinderen ook. Ze waren iets gegroeid, maar eigenlijk precies hetzelfde. En alles draaide op routine verder. Net als de eenden die na het laatste korstje brood automatisch terugwaggelden naar het water. Morgen zou het leven weer gewoon verdergaan, moesten de kinderen naar school en de volwassenen weer werken.

6

'Hallo, met Vik.'

'Hallo?' klonk het onzeker aan de andere kant van de lijn. 'Spreek ik met de kapitein De Wildt?'

'Ja,' antwoordde Vik rustig. 18.34, zag hij op het klokje van de magnetron. Over ongeveer tien minuten zouden ze uit eten gaan in een van de restaurantjes op het vakantiepark. Fleur en Daan lagen onderuitgezakt op de bank en keken tekenfilms, rozig van een hele middag zwemmen. Vik bleef eigenlijk net zo lief in de bungalow, maar de kinderen wilden graag naar het restaurant. En uit de zorg die Lot voor het avondje uit aan zichzelf besteedde, maakte hij op dat ook zij het belangrijk vond.

Vik was enigszins verrast door het feit dat iemand hem met kapitein aansprak. Het kon alleen maar betekenen dat het over werk ging. Het maakte hem alert; er was iets aan de hand. Misschien wel met een van zijn mannen.

'Met wie spreek ik?'

'U spreekt met Willemijn.' Haar stem klonk fragiel, verdrietig, misschien wel bang. Vik gebaarde naar Lot dat hij er zo aan zou komen en dat ze vast in de auto konden gaan zitten. 'Ik ben de moeder van Lars.'

Vik probeerde zich het gezicht van Lars voor de geest te halen, maar het lukte hem niet.

'Lars heeft een brief achtergelaten op zijn kamer en we weten niet waar hij nu is.' Vik hoorde dat de vrouw aan de andere kant brak.

'Een brief?' vroeg hij, terwijl hij in gedachten nog steeds zocht naar de persoon waar ze het over hadden.

'Ja,' snikte de vrouw, 'een afscheidsbrief.'

Godverdomme, dacht Vik. Eindelijk begreep hij dat ze het over Larie had. De ouders wisten zelden de bijnamen die hun kinderen in dienst hadden, en de bijnamen waren binnen de eenheid zo gewoon geworden dat ze van elkaar vaak niet eens meer wisten wat hun echte naam was.

'Lars heeft het vaak over u gehad,' ging de dame verder. 'We hebben zijn mobiel al diverse keren geprobeerd te bellen, maar hij neemt niet op. We hoopten dat u ons zou kunnen helpen. Misschien weet u waar hij zou kunnen zijn...'

'Luister,' brak Vik rustig in. 'Ik heb geen idee waar hij zou kunnen zijn, maar als u mij uw nummers geeft, dan ga ik proberen contact met hem op te nemen en laat ik u zo snel mogelijk weten hoe de zaak ervoor staat.'

Het was even stil aan de andere kant van de lijn, maar Vik voelde aan dat de ouders van Larie blij waren dat iemand ze zou helpen. 'Over een kwartiertje laat ik in ieder geval iets van me horen.'

'Wat gaat u doen?'

'Voor ik weet waar hij zit kan ik niets doen, dus daar moet ik eerst achter zien te komen,' antwoordde hij. 'Daarna zien we wel verder.'

'Dank u,' hoorde Vik nog. Toen hing hij op. Meteen zocht hij in zijn telefoon het nummer van Larie op. Terwijl hij ongeduldig door de gang liep, hoorde hij het toestel overgaan. Hij vroeg zich af waar hij moest gaan zoeken als Larie niet op zou nemen. Rotterdam, waarschijnlijk op een plek waar je schepen kon zien...? Maar dat was nog steeds een ruim begrip. Nog voordat hij op de voicemail overging, hing Vik op en belde opnieuw.

'Kapitein?' klonk het toen ongelovig aan de andere kant. 'Ben jij dat?'

'Hé, Larie, ouwe zoetwatermatroos, waar hang je uit?'

'Wil je het echt weten?' klonk het onzeker.

'Ja, pik, dat wil ik echt weten.'

'Het gaat niet zo goed met me.'

Vik wachtte op wat Larie verder zou gaan zeggen, maar het bleef stil. 'Luister,' zei hij, 'vertel me waar je bent en ik kom naar je toe.'

Opnieuw wachtte Vik op antwoord, maar ook nu bleef het stil. 'Hoor je me?' zei Vik opnieuw. 'Ik kom naar je toe, maar dan moet ik wel weten waar je bent.'

'Ik weet eigenlijk niet hoe het hier heet,' zei Larie, 'maar weet je waar die loodsen in Rotterdam zijn waar ze vroeger onderzeeërs bouwden? Tegenwoordig zijn er tentoonstellingen, geloof ik.'

Vik dacht na. Hij was daar weleens naar een expositie geweest, maar hij wist niet precies hoe hij er kon komen.

'Als ik alleen wil zijn, ga ik altijd naar deze plek. Dan loop ik die brug op tot je niet verder kunt en daar ga ik dan zitten. Daar ben ik nu ook.'

'Ik ken het,' zei Vik. 'Blijf rustig zitten, over een uurtje ben ik bij je.'

Vik hing op en liep naar de auto. 'Sorry, jij moet alleen gaan met de kinderen.'

Lot keek hem verbaasd aan terwijl Vik de sleutel van de auto pakte. 'Wat is er?' vroeg ze, terwijl ze uitstapte om aan de andere kant weer in te stappen.

'Het gaat niet goed met Larie, ik leg het later wel uit.'

Lot zuchtte en wees naar Daan en Fleur op de bank.

'Pap, je gaat toch wel mee?' zei Fleur gauw.

Vik probeerde Fleurs blik te ontwijken, maar besefte dat hij dat niet kon maken.

'Er is iets ergs aan de hand,' probeerde hij uit te leggen. 'Ik moet nu ergens anders heen. Morgen maak ik het goed.'

'Dat zeg je altijd,' zeiden Daan en Fleur bijna tegelijkertijd.

Vik haalde zijn schouders op. 'Sorry.' Hij pakte zijn telefoon uit zijn jaszak en tikte een bericht naar de ouders van Larie:

Geen zorgen, heb hem gesproken en
weet waar hij is.
Ga nu naar hem toe.
Vik.

Terwijl hij op Verzenden drukte, besefte hij dat zijn telefoon bijna leeg was, en dat hij niet wist waar de autolader lag. Hij besloot zijn telefoon uit te zetten, zodat hij ieder geval nog kon bellen als het echt nodig was in.

Op de snelweg trapte hij het gaspedaal van de oude Renault Espace diep in. Maar hoe hard Vik ook trapte, de teller bleef rond de 160 steken.

Vik hield van Rotterdam; het was de enige echte wereldstad die Nederland rijk was. Hier werd gewerkt; de havens waren het oog waarmee Nederland naar buiten keek. Amsterdam was leuk voor kunst, cultuur en de hoeren, maar iedereen die echt iets wilde ging naar Rotterdam, vond hij. Hij passeerde het Noordereiland en reed via de Kop van Zuid langs Katendrecht. Hij zou zo de Waalhaven op draaien; daar was het ergens in de buurt.

Vik ging langzamer rijden om de straatnamen te kunnen lezen: Waalhaven-Zuid, Droogdokweg. Hier aan het einde moest het zijn. Vik reed door tot onder de roestige dokkraan die Larie door de telefoon had beschreven.

Het is verdomme koud. Hij zocht naar de dikke fleecejas die ergens op de achterbank moest liggen, probeerde zijn ogen aan het donker te laten wennen en ging op zoek naar de brug die Larie had genoemd.

'Larie!' riep hij. 'Fuck, ik zie hier geen kut,' vloekte hij hardop.

Vik liep door tot het einde van de brug, maar Larie zag hij niet. Hij keek naar beneden; een meter of zes onder hem stroomde het zwart glimmende water, dat eruitzag alsof het dunne olie was. 'De wind maakt het er ook niet warmer op hier,' zei Vik tegen zichzelf.

'Larie!'

'Kapitein, ben jij dat?' De stem kwam achter Vik vandaan.

'Larie?'

'Ik zit hier, gewoon op de rand van het dok.'

'Dat is nogal een ruim begrip. Kun je wat specifieker zijn?'

'Vanaf de kraan doorlopen tot de punt van het dok.'

Vik liep de brug af en liep voorzichtig langs de rand van het dok naar de plek waar Larie zat. In het begin zag hij niet veel meer dan een zwarte vlek, een soort ineengedoken rots.

'Mag ik naast je komen zitten?'

Larie antwoordde niet. Hij zat met zijn handen in zijn schoot gevouwen en staarde doelloos voor zich uit. Vik ging naast hem zitten en sloeg een arm om hem heen. In Afghanistan hadden ze net zo gezeten, maar toen had Larie zijn arm om Vik heen geslagen.

'Heb je nog shag?' vroeg Vik.

Larie keek enigszins verrast opzij. Het was de eerste keer dat ze elkaar aankeken. 'Jij rookt toch niet?'

'Jawel,' verbeterde Vik hem, 'vanavond wel.'

Larie trok een baal Javaanse Jongens uit zijn zak.

'Dat rookte ik vroeger ook altijd,' merkte Vik op, terwijl hij behendig een sigaret rolde. Het was twaalf jaar geleden dat hij voor het laatst had gerookt, maar shag draaien was hij niet verleerd.

Zonder op te kijken gaf Larie hem vuur.

'Moeten we het over die brief hebben?' vroeg Vik, terwijl de punt van zijn sigaret rood opgloeide. Hij wist dat het in dergelijke situaties vaak het beste was om niet te veel te zeggen. Bovendien wist hij ook niet goed wat hij nu eigenlijk moest vragen. Hij vroeg zich af wat hij zou doen als Larie nu echt zou willen springen. Zou hij hem redden? Wie of wat redde hij eigenlijk, als Larie niet gered wilde worden? Zijn familie en vrienden zouden blij zijn, maar Larie zelf niet. Moest je iemand laten leven die dat zelf niet wilde; was zelfmoord niet net zo'n egoïstische daad als het voorkomen ervan?

Larie schudde zijn hoofd. 'Nee.'

'Weet je wat, we doen het samen, jij en ik. We hadden afgesproken om elkaar nooit in de steek laten, dus nu ook niet.'

'Maar jij hebt een gezin.'

'En?'

'Dat kun je niet maken.' Larie klonk verontwaardigd. 'Je kinderen, je vrouw, ze hebben je nodig. Mij zou niemand missen, maar jou?'

Vik keek opzij en stond op. Hij draaide een kwartslag, opende zijn gulp en pieste vanaf de kant in het water. In de verte zag hij het licht van de Erasmusbrug. Hij keek over zijn schouder naar Larie terwijl hij zachtjes in zijn lul kneep om de laatste druppels te lozen. 'Mijn kinderen zouden me missen, ja, maar mijn vrouw... Mijn vrouw volgens mij niet zo erg. Ze zou me niet missen, omdat ze me niet meer kent. Ze beseft het nog niet, omdat ze denkt dat ik vanzelf weer de oude word. Dat hoe ik nu ben tijdelijk is. Misschien bewijs ik haar wel een dienst.'

De Maas werd even opgelicht door een voorbijvarend schip. Vik ging weer zitten en pakte de shagbaal aan, die Larie hem aanbood.

'Ik hoop dat ze geen urn, maar een mooie vaas koopt voor mijn as. En dat ze mijn as zal laten verstrooien in de Dasht van Sorkh Murgab, waar ik volgens haar nog geen afscheid van heb genomen. In die vaas kan ze dan bloemen zetten die ze iedere week van haar nieuwe man zal krijgen, om mij te laten weten wat ik altijd vergat.'

Larie smeet onderhands een steentje de rivier in; de waterkringen bleven net als hun pijn in het donker van de nacht onzichtbaar. Hij drukte op het knopje van zijn G-shock-horloge, dat groen oplichtte: 23.23.

'Heeft ze dat gezegd?'

'Nee.' De cynische ondertoon uit Viks stem was verdwenen en had plaatsgemaakt voor een meer serieuze toon 'Tenminste, niet direct tegen mij.'

'Ik heb zin in bier,' doorbrak Larie de stilte. 'Denk je dat we dat nu nog ergens kunnen krijgen?' Opnieuw wierp Larie een steen de rivier in, maar ditmaal was er een duidelijke doffe plons te horen.

'Geen idee, op maandagnacht. Het lijkt me niet waarschijnlijk dat er nog iets open is.' Vik trok zijn kraag wat verder omhoog en keek naar de brug. 'Ik heb een beter idee, wacht effe, pik.' Terwijl hij opstond keek Larie hem na. Vik liep naar de auto, die enkele meters achter hem stond geparkeerd. Hij opende de achterbak en ontdekte dat hij hem in de haast vergeten was op slot te doen. Met één hand hield hij de doos vast die op zijn knie steunde, terwijl hij met de andere de klep dichtsmeet. Het geluid van flessen die tegen elkaar aan tikten trok Laries aandacht.

'Wat heb jij nou?'

'Een boodschappenwagen,' antwoordde Vik droogjes, terwijl hij de doos voorzichtig op de kade zette en ernaast ging zitten. Zonder iets te zeggen haalde hij er twee flessen uit en begon de wikkel rond de hals te verwijderen. *Plop.* Sierlijk schoot de eerste kurk in het water. Vik gaf de fles aan Larie, die hem zonder aarzelen aanpakte. Even later klonk ook de plop van de tweede fles.

'Proost,' zei Vik, terwijl hij de hals van zijn fles schuin naar voren kantelde. 'Gelukkig nieuwjaar.'

Ook Larie kantelde zijn fles. Het geluid van de kleine golven die tegen de kant aan klotsten werd opnieuw onderbroken door het geluid van glas tegen glas.

'Wat drinken we, en waarop eigenlijk?' vroeg Larie.

'Champagne. Ik had die eigenlijk voor het nieuwe jaar gekocht, maar als we ons toch gaan verzuipen, dan maar in stijl.'

Ze lachten.

'Op het woestijnstof...' zei Larie.

7

‘Hé, met mij.’

‘Vik?’ klonk de stem van Lot door de telefoon. ‘Waar hang je uit?’ Hoewel ze zich duidelijk probeerde te beheersen, klonk er paniek door in haar stem.

‘Rotterdam,’ antwoordde Vik droogjes.

‘Het is één uur ’s middags. Sinds gisteravond heb ik niets meer van je gehoord. Waar in Rotterdam zit je?’

Vik keek om zich heen. Hij zag een kale lege ruimte met wat eenvoudig en degelijk meubilair. Hij had koppijn, de bonkende koppijn van een kater. ‘Politiebureau Zuidplein, geloof ik.’

‘Hoe kom je daar nu weer terecht? En waarom heb je niet eerder gebeld?’

Vik kreeg niet de kans om te antwoorden.

‘Ik zit hier zonder auto met twee jankende kinderen die al de hele dag naar je vragen en jij vertelt doodleuk dat je op het politiebureau zit? Alsof je even brood haalt bij de bakker om de hoek?’

Terwijl Lot doordenderde probeerde Vik zich voor te stellen wat nu precies het probleem was.

‘Jezus, man, je had wel dood kunnen zijn.’

‘Dat had goed gekund,’ antwoordde Vik kalm. Lot wist nog niet half hoe dicht haar opmerking de waarheid benaderde. Het leven was net economie, bedacht hij. De dood maakte het leven eindig. In leven schuilde dus schaarste, en waar schaarste aan is, daarvan stijgt de waarde. Eigenlijk was alles vraag en aanbod. Misschien verlangde hij daarom wel terug naar Afghanistan. Waar meer dood is, is het leven schaarser en dus ook meer waard.

'Wat zei je?' klonk het ongelovig aan de andere kant van de lijn.

'Dat het goed gekund had,' zei Vik rustig. Zijn koppijn werd erger. Ook dit zou wel weer uitmonden in zo'n gesprek dat ze de afgelopen weken herhaaldelijk hadden gehad. Gesprekken waarin Lot huilend haar best deed om te begrijpen wat hij allemaal had meegemaakt. Misschien dacht ze wel dat als ze hem zou begrijpen, ze hem dan ook zou kunnen 'genezen', een strategie zou kunnen bedenken om hem weer echt in Nederland te laten landen.

'Wanneer mag je naar huis, en wat heb je gedaan om in die cel te belanden?'

'Geen idee, eigenlijk weet ik helemaal niet meer wat er gebeurd is na een uurtje of halfvier vannacht. Die agent zei dat ze ons gevonden hadden op het dok. De auto stond open. Ze hadden vijf of zes lege champagneflessen gevonden, én ons. Schijnbaar waren we een beetje onderkoeld. Ze hebben ons mee hiernaartoe genomen om onze roes uit te laten slapen en om wat vragen te stellen. Ik denk dat we zo wel weg mogen.'

Vik vroeg zich af of ze misschien ook dacht dat hij drugs gebruikt had. Een vriendin had het Lot laatst gevraagd, omdat zijn ogen soms zo bloeddoorlopen waren na de uitzending. Het kwam vaker voor, had de vriendin gezegd. Toen Lot het hem vertelde, had hij het weggewuifd. Hij had het hele idee belachelijk gevonden. Er waren overigens wel collega's die waren gaan gebruiken. Anderen waren gaan motorrijden, om met 250 km/u over de wegen te kunnen jakkeren. Hoe harder, hoe beter, als er maar adrenaline en endorfinen vrijkwamen. Vik had zelf nooit een motorrijbewijs overwogen, maar hij begreep wel het ongemak van de rust. Hij kende ook een aantal collega's die na de uitzending, wist hij, hun spanning zochten bij andere vrouwen. Hij veroordeelde dat niet. Seks en liefde waren twee verschillende dingen, had hij in Afghanistan ontdekt.

Het was een week nadat hij in Deh Rawod in een hevig gevecht was geraakt dat hij op patrouille een vrouwelijke journaliste moest begeleiden. Diana heette ze, naar de godin van de jacht. Zij was op jacht naar een verhaal over de taliban, en naar mannen die haar dit verhaal konden vertellen. Toen ze de tweede nacht doorbrachten op Patrol Base Poentjak had Vik haar over het kamp geleid. 's Avonds hadden ze hun veldbedden op gezet naast het zelfgemaakte bordje met pijlen die alle kanten op wezen. In het midden van de pijlen stond TALIBAN geschreven. In het donker hadden ze samen naar de sterren gekeken. Een andere sterrenhemel dan in Nederland, had Vik haar laten zien. Hij had gewezen naar de *quala's* die op een paar honderd meter afstand van hun bedden lagen.

'Daar zitten ze,' had Vik gezegd, 'de boefjes.' Ze had zijn hand gepakt en hem naar haar toe gedraaid. Vik voelde wat er ging gebeuren, maar verzette zich niet. Los van wat hij voor Lot voelde, wilde hij niets liever dan hier en nu seks hebben met Didi, zoals ze zichzelf noemde. Vik wilde vlak onder de ogen van de taliban laten zien dat hij leefde, dat hij dat deed wat levende mensen het liefst doen. Een statement maken, uitschreeuwen dat ze hem niet zouden krijgen.

Voor het eerst in zijn leven neukte Vik zonder ook maar één keer zijn ogen te sluiten. Hij wilde ze zien. Hij wilde zien of de taliban hem zagen, terwijl hij deze vrouw op bijna agressieve wijze nam. De volgende dag reed hij Didi als een trofee door het gebied.

'Waarom heeft de politie ons dan niet gebeld toen ze jullie vonden?' Lot snikte zachtjes aan de andere kant van de lijn. Het duurde even voor de vraag tot hem doordrong.

'Vik?'

'We hadden allebei geen legitimatie bij ons,' antwoordde Vik.

'Wat?' Opnieuw klonk er ongeloof in Lots stem. Vik vond dit gegeven niet zo vreemd. Als ze op patrouille gingen, nam hij nooit iets mee dat hem kon koppelen aan thuis. Geen foto's, geen trouwring of wat dan ook – om te voorkomen dat zijn familie lastiggevallen zou kunnen worden als hij gevangen genomen werd.

'De politie dacht eerst dat de auto gestolen was en dat wij slachtoffer waren van een misdrijf, een afrekening in het criminele circuit misschien. Ik geloof dat ze dachten dat we in de auto de plomp in gegooid hadden moeten worden.' Vik kon er eigenlijk wel om lachen. 'Als ik heb geblazen en kan bewijzen dat de auto van mij is, mag ik geloof ik weer naar huis. Larie gaat naar Utrecht, naar het militair hospitaal.'

'Heb je eigenlijk weleens nagedacht over hoe ik dit allemaal aan de kinderen uit moet leggen?' vroeg Lot. 'Je kunt ons toch niet zomaar, zonder auto, alleen laten op dit godvergeten vakantiepark en gewoon zonder wat van je te laten horen verdwijnen? Ik kan nu niks, het regent en de kinderen zijn vervelend en onrustig.'

Vik speelde ongemakkelijk met het snoer van de telefoon.

'Al die tijd heb ik alles hier thuis in mijn eentje moeten doen, heb ik op je gewacht en ben ik bang geweest dat je niet meer terug zou komen. Ik heb je gemist en zelfs nu je er bent, moet ik je weer missen.'

'Jezus, alsof ik voor mijn lol niet mee ben gaan eten,' antwoordde Vik geïrriteerd. 'Soms zijn er wel belangrijkere dingen in de wereld dan een of ander kutdiner. De kinderen zijn het trouwens allemaal zo gewend dat ze het eigenlijk niet eens merken als ik er niet ben.' Hij wist dat hij onredelijk was, maar dat deed er nu niet toe. Hij had gedaan wat hij moest doen, en in plaats van begrip kon hij gezeik krijgen.

'Ik snap heus wel dat dit soort dingen belangrijk is, maar je hebt ook hier je verantwoordelijkheden.' Lot huilde nu duidelijk. 'Soms denk ik weleens dat je meer om je mannen geeft dan om je eigen kinderen.'

Lot had het hem voor de uitzending ook al eens gezegd: dat ze vond dat hij zoveel tijd aan de kerels besteedde. Al die oefeningen, er kwam nooit een einde aan. Hij had haar toen uitgelegd dat zijn mannen het best beschermd werden door ze zo goed mogelijk voor te bereiden. Toch vroeg hij zich nu af of ze niet ergens gelijk had. Hij kon niet wachten tot de kinderen na Nieuwjaar weer naar school mochten, merkte hij, en het moment dat hij een week later weer aan de slag mocht. Terug naar de eenheid, naar de kerels aan wie hij in Afghanistan blind zijn leven had toevertrouwd. Hij miste hen misschien wel meer dan hij zijn eigen gezin had gemist in Afghanistan.

'Ik had gehoopt dat we na al die drukte rondom je thuiskomst gewoon even wat tijd voor onszelf zouden hebben. Wij met z'n vieren, geen verplichtingen of wat dan ook... Morgen is alweer de laatste vakantiedag,' huilde Lot door.

'We zijn de hele week samen geweest. Zwemmen, uitwaaien op het strand, eten. Het spijt me dat ik er nu niet ben, maar zo'n ramp is dat toch niet?'

'Fysiek ben je aanwezig,' beet Lot hem toe voor ze ophing. 'Alleen fysiek.'

8

'Wat was er gisteren op school eigenlijk aan de hand?' Lot keek voor zich uit naar de weg. De kinderen achterin waren stil. Omdat ze na de wedstrijd samen op visite gingen bij vrienden viel er eigenlijk weinig te kiezen, maar toch vond Lot het fijn dat hij mee ging kijken naar het basketballen. Als iemand die in slaap gedoezeld was en onverwachts wordt aangesproken keek Vik op.

'Wat bedoel je?'

'Gewoon, wat er aan de hand was,' herhaalde ze. 'Ik hoorde dat je ruzie had op het schoolplein.'

Vik zuchtte. 'Jezus, als dat al ruzie is tegenwoordig.' Zijn stem klonk rustig. Hij keek uit het raam naar de vangrails en de groenstrook erachter om Lot niet aan te hoeven kijken. 'Ik heb gedaan wat iedereen vindt dat er op zulke momenten moet gebeuren, maar waar niemand de verantwoordelijkheid voor durft te nemen. Blijkbaar is dat een probleem in ons kleinzerige en overbeschaafde Nederland.'

'Ik begreep dat je een jongen van zijn fiets af hebt getrokken.' Vik voelde haar ogen in zijn wang priemen. Rustig blijven. Ze probeert me te helpen, dacht Vik. Het is lief bedoeld.

'De meeste ouders waren nogal geschrokken.'

'Luister,' reageerde Vik. 'Zo is het helemaal niet gegaan. Ik bedoel, ik heb die jongen wel van zijn fiets getrokken, maar niet zomaar. Zoals jij het nu vertelt, lijkt het net alsof ik een of andere gek ben.'

'Dat zeg ik toch niet? Ik ben alleen nieuwsgierig naar wat er is gebeurd.'

'Jij misschien niet.' Ze bedoelde het goed, en toch voelde Vik de onmacht en irritatie vanbinnen groeien. 'Maandag is het begonnen. Ik kom met Fleur en Daan aan op school. Net achter de rotonde stappen we af op die smalle strook voor het schoolplein, waar alle ouders hun fietsen neerzetten. Achter mij langs fietst er een gozertje van een jaar of negen, tien. Hij zigzagt tussen de ouders en kinderen door. Omdat je daar niet mag fietsen, spreek ik dat ventje aan. Hij kijkt verbaasd om en op het moment dat hij me aankijkt, besluit hij om af te stappen. Niks aan de hand dus. De volgende morgen kom ik weer op school en hetzelfde ventje fietst opnieuw achter me langs, dus roep ik: "Hé! Ik dacht dat ik gisteren duidelijk was geweest. Afstappen, morgen vraag ik het niet meer!" Woensdag kom ik aan en ik zie hem uit mijn ooghoeken al aankomen, dus ik wacht tot hij achter me rijdt, draai me om, grijp hem in zijn kraag en zet hem naast zijn fiets. *That's all...*'

Vik liet een stilte vallen. De kinderen achter in de auto keken zwijgend voor zich uit, terwijl de witte strepen op het asfalt steeds sneller onder de auto door leken te schieten.

'Zo gek is dat toch niet?' ging hij verder. 'Alle ouders klagen over de kinderen die op het schoolplein fietsen, maar er is er niet één die er iets aan doet. Het probleem hier in dit land zijn niet de regels, maar dat we vinden dat wij niet degenen zijn die erop toe moeten zien dat ze worden nageleefd. We schuiven de verantwoordelijkheid nogal makkelijk af naar een ander.'

'Misschien,' antwoordde Lot. 'Maar denk ook eens na over wat anderen ervan vinden, hoe het op hen overkomt.'

Vik zakte onderuit in de stoel en steunde met zijn voeten tegen het dashboard. Vanachter zijn zonnebril keek hij over de weilanden, die een witte gloed hadden van de kou. Het was helder weer en de zon had een feloranje kleur.

'Weet je dat de zon overal op de wereld anders is?' vroeg hij. Lot keek even opzij. 'In Afghanistan heb ik bijna elke dag de zon op zien komen en zien ondergaan. Het is dezelfde zon als hier, maar toch anders. Door de kleur van de dasht lijkt de zon daar op dat moment niet oranje, zoals hier, maar roze.'

'De dasht?' vroeg Daan, die vanaf de achterbank het gesprek blijkbaar toch volgde.

Vik knikte hem toe in de spiegel. 'De woestijn. Het stof van de woestijn heeft een zachte gloed en als de zon opkomt, lijkt alles een rozige kleur te krijgen. Vlak voor de zonsopkomst zie je de Afghaanse bevolking bidden en komen er rookpluimpjes uit de tandoors, de ovens, omdat er brood gebakken moet worden.'

Vik draaide het volume van de radio wat omhoog. Hij trommelde met zijn handen op zijn dijen en neuriede zachtjes met de muziek mee. *Tomorrow we will loose another day*. 'Dit nummer is de reden dat ik een dag later thuiskwam. Ik lag op mijn bed in Kandahar te wachten op onze vlucht naar Minat en Kreta, en luisterde toevallig naar dit nummer toen ze ons kwamen vertellen dat de vlucht een dag was uitgesteld. Als ik er niet naar geluisterd had, was alles misschien anders gelopen.' Vik wist dat het niet waar was wat hij zei, maar toch kon hij ook niet geloven dat het toeval was geweest.

Bij de basketbalhal draaide Lot de auto het parkeerterrein op en zwaaide naar haar vriendinnen, die hun tassen en een groot groen net vol basketballen uit de achterbak van hun auto haalden. Vik stapte uit en liep met Daan en Fleur achter hen aan. Binnen viste hij een bal uit het net en daagde de kinderen uit. De zaal was niet groot. Een tribune was er niet, en vanuit de kantine kon je niet het hele veld overzien.

Toen de teams het veld op kwamen, nam Vik plaats naast de wisselspeelsters aan het einde van de bank en leunde achterover tegen de bakstenen muur. Daan en Fleur hadden geen oog voor de wedstrijd. Ze speelden ergens naast het veld met een rondslingerende bal en leken zich prima te vermaken. Tegen het plafond stonden een paar ramen open om te voorkomen dat het te warm zou worden voor de speelsters, maar voor degenen die stilzaten voelde het koud aan. Half onderuitgezakt volgde Vik het spel. Lot verspeelde een bal, die ze uit haar handen liet glippen. Later miste ze nog twee passes die voor haar waren bedoeld. Ze gebaarde met haar handen naar de coach dat ze gewisseld wilde worden, maar hij reageerde niet. Toen ze even later ook nog eens haar schot miste, vroeg ze, zichtbaar geïrriteerd over haar eigen prestaties, om een wissel. De coach leek er geen boodschap aan te hebben en gebaarde, stoïcijns voor zich uit kijkend, dat ze door moest spelen.

Onopvallend verliet Vik de bank en zocht een plek in de lege kantine, waar hij een cappuccino bestelde. Onderuitgezakt in een rieten stoeltje wachtte hij op het einde van de wedstrijd, tot het moment dat de dames achter hem zouden verschijnen en hun tassen naast de tafel neer zouden laten ploffen. Bij het drankje na afloop lieten ze zich, afhankelijk van winst of verlies, dan vaak nog uit over scheidsrechters, tegenstanders, de zaal en de ring.

'Wat was er?' vroeg Lot toen ze de kantine binnenkwam. 'Vond je het niet leuk?'

'Ik was moe,' loog Vik. 'Wil je ook wat drinken?'

'Doe maar thee.' Met haar hand gleed ze over Viks schouder. Ze lachte tevreden, alsof ze opnieuw tegen hem wilde zeggen wat ze de afgelopen dagen al zo vaak tegen hem had gezegd.

'Mama?' kwam Fleur tussenbeide. 'Als het drinken op is, gaan we dan naar huis?'

Lot schudde haar hoofd. 'We gaan op bezoek,' antwoordde ze kort, terwijl ze haar tas openritste om haar portemonnee te pakken.

'Ik heb ook geld,' zei Vik en stond op om een thee en nog een cappuccino te gaan halen. Even twijfelde hij of hij bier zou nemen. Het was niet zozeer het tijdstip dat hem tegenhield, maar eerder het gebrek aan gezelligheid in de kantine. Hij schoof de verse muntthee op de tafel voor Lot en bleef zelf met zijn cappuccino wat afzijdig staan. 'Hebben jullie eigenlijk gewonnen?' vroeg hij.

'Ja, maar ik heb niet echt lekker gespeeld. Ik snapte ook niet dat John me in het begin niet wisselde. Het liep echt voor geen meter. Gelijk in het begin al liet ik drie ballen lopen. Ik vroeg om een wissel, maar die kreeg ik niet.'

'Ik heb het gezien,' antwoordde Vik onopvallend zuchtend.

'Dat is toch raar? Dat ik dan aangeef dat ik gewisseld moet worden, maar dat John me negeert en me gewoon laat staan. Ik bedoel, hij zag toch ook wel dat het niet liep? Waarom wisselde hij me dan niet even?'

'Vraag je dat aan mij?' Vik voelde dat zijn ogen zich vernauwden.

'Ja, aan wie anders?' antwoordde Lot, verrast door Viks plotselinge felheid. 'Is er iets?'

'Nee, niets,' mompelde Vik. 'De coach heeft je niet gewisseld, punt.'

'Maar hij zag toch ook wel dat het niet lukte, dat hij me beter even had kunnen wisselen?'

'Vast wel, maar dat heeft hij niet gedaan, en dan speel je dus gewoon verder en doe je gewoon je stinkende best om je gemaakte fouten goed te maken.'

'Ik wilde gewoon even een wissel, daar is toch niks mis mee?'

Vik lepelde het laatste beetje schuim onder uit zijn kopje, gooide Lots tas over zijn schouder en maakte aanstalten om richting de auto te gaan.

'Daar is toch niks mis mee, Vik?' Lot keek Vik verbaasd aan.

'Tuurlijk niet. Lekker makkelijk ook,' vulde Vik haar aan. 'Dacht je dat er bij ons nooit eens iemand dacht aan een wissel? Of nee, laat ik specifieker zijn. Dacht je, toen bij ons op Sjingola de kogels om mijn oren vlogen, dat ik toen niet dacht: kut, ik heb vandaag mijn dag niet. Dit is niet waar ik wil zijn op dit moment, kan iemand me misschien even wisselen? Even een *Beam me outta here Scotty*-momentje.'

Lot en haar teamgenoten keken geschokt. Ze leken als aan de

grond genageld, alsof er zojuist een granaat in hun midden was ontploft.

Vik draaide zich kwaad om. 'Het vervelende was alleen dat er geen wissels waren, Lot. En dat we het dus moesten doen met de tegenstander en de spelers die er op dat moment in het veld stonden. Je doet gewoon wat er van je verwacht wordt, en daar moet je niet over zeiken. Wat een onnozel gejank, zeg.'

Met een doffe klap liet hij de kantinedeur achter zich dichtvallen.

9

Vik voelde hoe zijn nekspieren aan zijn schouders leken te trekken, als een elastiek dat tot maximale spanning wordt opgerekt. Hij had het al een paar keer gemerkt, maar het was hem steeds niet gelukt om het tegen te gaan.

Lot schoof haar zonnebril over haar ogen en startte de auto. Ze zweeg.

Lang had hij naar thuis verlangd. Als er tijd was geweest om na te denken had hij zich eenzaam gevoeld. De keren dat hij naar huis had gebeld en Daan niet aan de telefoon wilde komen had hij dat wel begrepen, maar het had hem des te eenzamer gemaakt. En nu?

Vik had geen zin om te praten, maar ze hadden nu eenmaal met vrienden afgesproken, en afspraken moeten worden nagekomen. In Afghanistan had hij geleerd wat de consequenties konden zijn van het niet-nakomen van regels en afspraken. Hier was hij al een paar keer onbewust overvallen door de angst de controle te verliezen, zoals laatst.

De kinderen waren nogal druk en vervelend geweest. In eerste instantie was hij rustig gebleven, had hij ze gewoon verteld dat ze moesten ophouden. Maar Daan en Fleur waren maar doorgegaan. Toen Vik vond dat het genoeg was, greep hij in. Hij had zich voorovergebogen en zijn woorden kracht bijgezet met zijn lichaamstaal.

'Die blik in je ogen, Vik,' had Lot hem gezegd, terwijl ze Daan tegen zich aan drukte om hem te troosten, die van schrik in zijn broek had geplast. 'Je hele houding, godverdomme, man! Ik dacht dat je een moord zou begaan.'

Fleur schuilde huilend achter haar moeder en keek hem angstig aan. Vik was zich van geen kwaad bewust geweest. Hij had alleen duidelijk willen zijn, meer niet.

Toen Lot de kinderen had geholpen was ze naast Vik op de bank gaan zitten.

'Waarom huil je?' had ze gevraagd.

'Geen idee.'

'Ik heb je vaak zien huilen de laatste tijd.'

'Zal wel,' had hij geantwoord. 'Zo'n ramp is dat toch niet?'

'Nee.' Ze draaide zich naar hem toe en legde haar handen op zijn been. 'Maar toen we vreeën van de week voelde ik ook een traan op mijn borsten vallen.'

'Ik vond het gewoon fijn.'

'Je huilt om veel uiteenlopende dingen, Vik. Als je naar de kinderen kijkt, om een schilderij of muziek.'

Vik haalde zijn schouders op. 'Ik weet het niet, het is soms net of de dingen die ik zie tegenwoordig intenser zijn en dieper bij me binnenkomen.'

Lot had hem zachtjes op zijn lippen gekust, terwijl ze haar hand langs zijn wang liet glijden. 'Soms lijkt het alsof je een volslagen onbekende voor me bent geworden.'

Ik zou blij moeten zijn om weer thuis te zijn, dacht hij. Zijn arm steunde op het portier. Met zijn vingers probeerde hij onopvallend het vuil uit zijn neus te halen. Zijn longen leken nog steeds druk bezig om het Afghaanse stof uit zijn lichaam te verwijderen. Zijn neus begon weer te bloeden, merkte hij. De bloedingen waren afgelopen week ineens begonnen. Ze zouden vast vanzelf weer ophouden, even plotseling als ze waren begonnen. Zo ging het vaker, schoot het door zijn hoofd. Tijdens het gevecht op Sjingola had hij zijn rug geblesseerd toen de jeep waar hij in zat met hoge snelheid door een gat was gereden. Met een droge knak en een stekende pijn had zijn rug hem laten weten hoe de klap was opgevangen.

Hij had er een week of twee last van gehad, maar met paracetamol was het goed te doen geweest. Bovendien had hij geen tijd gehad om eraan te denken en dus was hij gewoon doorgegaan, zoals wielrenners na een valpartij eerst de rit uitrijden en dan 's avonds pas iemand laten kijken of ze nog verder kunnen. '*Pain is natures way of telling you to slow down*,' hadden ze vaak tegen elkaar gezegd. Het leek of die rug nu de tijd nam om te herstellen, want nu voelde hij de pijn af en toe weer even.

'Wat heb je de afgelopen week nou eigenlijk allemaal gedaan?' probeerde Lot voorzichtig.

'Niks,' antwoordde Vik, 'geslapen.'

'Ik dacht dat je wilde fietsen, dat je veel wilde trainen. Je wilde toch nog wat veldritten rijden om weer in vorm te komen?'

Vik staarde voor zich uit. Hij had zich inderdaad voorgenomen om weer op de fiets te stappen, maar elke poging tot trainen had hem veel pijn gedaan. Alsof hij niet meer herstelde van de inspanningen die hij zich getroostte.

'Het zou je goeddoen,' ging Lot verder.

'Te moe.' Vik haalde zijn schouders op. 'Mijn lichaam wil alleen maar slapen, lijkt het wel.'

Bij de verkeerslichten sloegen ze rechts af de rondweg op die aan het einde uit zou komen op het woonerf van de Vinexwijk waar ze zijn moesten.

'Koffie?'

Zonder op te kijken knikte Vik. 'Lekker.' Hij liep door de woonkamer en bleef voor de schuifdeuren staan. Op de achtergrond hoorde hij Lot zeggen hoe fijn het was dat Vik weer thuis was.

'Hij is wel mager geworden,' klonk er zachtjes uit de open keuken. 'Gaat het wel goed met hem?'

Vik bleef staan op het hoogpolige, trendy vloerkleed, dat duidelijk nieuw was, en deed of hij het niet hoorde. In de keuken werd de melk met de hand opgeschuimd. Hij keek opzij naar de strakke zwarte bank, een L-vorm waarbij de korte poot een soort moderne chaise longue vormde. Een bank zoals je die tegenwoordig bij elk midlifegezin vond. Achter hem stond de tv aan. De VRT, want veldrijden en wielrennen keek je als liefhebber nu eenmaal op de Belg. De koers was nog niet begonnen, en dus hoorde hij de voorbeschouwing en hij zag de damp onder de mutsen van het publiek vandaan komen.

Vik liep door naar de grote schuifpui tot zijn schenen de warmte van de lage designradiator konden voelen. Afwezig staarde hij naar het onopgeruimde kinderspeelgoed in de tuin. Het zag eruit of het in de steek gelaten was. Alsof de kinderen gevlucht waren omdat ze wisten dat er elk moment gevechten uit zouden kunnen breken. Vik voelde zijn hartslag omhooggaan en zijn zicht verscherpen. Langzaam liet hij zijn blik over het dunne laagje sneeuw in de tuin naar achteren glijden. Over de rand van de schutting keek hij naar het huizenblok erachter. Hij zocht bewust naar elk detail dat hem vertelde dat hij niet meer in Afghanistan was, maar alsof hij die werkelijkheid niet durfde te accepteren zocht hij verder.

'Ja, hij is wat stiller dan anders en nog erg moe.'

Zoals altijd verdedigde Lot hem. Ook als hij er niet om vroeg.

Vik ging in de hoek van de bank zitten. Hij stelde zich in op een beleefdheidsgesprek over koetjes en kalfjes, dat vanzelf over zou gaan in vragen over Afghanistan, alsof het toeval was.

'Goed je weer te zien. Voel je je alweer een beetje thuis?' Twan was naast hem komen staan.

Vik staarde in zijn koffie. 'Het weer is wel even wennen – koud.'

Visite – meestal wist hij binnen vijf minuten al niet eens echt meer waar of bij wie hij nu eigenlijk was. Oogcontact meed hij meestal, tot het echt niet anders meer kon. Over enkele minuten zouden Lot, Daan en Fleur bijzaak worden, wist hij inmiddels. Op zijn linkerdijbeen voelde hij de hand van Lot.

En ja hoor, daar was de vraag: 'Hoe was Afghanistan?'

Heel even sloot Vik zijn ogen en haalde hij diep adem. Zijn

duim gleed zachtjes langs zijn vingertoppen, alsof het zachte woestijnstof langzaam door zijn vingers gleed. 'Afghanistan is een bijzonder land.' Tegenover hem zag hij hun vrienden, die hem ongeduldig en vol verwachting aankeken. Een verwachting die voor hem het signaal was om alles te kunnen vertellen over zijn uitzending, als een soort vlucht terug naar Afghanistan.

'Je zou het op het eerste gezicht misschien niet zeggen, maar het land is enorm vruchtbaar. Daar waar water stroomt is alles diepgroen van kleur en kun je het graan bijna letterlijk zien groeien. Als de zon opkomt of ondergaat komt er door de kleur van het woestijnstof een roze gloed over het land te liggen. Het stof is fijner dan pasgevallen sneeuw en heeft een zoetige geur.'

Vik liet zijn tong over zijn lippen glijden, alsof hij het stof wilde proeven.

'En de mensen?'

'De mensen zijn net als het land.'

'Hoe bedoel je?'

'Precies zoals ik zeg,' antwoordde Vik. 'De mensen zijn als het land. Hard, gewend om te overleven, maar in alles wat ze doen ook heel gastvrij. Ze hebben bijna niets, maar ze zijn bereid om zelfs het kleine beetje dat ze hebben te delen. Als we op patrouilles uitgenodigd werden voor *chai*, thee, dan deelden ze een soort tortillabrood met ons, en vroegen ze of er tijd was om een echte maaltijd samen te eten en of ze misschien een kip of vee voor ons moesten slachten. We aten watermeloenen zo groot als vliegtuigbommen en zo zoet als suiker.' Even liet Vik een korte stilte vallen. 'Je ziet er vooral geiten, kamelen en ezels. Schapen en paarden zijn denk ik simpelweg niet hard genoeg om in Afghanistan te kunnen overleven. Een geit en een ezel zijn taaier. Ze hebben geen moeite om het harde en stekelige woestijngras te eten.'

De natuur was net als iedereen in Afghanistan vooral bezig met één ding, dacht Vik: overleven.

'En de taliban?'

Vik haalde zijn schouders op. 'De taliban? Geen idee, misschien lijken ze wel meer op ons dan we toe durven te geven. Het zijn gewone mensen, die net als wij ergens in geloven en dat ideaal belangrijk genoeg vinden om ervoor te vechten.'

'Heb je geen hekel aan ze?'

'Nee.' Vik blies in zijn koffie en keek omlaag. 'Waarom zou ik?'

'Omdat zij wel een hekel hebben aan jou.'

Het klonk alsof Viks reactie buiten elke realiteit omging.

'Wie zegt dat?' antwoordde Vik.

'Ze schieten toch niet voor niets op je? Het lijkt me dat die mensen echt een hartgrondige hekel aan jullie moeten hebben om op je te willen schieten.'

Het was een misvatting, wist hij. Als er iets in Afghanistan niets met emotie te maken had, dan was het wel op elkaar schieten. Je hoefde geen hekel aan mensen te hebben om op ze te kunnen schieten. Een opdracht en een duidelijke reden waren genoeg. Doen alsof je een hekel aan elkaar had maakte het alleen makkelijk. En dus zoeken mensen punten waarover ze het oneens met elkaar zijn: het geloof, emancipatie en wat al niet meer om ongenuanceerd over elkaar te kunnen oordelen, om de ander te kunnen verafschuwen. Nog even, dacht Vik, en dan zouden ze vragen wat ze écht van hem wilden weten. Wat ze altijd wilden weten en waar alle gesprekken op elke visite naartoe gingen. Op zijn gezicht verscheen een cynische grijns.

'Ze hebben geen hekel aan mij. Hoe zou dat kunnen? Ze kennen me niet eens. Ze hebben een hekel aan het idee dat ik vertegenwoordig, de waarden waar wij als westerlingen voor staan. Aan onze in hun ogen ongelimiteerde, bandeloze vrijheid.'

'Heb je vaak moeten vechten?' Omdat Vik niet direct antwoordde, zocht het gezelschap tegenover hem naar een andere manier om dezelfde vraag nogmaals te stellen: 'Hoe vaak gebeurde het nou dat er gevochten moest worden? Een paar keer in de maand, één keer per week misschien?'

'Elke dag,' antwoordde Vik droog en resoluut. 'Elke dag werd er wel ergens in Uruzgan gevochten. Soms heel heftig, soms minder.'

Geschrokken keken ze hem aan. Het liet Vik koud. Rustig, bijna arrogant, nam hij een slok van zijn koffie. Lots aanwezigheid was ondertussen bijna onzichtbaar geworden. Zoals eigenlijk altijd. Hoe het ging met de thuisblijvers was oninteressant.

'Heb je weleens iemand doodgeschoten?'

Dit was waar het hun echt om ging, waar het altijd om ging. Rustig stond hij op en liep naar de glazen schuifdeur die hem scheidde van de tuin met het speelgoed. Doodschieten had voor hem intussen diverse dimensies, wist hij. Je kon mensen doden met artillerievuur, met de hellfires of het boordkanon van een helikopter. Je kon een bom ergens op laten gooien. Je kon je mannen de opdracht geven om het te doen, of je deed het gewoon zelf, kijkend door het vizier van je eigen wapen. Alles bij elkaar wist hij zeker dat ze achtenveertig mensen hadden omgebracht: één voor elke twee dagen dat hij op patrouille of buiten de poort was geweest. Naarmate de getallen groter werden, werd het meer en meer een wiskundige zaak. Een optelsom van de gevolgen uit willekeurige gebeurtenissen.

'Ja.'

'Is dat niet moeilijk?' hoorde hij iemand vragen.

'Nee.' Waarom dachten mensen toch dat ze dit mochten vragen, en wilden ze het bovendien zo graag weten? 'Nee, het gebeurt omdat je geen andere keuze hebt. Zij schieten eerst en jij schiet terug, niet eens echt om te doden, maar veel meer om zelf te overleven.'

Ergens was het een raar antwoord, wist hij zelf. Vik schoot wel degelijk om te doden. Dode tegenstanders schoten niet meer terug en dus bood niets zoveel kans om het zelf te overleven als het doden van je tegenstander.

'Maar hoe voelt dat dan?'

'Op dat moment?'

'Ja, maar ook daarna.'

Vik voelde dat zijn gezicht begon te gloeien. Alsof de vorige vraag al niet confronterend genoeg was. Waarom hield dit mensen toch zo bezig? Was het omdat, als je er niets bij voelde, je niet menselijk meer was? Of wilden ze diep vanbinnen gewoon weten of ze zelf ook in staat waren om iemand te doden? Natuurlijk konden ze dat, alleen ontkenden ze het, omdat het niet als sociaal wenselijk wordt gezien. Dichter dan zijn verhaal zouden zij waarschijnlijk nooit komen bij de goddelijke macht om te kunnen beschikken over leven en dood. En dus, hoe onbescheiden en pervers de vraag ook, wilden ze het steeds weer van hem horen.

'Als werk. Het voelt gewoon als werk. Een zakelijke transactie tussen twee partijen,' klonk het enigszins gefrustreerd. Zij kenden de andere kant van de medaille niet. De kant van de onmacht en de angst, van het verlies van kameraden, van de goddeloze werkelijkheid.

Vik voelde het bloed in zijn nekaderen kloppen. Buiten in de tuin probeerden de kinderen inmiddels een sneeuwpop te maken. Sneeuw met sporen van aarde en zand erdoorheen, omdat het eigenlijk nog te weinig gesneeuwd had.

'Een zakelijke transactie,' mompelde hij terwijl hij de gang in liep naar het toilet. De politiek had het liefst dat ze er in dramatische termen over spraken: dat ze er alles aan hadden gedaan om het te voorkomen en dat ze het eigenlijk liever niet hadden gedaan. Dat ze meeleefden met de tegenstanders. Medelijden had hij nooit gehad. Net als hij wisten zijn tegenstanders waar ze aan begonnen en welk risico ze liepen toen ze hem aanvielen. Simpeler dan dat zou het waarschijnlijk nooit worden. Medelijden... Waarom mochten ze eigenlijk niet gewoon trots zijn op wat ze deden? Mochten ze niet gewoon laten weten dat ze goed waren in hun werk? Omdat 'wij hier' niet zo zijn?

Vik steunde met zijn handen op de toiletbril en voelde hoe zijn maag in een stekende kramp samentrok en zich met kracht leegde in de porseleinen pot.

10

'Hoe gaat het met je?' vroeg Yves, terwijl hij zijn paraplu inklapte voor de ingang van het kleine, Italiaanse restaurant in de Reestraat. Binnen werden ze opgevangen door een vriendelijke Italiaans ogende dame, die hun jassen aannam en hen begeleidde naar een tafeltje in de hoek voor het raam.

'Goed.' Het was eruit voor Vik het besefte. Hij hield niet van beleefdheidsfrases, maar ondanks alles wat er de laatste tijd met hem aan de hand leek, voelde het antwoord nu niet als een leugen. Aan de overkant gutste het water uit een rechthoekige regenpijp de straat op een put in. 'Maar ik ben blij dat ik maandag weer naar mijn werk mag. Van thuiszitten word je langzaam maar zeker gek.'

'Had je thuis niets te doen dan?'

'Jawel, maar het kwam er niet van, leek het. Ik heb veel geslapen, het leek wel een winterslaap. Leuk tentje trouwens,' merkte Vik op. 'Kom je hier vaker?'

'Ja, ik eet hier graag. De risotto is hier erg goed en de bediening discreet.'

Vik knikte bevestigend naar Yves, die rustig verderging. 'Het is een familiebedrijf. Vader in de keuken, de dochter nam zojuist onze jassen aan en er is ook nog een zoon, maar die werkt hier niet. Hij doet iets anders.'

Uit de subtiele toevoeging 'iets' maakte Vik op dat hij er niet naar hoefde te vragen. Hij keek naar de kaart, terwijl Yves zijn bril uit zijn krullende haar omlaagschoof.

'Wat is er eigenlijk met je prachtige baard gebeurd?'

'Gesneuveld op de terugreis. Van Lot mocht ik er met baard niet in.'

Vik hield van de manier waarop Yves aftastende, ogenschijnlijk oppervlakkige vragen stelde als ze elkaar een tijdje niet gezien hadden. Buiten dat ze voor een ontspannen sfeer zorgden, kon je er vaak veel meer uit opmaken dan menigeen dacht. Het constateren van veranderingen in uiterlijk, nieuwe schoenen, de kapper, of zoals nu het ontbreken van een baard... Het gaf een zekere mate van betrokkenheid weer.

'Denk je dat het kabinet de missie nog een keer zal verlengen?' vroeg Yves, zonder van de kaart op te kijken.

'Ik denk dat dat niet kan.' Viks hand gleed over het gebroken-witte servet. Het dunne zilveren kettinkje dat Yves in Afghanistan droeg, hing nog steeds om zijn nek, zag hij. 'De eerste verlenging is goedgekeurd onder voorwaarde dat we hierna niet meer zouden verlengen.'

'Maar ze kunnen dat toch net zo makkelijk weer bijstellen?'

'Dat kan, maar het lijkt me gewoon onwaarschijnlijk.' Vik keek Yves scheef zittend in zijn stoel aan. Hij voelde de tocht langs zijn benen. 'De echte redenen dat we in Afghanistan zitten zijn nooit besproken, dus wordt het moeilijk om op basis daarvan een nieuwe verlenging door de kamer te loodsen.'

Praten met iemand die in Afghanistan was geweest, die gezien had wat ook hij had gezien, bracht een vreemd soort opluchting met zich mee. Misschien was dat ook wel de reden geweest dat Vik had gezegd dat het goed ging: omdat hij zich hier nu goed voelde.

'Bedoel je dat we deelnamen aan de missie voor een plek aan tafel bij de G20? Voor onze positie binnen de NAVO, en dus onze handelsbelangen, in plaats van voor de beloofde wederopbouw?'

'Dat zei ik niet,' lachte Vik, 'maar dat denk ik wel, inderdaad.'

'Dan zou de geloofwaardigheid van partijen naar de kiezer toe belangrijker zijn dan de inhoud van het debat?'

'Interessant overigens dat je geloofwaardig naar de kiezer probeert te zijn door de leugen zo oprecht mogelijk te laten lijken, vind je niet?'

Yves keek hem geamuseerd aan. 'Dat is geen antwoord op de vraag.'

'Je moet altijd zorgvuldig zijn met de antwoorden de je aan journalisten geeft.'

De korte stilte werd gevuld door de komst van de dochter, die met haar lange glanzende zwarte haren de aandacht trok en nu naast de tafel stond. Ze bestelden het driegangenmenu en een fles van de Italiaanse witte wijn die bij de risotto werd aanbevolen. Buiten leek de regen inmiddels over te gaan in natte sneeuw.

'Dus je weet het wel, maar je wilt het me niet zeggen, omdat ik journalist ben?' hernam Yves het gesprek.

'Zoiets.'

'Kom op, Vik, we zijn toch vrienden?' Aan de twinkeling in Yves' ogen zag Vik dat hij doorhad welk spelletje ze met elkaar speelden.

'Dat dacht die ene bekende politicus destijds ook, toen hij aan een vriendin opbiechtte dat hij weleens buiten de deur neukte.' Ze lachten.

'Weet je, Yves, eigenlijk bestaat de politiek niet bij ons,' pakte Vik het gesprek toen weer op. 'Met al onze ontwikkeling vertrouwen we de politiek niet echt meer en er dreigt een totale anarchie.'

'Interessant, waarom denk je dat?'

'Omdat we constant op zoek lijken te zijn naar de eerste de beste gelegenheid om de gekozen regering in de steek te laten. Ze af te serveren en omver te werpen. Misschien is oorlog wel de redding voor de democratie.'

'Denk je dat het niet een beetje *over the top* is wat je nu zegt?'

'Nee, eigenlijk niet. Het besluit om deel te nemen aan een oorlog maakt duidelijk dat er onderwerpen zijn waar de gewone kiezer niet over kan en wil beslissen, waardoor we weer zien dat er een regering nodig is.'

'Denk je?' Yves was voorover gaan zitten.

'Soms wel. Na de val van de Muur ontbrak het de democratie aan een vijand, waardoor de balans in de wereld verstoord werd. Met het internationale terrorisme heeft de politiek eindelijk weer een gezamenlijke vijand. Wat is een superheld waard zonder een eeuwige vijand? De wereld heeft behoefte aan een Nemesis, denk je ook niet?' Vik hield de wijnfles omhoog. 'Jij nog?'

Dronken liep Vik achter Yves aan de trap op naar zijn appartement.

Na het eten waren ze een kroeg in gedoken. 'Hier komen veel schrijvers en journalisten,' had Yves hem nog gezegd, maar de naam van de kroeg en waar ze het verder allemaal over hadden gehad, kon Vik zich niet goed meer herinneren.

'Hoe laat gaat de laatste trein eigenlijk?' had Yves hem op een gegeven moment gevraagd.

'Ik ben met de auto.'

'Het lijkt me niet verstandig om nu nog achter het stuur te kruipen. Je kunt wel bij mij op de bank slapen.'

Vik had geknikt en was Yves gevolgd.

'De lift is al een week stuk.' Yves wees naar de trap.

'Geeft niet.' Vik plaatste zijn voeten automatisch op de plekken waar de schoenen van Yves een doffe afdruk achterlieten in het rode velours, alsof hij bang was om op een mijn te stappen. Vóór Afghanistan was ik nooit dronken, dacht hij. Achtenzeventig treden. De trap op zijn werk had er vierenzestig, acht keer acht. Hij wist eigenlijk niet wat er het nut van was om treden te tellen, maar hij deed het altijd en overal. Zelfs van trappen die hij herhaalde malen per dag beklom, alsof er ineens een trede verdwenen kon zijn.

'Ik pak even een deken en een kussen voor je.'

Yves sloot de deur en liep over de oude houten vloer de gang in. Vik stond in de opening van de woonkamer. Het enige wat hij echt zag was de eenvoudige rechthoekige bank. In zijn zak zocht hij naar zijn telefoon. Lot had hem een paar berichtjes gestuurd om te vragen of het gezellig was en hoe laat hij thuis zou zijn. Hij stuurde een WhatsApp terug:

> Mijn auto staat bij de IJ-kantine, ik
> ben dronken.
> Ik slaap bij Yves op de bank , morgen
> kom ik naar huis, sorry.
> X

DEEL II — TROUW

1

Zonder uniform voelde Vik zich naakt. Meer dan een maand lang had hij het nu al niet gedragen. Vandaag zou hij het eindelijk weer aandoen. Niet zijn DT, het nette uniform met de opgemaakte medailles dat gewoonlijk bij dergelijke gelegenheden wordt gedragen, of het groene camouflagepak dat ze in Nederland altijd droegen, maar het *desert-uniform*, dat als een tweede huid voor hem voelde.

Halfzes zou de wekker gaan, maar hij was daarvoor al wakker. Zo stil mogelijk stond hij op en stapte onder de douche. Hij scheerde zijn weekendbaard af en kleedde zich in het donker aan, zodat niemand er last van zou hebben.

Lot zou later vandaag met de kinderen naar de kazerne komen. Vandaag was zijn dag, hij mocht het commando overnemen van Toon. Toon zou naar Engeland gaan en had zijn nek uitgestoken om ervoor te zorgen dat Vik hem op mocht volgen. Hij was hem er dankbaar voor. Niet alleen voor de eenheid die hij mocht overnemen, maar vooral vanwege het vertrouwen dat Toon hiermee in hem uitsprak.

'Over een weekje mag je weer aan het werk,' had Lot gezegd toen ze na het bezoek terug naar huis reden. Er was een glimlach op het gezicht van Vik verschenen, maar veel had hij er niet over gezegd. Weer aan het werk betekende dat al die vele bezoeken aan familie en vrienden eindelijk achter de rug waren, maar ook dat hij nu serieus moest gaan nadenken over zijn speech.

Commandanten waren vaak tergend lang van stof in hun speeches als ze afscheid namen of een commando kregen. Zelden was het een kort en krachtig verhaal, of eentje dat hem had weten te inspireren.

'Wat zit je te denken?'

Vik haalde zijn schouders op. 'Ik weet nog niet wat ik moet gaan zeggen.'

'Dat komt wel,' antwoordde Lot. 'Bij jou komen dit soort dingen altijd op het laatste moment.'

'Misschien.'

'Ik kan me niet herinneren dat jij ergens met je mond vol tanden stond,' lachte ze hem toe. 'Zelfs niet toen je dronken op onze bruiloft ineens een microfoon in je handen gedrukt kreeg.'

Vik keek opzij. Zelden was hij echt dronken, maar op de avond van hun bruiloft hadden zijn collega's hem bewust dronken gevoerd. 'Ik kan me van die speech niks meer herinneren.'

'Weet jij het nog, mama?' wilde Fleur weten. Daan lag al te slapen met zijn vingers in zijn mond. 'Weet jij nog wat papa toen heeft gezegd?'

Lot keek in de achteruitkijkspiegel en lachte. 'Niet precies, lieverd. Het enige wat ik nog weet was dat iedereen om papa moest lachen en dat er geen einde aan de speech leek te komen.'

'Ik weet alleen nog dat, toen ik uitgesproken was, de band weer vond dat ik met je moest dansen,' onderbrak Vik haar. 'Het was al de vierde of vijfde keer en toen fluisterde ik je in je oor dat als ze dat nog een keer zouden doen, ik die band er persoonlijk uit zou trappen.'

'Hou je dan niet van dansen, pap?'

'Niet echt, muppet. Pinokkio danst soepeler dan je vader, en helemaal nu.'

Vik wreef over zijn rug. Soms voelde het alsof iemand een schroevendraaier tussen twee wervels in zijn onderrug drukte. Hij had er niet over willen zeuren, maar Lot had het gezien en gezegd dat hij zich door een dokter naar een fysiotherapeut moest laten verwijzen.

Terwijl hij beneden koffie zette en brood smeerde, voelde Vik aan de talisman rond zijn nek. Even overwoog hij de ketting, die hij van een Afghaanse sergeant had gekregen, af te doen, maar hij dacht aan wat Salim had gezegd toen hij hem gaf.

'*Mokst doshtan* joe, ik ben je vriend.'

De ketting mocht eigenlijk volgens de reglementen niet gedragen worden bij het uniform, maar dat kon hem niet meer schelen. Raar, dacht hij. Voor de uitzending zou hij dit nooit gedaan hebben, zou hij anderen ook aangesproken hebben op dergelijke disciplinezaken, maar nu liet het hem koud. Het enige wat vandaag telde was dat hij de jongens weer zou gaan zien, dat hij weer mocht gaan werken. Eindelijk weer iets doen.

Terwijl hij in het donker de voordeur zachtjes achter zich dichttrok voelde hij de koude januariwind door de dunne stof van zijn desert-uniform waaien. Hij rilde... die kutkou. Hij stapte in de kleine auto, startte de motor en draaide de kachel op de maximale stand – standje kernfusie, zoals ze dat in de rupsvoertuigen altijd noemden.

Als automatisch reed Vik de A2 af richting Oirschot over de Martinus Nijhofbrug bij Zaltbommel, waar hij precies halverwege zijn bestemming was. Halverwege is een mooi punt, dacht hij, het enige punt dat er echt toe doet, waar je daadwerkelijk zelf moet kiezen. Als je nog voor de helft zit, dan is teruggaan makkelijker dan doorgaan, erna is het andersom, maar halverwege niet. Dan is het ene argument even logisch als het andere en dus word je gedwongen om na te denken over wat je nu eigenlijk echt wilt.

Nog vijf jaar en dan was hij veertig. Ook halverwege.

Op de kazerne was het nog rustig. De parkeerplaats was nog nagenoeg leeg, op de auto van Corné na. Al jaren waren zij de eersten die binnenkwamen om de mannen op te kunnen vangen zodra ze er waren. Terwijl Vik omhoogkeek naar de bovenste verdieping van het L-vormige gebouw zag hij het licht op het bureau van Corné al branden. Vik lachte. Over enkele momenten zou hij samen met hem aan de Senseo zitten, zouden ze aan elkaar vragen hoe het thuis was en zouden ze aan elkaar zien dat ze blij waren dat ze weer mochten werken.

'Môge, ouwe,' zei Vik toen hij binnenliep. 'Zijn we de enigen hier, en doet dat koffiezetapparaat van jou het nog?'

'Ja, we zijn de eersten, en als je zo doorgaat kun je die koffie wel op je buik schrijven.'

'Senseo is toch niet te zuipen. Nep-spresso, troep is het. Hou maar, dat scheelt mij een maagperforatie. Senseo is de Buckler onder de koffie. Ik zet wel echte koffie.'

Corné lachte terwijl hij het klepje van de machine dichtdeed en het knopje indrukte voor twee koppen koffie. 'Ben je zenuwachtig?' wilde hij weten.

'Ik heb nog geen verhaal,' antwoordde Vik.

'Dat komt wel. En trouwens, dat is alleen maar mooi, dan houden we die ongein eens een keertje kort. Al dat slappe gelul van die officieren, daar zit toch niemand op te wachten?' Corné schoof het koffiebekertje over het kleine ronde tafeltje naar Vik toe.

'Klopt,' antwoordde Vik droogjes, 'maar slap gelul van een officier is nog altijd waardevoller dan wat een gemiddelde onderofficier weet uit te kramen.'

'De generaal heeft trouwens gebeld: of je bij hem op kantoor kon komen zodra je er was.'

'Waarvoor? wilde Vik weten.

'Geen idee. Hij wilde wat met je bespreken.'

Vik kneep de lege plastic beker in elkaar en smeet hem in de prullenbak naast het tafeltje. 'Dan ga ik maar.'

Ook in het kantoor van de generaal stond een laag rond tafeltje, hetzelfde als bij Corné, alleen de stoelen waren anders, luxer.

'Ga zitten, Vik,' bood de generaal vriendelijk aan. 'Zal ik Fiona even vragen koffie te halen?'

Vik knikte. 'Graag.'

'Hoe was je verlof?'

'Te lang, veel te lang. Als je vijf maanden dag in dag uit aan de slag bent geweest, is thuis niksdoen geen aanrader. Alsof je in een zwart gat belandt.' Even liet Vik een stilte vallen. 'Je weet gewoon niet wat je moet gaan doen. Je mist Afghanistan, terwijl je hele familie blij is dat je weer thuis bent.'

De generaal knikte. 'Daar wil ik het even over hebben. We moeten een peloton aanwijzen dat terug moet.'

Verbaasd keek Vik opzij. 'Wanneer?'

'Begin november moeten ze er weer klaar voor zijn.'

'Dat is over krap negen maanden.' Vik ontweek de blik van de generaal door nutteloos in zijn koffie te roeren.

'Hun uitzendbescherming is zes maanden, dus in principe is er geen bezwaar.'

Zwijgend keken ze elkaar aan. Vik vroeg zich af hoe hij dit aan de eenheid moest gaan vertellen. Hij dacht aan wat het zou doen met de kerels, maar vooral ook voor wat het zou betekenen voor thuis. De vaders, moeders, vrouwen of vriendinnen en kinderen. Na de eerste werkdag zou er thuis vol verwachting aan de militairen gevraagd worden hoe het was om weer te mogen beginnen en hoe het was om alle collega's weer te zien. Volledig uit het niets zouden ze dan te horen krijgen dat ze vlak voor de kerst weer in Afghanistan zouden zitten. Een boodschap met een dubbel gevoel: enerzijds was dit wat ze wilden en waarvoor ze hadden gekozen, maar anderzijds zouden ze zich schuldig voelen tegenover thuis.

Hun partners zouden liegen dat ze het begrepen, dat dit een onderdeel is van het werk waar hun man voor had gekozen, dat ze wisten waar ze aan waren begonnen. Ze zouden zeggen dat ze het goedvonden, zonder echt te vertellen wat ze dachten. En als hun partner het niet zag, zouden ze huilen. Een peloton – de eenheid bestond er uit vijf en dus zou het ook betekenen dat Vik zelf niet mee zou gaan.

‘Weet u wel wat u van mij vraagt?’ vroeg Vik, terwijl hij de generaal recht in zijn ogen keek.

De generaal knikte. ‘Ja, dat weet ik heel goed.’

Vik zag de oprechtheid van het antwoord van de generaal en stond op. ‘Dan is het goed.’

Dit was dus wat het betekende om commandant te zijn. Het zou nog twee uur duren voordat hij echt het commando over de eenheid zou hebben, maar de eenzaamheid van deze functie was hem nu al duidelijk. Een eenzaamheid die hij in zijn voorgaande functies nooit zo had gekend.

Terwijl hij samen met Toon en de generaal de appelplaats op liep, zag hij de pelotons staan. Aan de linkerkant stond een boogtent waar op matgroene klapstoelen familie en vrienden plaats hadden genomen. Hij keek opnieuw naar de mannen, mannen die nog van niets wisten, die zich verheugden op de barbecue en gewoon blij waren elkaar weer te zien. Terwijl de generaal en Toon Vik officieel tot majoor bevorderden staarde Vik naar de pelotons die opgesteld stonden. Hij vroeg zich af welk hij zou moeten sturen en of hij het vandaag al zou gaan vertellen. Vandaag niet. Eerst overleggen met de staf en een plan maken, dacht hij bij zichzelf.

De klap op zijn schouder van de generaal bracht hem terug in de realiteit. Vik stapte naar voren. Er stond een microfoon voor hem klaar, maar commandanten, zo vond hij, hebben geen microfoons nodig om de troepen toe te spreken.

‘Vandaag is het mijn dag, zeiden velen tegen mij. Vandaag word je commandant en bepaal jij wat er moet gebeuren. Het is niet waar: een leger haalt zijn kracht niet uit het individu, maar uit de groep. Uit het feit dat wij elkaar niet in de steek laten en dat we, wat we ook doen, die dingen samen doen. Ik draag, in eenzaamheid, slechts de verantwoordelijkheid voor wat wij doen. Voor iedereen die hier anders over denkt: kijk naar de liederen die wij zingen. “Wij zijn van d’infanterie, wij zijn mineurs van het Nederlandse leger." En ik? Ik ben trots op wat wij zijn en dat ik daar een deel van mag uitmaken. Want wij... wij zijn huzaar, wij zijn huzaren van Boreel!'

Even liet Vik een stilte vallen en herhaalde toen, zingend, de laatste zin uit zijn speech, het begin van hun regimentslied, dat automatisch werd opgepikt door de mannen, die trots en uit volle borst meezongen. Het gaf hem kippenvel, dit was wat hen met elkaar verbond.

2

'Vik,' klonk het gedecideerd aan de andere kant van de lijn, 'ben je al op de kazerne?'

Vik herkende direct de stem van zijn commandant, de generaal. Zo te horen had hij het stuk gelezen dat vanmorgen in de krant was verschenen over de val van het kabinet. Het stuk was geschreven door Yves. Viks naam kwam er niet in voor, maar de vriendschap tussen Vik en Yves die in Afghanistan was ontstaan was geen geheim, en de mening van Vik droop bijna letterlijk van het papier. Vik had het zo gewild. Hij had Yves ervoor gebruikt, zoals Yves hem had gebruikt in Afghanistan.

'Pardon?'

'Ik vroeg of je al op de kazerne was, verdomme.'

Vik stelde zich zijn commandant voor. Met zijn korte beentjes zou hij nu driftig door zijn kamer ijsberen, zijn bruine ogen gefocust op de grond, een meter of twee voor hem. De lok met bijna wit haar die hij over zijn kale plek kamde zou nu langs de rechterkant van zijn gezicht heen en weer zwiepen. Zodra hij stil zou gaan staan, zou hij zijn vrije arm in zijn zij zetten. Zijn pas had altijd iets raars. Het was net alsof hij grotere stappen wilde maken dan zijn korte benen hem mogelijk maakten. Alsof zijn lengte een levenslange frustratie was, die hij probeerde te compenseren met zijn ambities.

'Er ligt hier een krant voor mijn neus met een verhaal over de val van het kabinet, en ik denk dat jij de uitgelezen persoon bent om het daar eens mee over te hebben.'

'Ja, ik ben op mijn bureau,' antwoordde Vik zo ontspannen mogelijk. Toestemming voor een interview had hij niet gevraagd toen Yves hem had gebeld, nadat het kabinet was gevallen over de verlenging van de missie in Afghanistan.

'Mooi, je bureau is vijf minuten lopen van het mijne, dus ik stel voor dat je hier over twee minuten bent.'

Zonder te wachten op een bevestiging hing hij op. Waarschijnlijk keek hij nu net als Vik op zijn horloge: 07.31.28. Twee minuten was twee minuten. Het moest vanaf het begin duidelijk zijn wie er de baas was, dat er over deze verhoudingen vandaag geen discussie bestond, en dat begon dus bij het feit dat Vik moest zweten. Hijgend moest hij het bureau binnenkomen, en ook daarna was alles wat hij deed van belang. Elke fout die hij nu zou maken zou bepalend kunnen zijn.

Heerlijk, dacht Vik. Vanmorgen toen hij de deur uit was gegaan had hij droog tegen Lot gezegd dat hij misschien wel eerder thuis zou zijn. Ze had het fijn gevonden, omdat de maandagen thuis altijd druk en chaotisch waren, maar ook omdat Vik net twee weken weg was geweest. De eerste oefening sinds de uitzending. Ze had niet gevraagd waarom. Misschien was dat maar beter ook. Vik had gerekend op dit telefoontje, en het leek hem niet onwaarschijnlijk als hij per direct geschorst of ontslagen zou worden. In zijn maag had hij de spanning gevoeld, een gevoel dat hij eigenlijk het meest miste. Op dit soort momenten, als er echt iets op het spel stond, was hij vaak ook op zijn best. Hij had het vroeger op school ook al gehad, maar na Afghanistan was het anders geworden. Vanaf toen had hij vaak moeite om überhaupt iets te doen of te beginnen als er niet iets te winnen of verliezen viel.

In een hoog tempo liep Vik de brandtrap aan de zijkant van het gebouw af. Zijn rechterhand volgde de leuning in een spiraal omlaag. De treden waren licht bevroren, waardoor een dun laagje wit ijs de groen geverfde treden verborg. Het was al de tweede keer in de ruime maand dat hij weer aan het werk was dat de generaal hem bij zich riep vanwege zijn uitspraken. Net voor de oefening moest hij zich verantwoorden voor zijn uitspraken in een column op zijn Facebook-pagina. Vik had over bermbommen geschreven dat ze waren als de Postcodeloterij: iedereen deed mee en je wist nooit waar de kanjer zou vallen. Het was een grap die in Afghanistan nodig was om de continu aanwezige dreiging leefbaar te maken, maar de generaal had het niet kunnen waarderen.

'Ben je gek geworden?' had de generaal hem gevraagd. 'Zulke dingen kun je niet zeggen. Hoe denk je dat de media dit zullen uitleggen? Hoe denk je dat dit voelt voor de jongens die gewond zijn geraakt? En bovendien, wat weet jij nou van dat gevoel? Op jouw positie in de patrouilles is het risico een stuk lager dan voor de jongens die vooroprijden. Je hebt het recht niet eens om dit te roepen!'

'Is dat zo?' had Vik gevraagd. 'Hoe weet u dat zo zeker? Was u erbij tijdens onze patrouilles?'

Het was zo'n moment geweest waarop Vik zich even had afgevraagd hoe hij eigenlijk bij het leger terecht was gekomen, ondanks het feit dat hij van nature geen enkel respect had voor machtsverhoudingen. Hij wachtte niet op een antwoord, maar denderde verder: 'Toen het derde peloton voor het eerst naar Poentjak moest, hadden we een melding dat er diverse op afstand bedienbare bermbommen op de route lagen. Doordat we een bestuurder van een rupsvoertuig tekortkwamen, moest ik zelf rijden. Ik was de enige die er een rijbewijs voor had. En aangezien niemand graag voorop wilde rijden, besloot ik in het voorste voertuig te gaan zitten. Zes uur deden we over een kutstukje van nog geen veertien kilometer. Zes uur lang zaten we in de brandende zon. Bij vijftig graden keek ik naar de genisten die de bermbommen zochten, naar de infanteristen die ernaast liepen om ze te beveiligen. Zes uur lang kon je iedere keer de spanning voelen als we stilstonden omdat we dachten dat er iets niet klopte – een piepje van de mijndetectors, een kuil die er eerst niet was, een draadje, omgewoelde aarde of gewoon de afwezigheid van mensen. Zes uur lang liep het zweet me letterlijk en figuurlijk door mijn bilnaad – en u gaat mij vertellen dat ik niet weet waar ik over lul? U weet het zelf niet, u dénkt het te weten. Misschien alleen al omdat mensen tegenwoordig denken dat hun positie iets zegt over wat ze weten.'

De generaal had hem verontwaardigd aangekeken, maar had verder gezwegen. Zijn blik had iets medelijdends gehad, alsof hij wilde zeggen: 'Ik vergeef het je omdat ik weet wat je hebt meegemaakt, omdat ik denk dat het door je uitzending komt en omdat ik denk dat je later, als je weer rustig bent en je je uitzending een plek hebt kunnen geven, in zult zien dat je te ver gegaan bent.'

Het had hem eigenlijk nog kwader gemaakt. Hij had zich omgedraaid en was weggelopen.

Nu rende Vik over de appelplaats. Hij stak de parkeerplaats en het grasveldje daarachter schuin over om tijd te besparen. Sierlijk sprong hij over het laag gespannen ijzerdraadje dat moest voorkomen dat er over het gras gelopen zou worden, en landde op de rode klinkertjes die naar het oude stafgebouw leidden, waar het bureau van de generaal zat. De houten deuren waren onlangs opnieuw wit geschilderd, maar het enkele glas en de piepende scharnieren verraadden hoe oud ze daadwerkelijk waren.

Binnen stopte hij met zijn looppas. Aan het einde van de smalle gang zag hij de deur van de generaals kantoor openstaan, met daarachter de rode stoelen. Twee van de vier stoelen waren bezet. Hij herkende de jurist en het hoofd Voorlichting. De generaal zelf zou ongetwijfeld nog aan zijn bureau zitten, nadenkend over hoe hij de schade zou kunnen beperken, hoe hij de situatie zo snel mogelijk weer onder controle zou kunnen krijgen. En hoe hij dit probleem, in het meest gunstige geval, zou kunnen omzetten in een kans.

'Kan ik doorlopen?' vroeg Vik aan de secretaresse.

Ze knikte. 'De generaal verwacht je. Wil je koffie?'

'Heb je niks sterkers?' glimlachte Vik. 'Ik heb zo'n vermoeden dat we dat wel nodig zullen hebben.'

Vanonder haar kastanjebruin geverfde haren lachte Fiona terug. 'Dat hebben we wel, maar ik geloof niet dat de generaal in de stemming is om zijn drankkast op dit moment met je te delen.'

'Doe dan maar koffie.'

'Wat moet erin?'

'Stiekem een scheutje cognac?' probeerde Vik nog.

Terwijl Vik het kantoor van de generaal binnenliep, keek hij op zijn horloge. Twee minuten en een beetje had hij erover gedaan.

'Majoor De Wildt meldt zich, generaal.'

De generaal liet een stilte vallen. Hij nam Vik van top tot teen op en keek toen pas zelf op zijn horloge. 'Drie minuten,' zei hij zachtjes. Zonder verder iets te zeggen ging hij zitten en liet Vik in de eerste rust staan. Het verraste Vik niet. In dit soort gesprekken, wist hij, zou hij er constant aan herinnerd worden hoe de verhoudingen waren. Het wapen zou ingezet worden op de momenten dat de generaal geen antwoord duldde of dat zelf niet had, op de momenten dat hij wist dat Vik gelijk had, maar hij het hem eigenlijk niet kon geven.

'Heb je de krant gelezen?' vroeg de generaal toen.

'Nog niet.'

'Dus je hebt geen idee wat er vanmorgen voor artikel gepubliceerd is?' onderbrak de generaal hem, terwijl hij de krant op de pagina van het bewuste artikel opensloeg en de kop voorlas: '"Wie houdt onze G20-stoel warm?" Het is geschreven door die vriend van jou, Yves Silverberg, en ik kan me niet aan de indruk onttrekken dat hij voor dit verhaal contact heeft gehad met een militair. Nou heb ik wel enig vermoeden om wie het gaat. Sterker nog: de dingen die aangehaald worden doen mij sterk denken aan een aantal zaken die jij niet al te lang geleden zelf ook al aanhaalde, in gesprekken met onder anderen mijzelf.'

'Dat kan kloppen.' Vik voelde zijn hartslag omhooggaan en zijn benen wat verkrampen. Ondanks het feit dat hij stond en de anderen zaten, voelde hij zich klein. Hij zocht naar ruimte, maar hij werd kort gehouden, zoals een hond aan een wurgketting. Zolang hij niets deed had hij lucht, maar was hij overgeleverd aan zijn commandant. Zodra hij zou bewegen voelde hij de ketting zijn nek dichtsnoeren. Hij moest denken aan een zin die hij onlangs in een boek had gelezen: 'Elke vorm van menselijke macht wordt gekenmerkt door een zweem van nauwelijks merkbare minachting voor diegenen over wie men heerst. Hij had de zin onthouden omdat deze hem raakte, omdat hij hem zo waar vond. En nu, juist nu, twijfelde hij er ineens aan. Hoe groter de macht, des te minder moeite de overheerser deed om zijn minachting te verbergen. Het was dan eerder ineens de rol van de ondergeschikte om te doen alsof hij die minachting niet doorhad.

'Ik vroeg je niet of het kon kloppen.' Met zijn korte, pezige vingers plakte de generaal de lok grijs haar in een geïrriteerde beweging over het gladde, kale deel van zijn hoofd. '"Nederlandse militairen wagen hun leven voor een stoeltje aan tafel bij de G20, maar dat durft niemand te zeggen,"' las de generaal voor. '"De politiek verkoopt de bijvangst, wederopbouw, als hoofddoel, waardoor er nooit een fatsoenlijke discussie over de verlenging van de missie heeft kunnen plaatsvinden. Blijkbaar hebben wij een minister van Financiën die ziek was op school tijdens de lessen economie. Het kabinet gebuikt Uruzgan als laatste ruzie om het huwelijk te laten stranden, over de ruggen van militairen." Herken je dit al als dingen die jij hebt gezegd, of moet ik nog even doorgaan?'

'Dat is niet nodig. Als u me gelijk in het begin had gevraagd of ik dit heb verteld, dan had ik gewoon ja gezegd. Ik sta er ook nog steeds achter.'

'Het is helemaal niet aan jou om dit te zeggen. Heb je eigenlijk wel enig idee wie dit soort dingen zou moeten, mogen of kunnen zeggen? Heb je enig besef van hoe onze organisatie werkt?'

'Dat zijn voor mij twee heel verschillende vragen,' antwoordde Vik, in een poging grip op het gesprek te krijgen.

'Ik heb zelf al puberende kinderen, dus op bijdehante opmerkingen zit ik niet te wachten, jongen. Dit is iets voor de legerleiding, en daar hoor jij voorlopig nog niet bij.'

'Maar die doen het niet...'

'Ten eerste weet je dat niet zeker, en ten tweede vraag ik me af of je wel weet wat de consequenties van zoiets kunnen zijn,' onderbrak de generaal hem, terwijl hij naar de jurist keek die schuin tegenover hem zat. 'Heb je wel een idee van wat de gevolgen kunnen zijn? Heb je nagedacht over wat er met jouzelf zou kunnen gebeuren?'

'Soms, als je iets belangrijk genoeg vindt, dan zijn de gevolgen niet relevant. Als ik had nagedacht over wat me in Afghanistan had kunnen gebeuren, dan had ik op basis van die mogelijke consequenties niet moeten gaan.'

'En jij dacht toen dat we alleen gingen voor wederopbouw? Je hangt hier een beetje de slimmerik uit, maar toen was je zeker nog onschuldig en naïef?'

'Nee, ik ging omdat ik geloof dat iedereen recht heeft op vrijheid van meningsuiting. Dat dit niet de enige reden was dat we erheen gingen, wist ik ook wel. Het bleek achteraf wat mij betreft alleen nog erger dan ik al dacht – zeker nu de politiek laat zien dat het belang van de partij belangrijker is dan het landsbelang. Misschien ben ik daar naïef in geweest.'

'Dat ben je zeker, maar dat hoef je nog niet in de krant te zetten.'

De generaal wees op de nog lege stoel. Hoewel Vik blij was dat hij eindelijk kon gaan zitten, straalde er aan alle kanten af dat er geen keuze was; ook dit was een opdracht. Hij voelde zich alsof hij in een politieserie zat waarin de verdachte op een bepaald moment op zijn gemak gesteld wordt, om hem het idee te geven dat het nu veilig is om alles te vertellen.

Voor hem stond een kop koude koffie. Het hoofd Voorlichting van de kazerne, Sean, lachte ongemakkelijk naar hem. Sean was een kapitein met wie hij meestal goed door één deur kon. Misschien vroeg hij zich af wat hij hier deed en wat zijn rol in het geheel was. Wellicht zou hem zo meteen als expert gevraagd worden wat dit bericht in de media voor gevolgen zou kunnen hebben en hoe daarmee om moest worden gegaan. Eigenlijk irriteerde het Vik dat hij erbij zat. Niet dat Sean er iets aan kon doen, maar wat Vik betreft had hij hier op dit moment niets te zoeken.

'Luister.' De stem van de generaal klonk ineens alsof hij zijn zoon probeerde uit te leggen welke fout hij had begaan. 'Wij kunnen toch niet zomaar tegen de opdrachten van de politiek ingaan? Wij voeren politieke opdrachten uit. Niet meer en niet minder dan dat.'

Vik zweeg even. Zelden had hij zoiets droefs gehoord. 'Wij voeren opdrachten uit' klonk hem als *Befehl ist Befehl*, als niet zelf mogen of kunnen nadenken over wat je doet en vindt.

'Dus u zegt dat we naar Afghanistan gaan om de mensen te leren wat vrijheid van meningsuiting en democratie is, maar zelf hebben wij militairen daar geen recht op?'

De generaal begon steeds meer te kijken alsof hij in gesprek was met zijn eigen hopeloze puber, die zich langzaam maar zeker aan het losmaken was van de regels van thuis en niet meer door zijn vader beschermd wilde worden. Maar Vik zag ook een ingehouden glimlach op het gezicht van zowel Sean als dat van de anders zo serieuze jurist. Hij had het spel bijna gewonnen, maar zou voor de vorm zijn verlies toe moeten geven en de gevolgen daarvan moeten accepteren.

'De regering kan toch niet zeggen dat we troepen naar Afghanistan sturen omdat we dan aan tafel mogen zitten bij de G20?' probeerde de generaal uit te leggen. Hij leunde achterover en observeerde Vik zorgvuldig, zijn duimen onder zijn kin en de vingertoppen in een hoek tegen elkaar tegen zijn lippen en de onderkant van zijn neus.

'Waarom niet? Het lijkt me een prima reden om te gaan.'

'En de soldaten die gesneuveld zijn dan?' De donkere ogen waren half dichtgeknepen, waardoor de blik van de generaal scherper, aandachtiger leek te worden. 'Vind je dat we kunnen uitleggen dat er mensen zijn gesneuveld of gewond geraakt vanwege onze economische belangen? Of, om wat directer te zijn, zoals jij het graag ziet, dat we de mensen uit kunnen leggen dat dit gebeurde om geld?'

'Dat denk ik wel ja.' Hij zei het zonder enige aarzeling, zonder emotie, alsof het de normaalste zaak van de wereld was. 'Ik denk zelfs dat we dat verplicht zijn aan de bevolking, maar vooral aan onze soldaten. Ze hebben het recht om te weten waar ze voor vechten.'

'En jij denkt dat de bevolking een missie zou steunen als ze weten dat het eigenlijk om geld gaat?' De generaal glimlachte. Hij sloeg zijn benen over elkaar en leunde zelfgenoegzaam achterover.

'Als we Henk en Ingrid vertellen dat het aantal schepen dat via Rotterdam vaart zal gaan afnemen als we niet deelnemen, dat ze hun baan erdoor kwijt kunnen raken, dat het wegvervoer onder druk komt te staan en onze rol als exportland pur sang weleens zou kunnen verdwijnen, met alle gevolgen van dien, dan denk ik dat er zelfs meer steun voor de missie zal zijn dan nu. Ik denk dat er dan nog maar een minderheid tegen de verlenging zal stemmen. Democratie gaat niet over gelijke kansen voor iedereen, maar juist over een bewust gekozen en geregisseerde ongelijkheid. Het maakt mensen opportuun. Ze voelen zich gedwongen om, desnoods over de rug van anderen, hun positie te verbeteren.'

'Als ik filosofieles wilde, had ik jou niet gebeld, jongen,' antwoordde de generaal geïrriteerd. 'Punt blijft dat jij niet degene bent die dit verhaal moet vertellen. Bovendien, en dat vind ik nog het ergste, je zegt in het artikel dat je twijfelt aan het feit of je in dit leger nog wel officier wilt blijven.' De generaal vouwde de krant open: '"Als oorlog de voortzetting is van de politiek, maar met andere middelen, dan moet die politiek wel capabel genoeg zijn om deze keuze te maken."' Hij schoof de krant naar de andere kant van de tafel terwijl hij met zijn wijsvinger nadrukkelijk op de bewuste alinea bleef priemen. 'Welk signaal denk je dat je daarmee aan je mannen afgeeft? Commandanten twijfelen niet.'

Commandanten twijfelen niet, ze voeren blijkbaar zonder na te denken bevelen uit. Vik voelde zijn hoofd kloppen, alsof iemand een spijker door zijn slapen naar binnen probeerde te drukken. Hij voelde zich duizelig worden, misselijk ook. Na de Tweede Wereldoorlog bestond *Befehl ist Befehl* niet meer, mocht je je niet meer verschuilen achter *Wir haben es nicht gewußt*, en dus moesten commandanten juist regelmatig twijfelen. Dat was wat hij geloofde. De generaal zag dat blijkbaar niet zo, net zomin als de meeste mensen trouwens. Deze gedachte maakte Vik misselijk. Hij zag de lezersreacties al voor zich. Een officier moest opdrachten uitvoeren en zich niet bemoeien met politiek. Soldaten worden niet betaald om na te denken, insubordinatie dient gestraft te worden enzovoort. Blijkbaar hebben militairen geen recht op een eigen politieke mening. Van Vik mochten de mensen vinden wat ze wilden, als diezelfde mensen dan ook maar hun kop dichthielden op de momenten dat militairen de grenzen overschrijden. Wat kun je immers verwachten van iemand die niet nadenkt over wat er van hem wordt gevraagd?

Zonder iets te zeggen stond hij op en verliet het bureau van de generaal. Net op tijd wist hij het toilet te bereiken. Nog voor hij de deur achter zich dicht kon trekken trok zijn maag samen en voelde hij een stroom gal en zuur door zijn mond en neus naar buiten gedrukt worden. Op de bodem van het toilet lag zijn ontbijt. Zijn linkerhand steunde schuin boven zijn hoofd tegen de muur. Hij had zijn benen gespreid om steviger te staan, maar ook om te voorkomen dat zijn kisten onder zouden komen te zitten. Zijn rechterhand lag op zijn buik om zijn maag enigszins te kalmeren. Hij snakte naar adem en voelde zijn maag opnieuw samentrekken. Het ergste moest nog komen, wist hij: het moment dat je maag al leeg is, maar toch nog blijft samentrekken. Alsof je acuut stikt. Hij haatte het.

'Gaat het?' vroeg Sean, die ineens achter hem stond.

Vik knikte. 'Het gaat wel weer,' loog hij, terwijl hij zijn gezicht in het porseleinen wastafeltje probeerde af te spoelen.

'Hiernaast is ook een douche.' Sean wees naar de deur rechts van het toilet, draaide om en liep terug naar het bureau van de generaal.

'Dank je.' Vik stapte het toilet uit en ging de douche in. Een halfverkalkte slang zat vast aan een ouderwetse ronde douchekop. Het was alsof alles in dit gebouw nog in de oorspronkelijke staat verkeerde. Hij draaide de kraan open en liet koud water op zijn achterhoofd kletteren. Met zijn mond wijd open en ogen dicht voelde hij hoe het water zich langs zijn nek, voorhoofd, neus en lippen een weg omlaag zocht. De misselijkheid verdween en even leek ook de hoofdpijn te zakken. Het zou maar even zijn, wist Vik; zodra hij de kraan uit zou zetten zou de hoofdpijn terugkomen.

'De generaal denkt dat je de komende dagen beter even thuis kunt blijven.' Aan de zware stem met het Friese accent herkende hij de jurist. 'Gewoon een paar dagen rust, uitzieken, even geen contact met de buitenwereld.'

'Met de buitenwereld? Met de pers, bedoel je.'

'Die ook niet, nee.'

'En dan?' Vik keek de boomlange Fries aan. Achter de ronde brillenglazen probeerden de grijze ogen hem te ontwijken. In het licht van de tl-buis leek hij kaal, maar dat kwam doordat zijn bijna witte haren zo kort geschoren waren dat ze nog amper zichtbaar waren.

'De generaal belt je als hij weet wat hij ermee moet doen.'

'Zolang hij er godverdomme maar niet over twijfelt.'

Vik stapte de douche uit. Kwaad liep hij naar buiten. Lafaards! Ons land en zelfs ons leger wordt geleid door een stelletje godvergeten lafaards. Natuurlijk snappen ze wat je bedoelt en natuurlijk heb jij gelijk, maar zo werken de dingen nu eenmaal niet. Als ze hun baan kwijt zijn, kunnen ze geen invloed uitoefenen, en zolang ze er zitten kunnen ze niks doen omdat ze dan hun baan kwijtraken. Risicoloos leven, ongeschonden uit de strijd komen was hier blijkbaar belangrijker dan in Afghanistan. Ja, na hun pensioen een boek schrijven over hoe moeilijk ze het hadden gehad, dát durfden ze.

Vik greep een flinke kiezel van de parkeerplaats. Hij draaide de steen tussen duim en wijsvinger rond om de vorm te voelen, totdat hij er goed grip op had. De meeste van de smalle ruitjes uit de vervallen loodsen, die al jaren geleden gesloopt zouden worden, waren al gesneuveld. Een ruitje meer of minder zou amper opvallen. Er klonk een droge tik en daarna het geluid van glas dat op de grond kapotslaat.

3

Drie dagen had Vik nu niet gewerkt. Volgende week zou de storm wel weer redelijk geluwd zijn, had de secretaresse van de generaal aan de telefoon gemeld. Twee dagen had hij in Limburg gezeten om te fietsen. Lot had het goedgevonden, gezegd dat het hem goed zou doen. Op de eerste dag had hij een tijd met Ruth meegefietst; ze woonde in Eys en trainde hier regelmatig. 's Avonds was hij dronken geworden en bij haar in bed beland. Haar man had een drukke baan, reisde veel en zat nu in Amerika.

Tot nog toe had Vik geprobeerd het bij flirten te houden, maar Ruth had hem overrompeld. Ze had hem meegenomen naar haar huis; hij had er gedoucht en zij was erbij komen staan. Ze hadden samen gegeten, gedronken en hij was in het echtelijke bed blijven slapen, om de volgende morgen weer op de fiets te stappen.

'Denk niet dat ik gekomen ben om op aarde vrede te brengen. Ik ben niet gekomen om vrede te brengen, maar het zwaard,' sprak de kolonel met een vertwijfelde en weinig overtuigende stem. Vik keek verbaasd naar de lange man met zijn rossige snor die met de minister mee was gekomen voor de lezing.

Gespannen zat de minister rechtop op de wankele donkerhouten stoel, met zijn linkerhand steunend op het bijpassende rechthoekige tafeltje. Zijn vingers grepen in het geruite kleedje, waar koffievlekken op zaten en brandplekken uit de tijd dat er in de aula naast de Sint-Stevenskerk nog gerookt mocht worden. Zijn rechterhand omvatte zijn kin. Vik was hierheen gekomen om de minister zelf te horen, om hem een eerlijke kans te geven na alle berichten in de pers en de kleine foutjes die hij op elkaar leek te stapelen.

De aula was zo'n ruimte waar de inwoners van Werkhoven zich verzamelden na begrafenissen voor koffie uit een thermoskan met kleverige cake. Waar ze met oud en nieuw oliebollen bakten, die aan de deur werden verkocht. Waar nooit echte gesprekken gevoerd werden, omdat de geheimen van de inwoners groter waren dan God hun lief was. Er zaten hier, op de drie jonge mariniers in de hoek na, geen mensen die zich een wereld konden voorstellen zonder geloof.

'Het waren de woorden uit Matteüs, de woorden die Jezus sprak om andersdenkenden te waarschuwen voor het oordeel dat God over hen zou vellen vanwege hun onwetendheid. Het waren de woorden waar ik steun in vond op het moment dat van mij verwacht werd dat ik opdrachten uitvoerde waarbij anderen gedood zouden worden.'

De kolonel keek de zaal in. Zijn presentatie ging over een operatie die hij leidde in de provincie Helmand, een operatie waar Cor Strik destijds bij om het leven was gekomen. Het was de eerste Nederlander die door oorlogsgeweld was omgekomen in het land. Vik was met zijn eenheid op hun laatste oefening voor de missie toen ze het nieuws hoorden; het was de laatste training voordat ze naar Afghanistan zouden vertrekken.

Vik wist eigenlijk niet zeker of de drie jongens van de marinierskazerne in Doorn waren gekomen, maar gezien hun kapsels, kleding, tatoeages en postuur leek het hem onwaarschijnlijk dat dat niet zo was. Hij zag dat de langste van de drie met zijn armen over elkaar zijn hoofd schudde bij de woorden van de kolonel. Zoals de meeste soldaten met enige ervaring was hij blijkbaar allergisch voor bullshit, maar dat scheen de lokale bevolking niet op te merken. Waarom zouden ze ook overvallen worden door ongeloof of wantrouwen als iemand oprecht de woorden van de Messias citeerde? Geïrriteerd zocht hij in zijn zak naar zijn telefoon en las het berichtje van Ruth:

Hey mattie ga je dit weekend nog fietsen? Ik ben in de buurt, Driebergen, voor een mountainbiketocht. Misschien kunnen we samen een kop koffie doen?

Als ik nog leef.

Hoezo?

Ik zit in een lezing met de minister en ik hoor net dat andersdenkenden weleens getroffen kunnen worden door het zwaard Gods.

??? Gaat het wel goed met je? ;-)

Met mij wel maar ik geloof niet dat ik dat kan zeggen van mijn collega die hier een verhaal vertelt.

Daar hebben we het zondag dan wel over. Tenminste, als je komt natuurlijk.

Hoe laat?

Uurtje of 10, ik ben bij mijn zus dus in de buurt.

Driebergen is inderdaad bij mij om de hoek, ik zie je daar. Kus

Leuk! Xxx

Hij stopte zijn telefoon weg, en zag dat de kolonel foto's liet zien over zijn missie, foto's zoals hij er zelf ook zoveel had. Maar dat was dan ook de enige overeenkomst. De man had iets treurigs over zich, iets meelijwekkends bijna. Alsof zijn presentatie een biecht was en de hervormde gemeente Werkhoven hem moest vergeven voor de wreedheden die de mensheid hem had laten begaan. Hij vertelde geen verhaal, hij zocht vergiffenis. Maar waarvoor? Hij had een bevel uitgevoerd, maar de kans dat hij ooit een trekker had overgehaald leek Vik nihil.

Langzaam maar zeker begon de zaal een beeld te krijgen van het Afghanistan van de kolonel, en kwamen er vragen uit het publiek. De minister bleek vooral meegekomen te zijn om antwoord te geven op de vragen met een politieke lading – vragen waar de kolonel geen antwoord op mocht geven, omdat een politieke mening hem natuurlijk niet was toegestaan. Vik kuchte even. Hij dacht aan de cynische opmerking die Larie ooit op een oefening na Afghanistan had gemaakt: 'De soldaten lopen het gevaar om te sterven omdat ze fysiek de missie dragen. De politiek heeft daar slapeloze nachten van omdat ze de verantwoordelijkheid dragen.'

Werkhoven was niet cynisch. Gezien hun vragen maakten de inwoners zich blijkbaar vooral zorgen over de moslimcultuur waaraan 'onze jongens' blootgesteld werden. De traumatisering die voortkwam uit een oorlog leek aan ze voorbij te gaan, of op z'n minst ondergeschikt aan het trauma van de geloofsstrijd waarin 'de jongens' maandenlang verkeerden. Vijf maanden tussen de moslims gaan je toch niet in de koude kleren zitten? Maar nee, de minister had een rotsvast vertrouwen in de pure christelijke inborst van de Nederlandse jongens. De zuiverheid die ons groot gemaakt had in de opstand tegen de Spanjaarden was blijkbaar genetisch overdraagbaar.

'Het kan toch niet zo zijn dat onze jongens gedwongen worden om mee te helpen met het bouwen van moskeeën?' vroeg een oudere, bijna kale man met ribbroek en geruite wollen trui. 'Dat kan onze politiek toch ook niet goedkeuren?'

Er viel een lange stilte. De minister veegde zijn grijze haren van links naar rechts en begon zorgvuldig met de formulering van zijn antwoord.

'U moet zich goed voorstellen dat in Afghanistan, Uruzgan, de dingen anders zijn dan hier. De manier waarop de mensen daar leven is misschien vergelijkbaar met de primitiviteit die wij kenden in de middeleeuwen. Kinderen gaan er niet naar school en zijn veelal analfabeet. Het is een wereld die we niet zomaar kunnen veranderen. Om hun vertrouwen te winnen en te helpen met de vooruitgang bouwen onze soldaten er moskeeën en scholen.'

In de stilte die de minister liet vallen moest Vik zich bedwingen om niet direct op te staan en zijn mond open te trekken, om de zaken hier eens even recht te zetten. Of nog beter: om in een paar ferme passen naar voren te lopen en de man een paar flinke tikken te verkopen. Deze man wist werkelijk niet wat hij deed of zei, besloot hij.

'Pas als er beschaving is kunnen we de mensen overtuigen van onze normen en waarden.'

De minister leek tevreden over zijn antwoord en keek Vik vriendelijk aan toen hij opstond.

'Vik de Wildt, majoor bij de landmacht,' stelde hij zich voor.

Even leek het of de trots van de minister groeide, alsof hij verwachtte dat Vik hem bij zou vallen en de zaal verder zou overtuigen. 'Ik weet niet of u ooit in Afghanistan bent geweest,' begon hij rustig, maar nadrukkelijk, 'écht in Afghanistan, bedoel ik dan, buiten de poort waar Nederlandse soldaten dagelijks hun werk doen. Niet op het kamp, waar je veilig koffiedrinkt met de commandanten, of in een helikopter die over het land vliegt en u laat zien hoe mooi het allemaal is. Nee, écht in Afghanistan, tussen de papavervelden, de bermbommen of de rondvliegende kogels. Tussen de kinderen, zo dichtbij dat je kunt zien dat die mooie jurkjes op de foto tot op de draad versleten blijken te zijn. Bent u ooit in de dorpjes geweest waar een moskee niet meer blijkt te zijn dan een verlaten huis waar ze zelf een lange stok met een speaker in de tuin hebben gezet om de oproep tot het gebed te kunnen laten horen? Nog nooit hebben wij moskeeën gebouwd in Afghanistan – maar als we dat hadden moeten doen, dan had ik dat gedaan. Het geloof staat mensen vrij. En ik ging allerminst naar het land vanwege een geloofsovertuiging. Als ik die al had, dan geloofde ik in democratie. Ik ben geen godvergeten missionaris, geen Bonifatius die zich bij Tarin Kowt, het lokale Dokkum, zou laten vermoorden voor het christendom... Bent u nu helemaal gek geworden?'

Vik wachtte niet op een antwoord van de minister, die hem met zijn mediagetrainde glimlach aan bleef kijken. Bruusk schoof hij zijn stoel tegen het tafeltje en baande zich van achter uit de zaal een weg naar voren naar de uitgang. Dit was wat je godverdomme kreeg als je idioten een zwaard gaf.

Hij rukte zijn jas van de kapstok, stapte het donker in en trok zijn capuchon over zijn hoofd tegen de kou. Aan de damp voor zijn mond die zichtbaar werd, merkte hij dat hij snel en onrustig ademde. Via een smal steegje sneed hij af in de richting van het pleintje waar zijn auto stond. Op het pleintje trapte hij uit frustratie het krijtbord van de lokale frietboer om. De weekaanbieding, een kindermenu met kroket of frikadel en een verrassing, lag op zijn kant in de goot, de tekst onderbroken door de voetzool van Viks rechterschoen.

'Stelletje kankerlijers!' Hij riep het luid, al wist hij dat niemand hem hoorde.

4

Vik waar zit je ergens? Ik was in slaap gevallen het is 4u je bent nog steeds niet thuis, ik ben ongerust.

Nadat hij het bericht had gelezen draaide Vik zijn telefoon met het scherm naar beneden op de bar. Met zijn duim drukte hij het palletje omlaag om het geluid uit te zetten. Hij keek de barman aan, die zonder het te vragen nog een biertje voor hem tapte.

'De laatste, en dan moet je maar eens op huis aan,' zei hij. Vik knikte en trok het glas naar zich toe. Hij was de enige die hier nog zat. In al die jaren dat hij hier nu woonde was hij hier slechts één keer eerder geweest, na een feest op de school van de kinderen. Toen was hij minstens net zo dronken en minstens zo laat thuis geweest als nu. Zo dronken dat zijn lichaam er een paar uur slapen voor nodig had gehad om de alcohol over zijn hele lichaam te verspreiden. Hij herinnerde zich dat zijn moeder toen op visite was geweest. Ze was uiteindelijk maar met Lot en de kinderen de stad in gegaan, omdat Vik niet veel meer kon dan klagen over herrie en kotsen bij elke etensgeur.

'Godver,' vloekte hij tegen zichzelf, 'als ik me morgen op mijn werk zo ga voelen als toen, dan wordt het nog een hele klus om bij die Commissie Dapperheidsonderscheidingen mijn harses erbij te houden.'

Aan het einde van de winkelstraat kwakte hij zijn gele New York-cab-fiets tegen de struiken aan en piste hij tegen de achterkant van de kerk. Toen hij klaar was stak hij zijn vinger in zijn strot. Hij had besloten dat hij maar beter nu zijn maag leeg kon maken dan te wachten tot het morgen vanzelf zou gebeuren.

Thuis dronk hij een fles water leeg, liet het even zakken en stak toen boven het toilet opnieuw zijn vinger in zijn keel. Hij hoopte dat hij zo de meeste alcohol uit zijn lichaam had weten te kotsen voor die zijn lever zou bereiken. Maar misschien was die gedachte een illusie. Had het, net als religie, een placebo-effect – maar dat zou ook voldoende zijn om de dag van morgen door te komen. Na het kotsen dronk hij nog twee grote glazen water en poetste onder een koude douche zijn tanden. Hij droogde zich af met een harde oude handdoek om het weer warm te krijgen en kroop in bed naast Lot.

Met een beetje spuug maakte hij het topje van zijn penis nat, schoof met zijn duim haar string opzij, drukte met zijn wijs- en middelvinger haar schaamlippen voorzichtig uit elkaar, zodat ze niet wakker zou worden, en liet vervolgens zijn penis naar binnen glijden. Zodra hij voelde dat ze zich in haar slaap weg probeerde te draaien, hield hij heel even in. Hij wist dat, als ze nu al wakker zou worden, ze boos zou zijn en alle kansen op seks verkeken waren. Hij dacht even aan Ruth, met wie hij zondag zou gaan fietsen. Met zijn ogen dicht vroeg hij zich af hoe het zou zijn om háár nu te neuken, in plaats van Lot. Zou het verschil maken, anders voelen, of was het alleen de spanning die bepalend was voor het gevoel?

Vik wist niet waar dat verlangen om met andere vrouwen naar bed te gaan vandaan was gekomen. Het was er ineens, en het was alsof die spanning hem geruststelde. Hoewel hij in het donker niets kon zien keek hij naar de kont van Lot, naar de plek waar zijn penis tussen haar dijen verdween. Zijn gezicht vertrok, alsof hij onverwachts in iets bitters beet, bij de gedachte die zijn hoofd vulde.

'Je bent dronken,' kreunde Lot zachtjes.

'En geil.'

'Het is al laat, Vik, morgen moet je vroeg op en ik ook.'

'Als jij dronken en geil thuiskomt, hoor je mij toch ook niet klagen als je me wakker pijpt?' Vik voelde aan de manier waarop ze haar dijen samenspande dat ze hooguit verbaal nog protest zou maken, zijn opmerking zou daar niets meer aan veranderen.

'Jezus, Vik, een beetje romantiek kan geen kwaad zo af en toe.'

Vik had eigenlijk geen bezwaar tegen romantiek, maar de gedachte aan seks met Ruth hield hem terug. Hij had het gevoel dat Lot de laatste tijd niet veel meer voor hem was geweest dan een opvangbak voor zijn zaad. Om niet toe te geven aan dat gevoel trok hij haar op zich, zodat hij haar hele lichaam kon voelen. Met gesloten ogen schreeuwde hij vanbinnen de naam van Ruth, keer op keer, harder en harder, zo hard dat hij er zelf van schrok en hij heel even bang was dat Lot het zou kunnen horen.

5

Vik zat voorovergebogen op het klapstoeltje naast de deuren van de trein naar Utrecht, waar hij voor de commissie moest verschijnen. Hij hield niet van reizen met de trein. Hij vond het vooral onpraktisch; kazernes waren over het algemeen met de trein slecht bereikbaar. Veel erger vond hij dat, hoewel treinen in zijn beleving altijd te laat vertrokken, je voor de zekerheid toch te vroeg op het station moest zijn. Treinreizen maakte tijd ineens belangrijk omdat je er zo van afhankelijk was.

Vroeger had hij veel met de trein naar school gereisd. De oude hondenkoptrein deed er een kwartier over om hem van Leerdam naar Gorinchem te brengen. Vanaf het station moest hij nog zeker vijfentwintig minuten lopen, door het centrum van de stad, waar hij vaak een broodje jatte uit de bakkerswagen die voor de Jamin stond te lossen en waar hij een krant uit de stapel trok die voor de sigarenwinkel lag. Daarna liep hij over de dijk naar het vwo, waardoor de totale reis nog langer duurde dan wanneer hij de hele afstand per fiets zou hebben afgelegd.

De Hondenkop was tenminste nog een echte trein geweest, die Vik deed verlangen naar reizen. Alles in de trein associeerde hij met verre reizen: de bagagerekken, rode kunststof banken, asbakken in de armleuningen, de schuifraampjes waar je met je hoofd uit kon hangen en de graffiti op de kunststof wanden. De sprinter waar hij nu in zat had eigenlijk weinig weg van een trein; meer dan een uit de kluiten gewassen metro was het eigenlijk niet. Staan of zitten – communistisch comfort voor iedereen.

Vik zat op een klapstoel omdat die nog vrij was. De ogen om

hem heen waren gericht op zijn nette uniform met onderscheidingen. Oudere mensen knikten beleefd en toonden respect; kinderen keken gebiologeerd; de rest leek niet erg onder de indruk, of soms zelfs geïrriteerd door of minachtend over de overdrevenheid van zijn pak. Mensen voor wie dodenherdenking twee minuten betekenisloos zwijgen betekende en Bevrijdingsdag alleen een vrije dag was, al was het maar één keer in de vijf jaar. Mensen die het leger geldverspilling vonden en hun vrijheid als vanzelfsprekend zagen, voor wie Normandië een vakantieplek met te weinig zon was. Die trots op zichzelf hadden leren te zijn omdat ze toevallig een eigen mening hadden. Voor wie integriteit te maken had met het respecteren van de eigen identiteit, die idealen hadden omdat je ze moest hebben en deze alleen wilden nastreven zolang het hun niks kostte.

Liever was hij met de auto gegaan, maar de Knoop was misschien wel de enige kazerne in Nederland die met het openbaar vervoer beter te bereiken was dan met de auto. Vanaf het perron liep je Hoog-Catharijne door richting het theater en daarachter, tussen het theater en de jaarbeurs, lag de kazerne al. Parkeren was er over het algemeen een hel.

In gedachten liep hij het verhaal door waar hij zo over bevraagd zou worden. Uit zijn rugzak viste hij een flesje water en een verfrommeld zakje Fisherman's Friend. Uit de opening liet hij drie bruine tabletjes in zijn hand vallen, terwijl hij het waterflesje tussen zijn voeten klemde. Hij sloot de woestijnkleurige rugzak die hij in Afghanistan tijdens patrouilles altijd had meegenomen en hing hem met één hengsel over zijn schouder; ze waren er bijna.

Met stevige passen baande Vik zich een weg naar de roltrappen aan het einde van Hoog-Catharijne. Met zijn ene hand hield hij het hengsel van zijn rugzak vast; de andere zwaaide hij gestrekt omhoog. Als een sneeuwschuiver leek zijn uitstraling het winkelend publiek opzij te schuiven; hij marcheerde. Hij kende zichzelf goed genoeg om te weten dat zijn blik op dit moment iets autoritairs had, iets hautains misschien wel, maar het kon hem niet schelen.

Via de roltrap bereikte Vik het Jaarbeursplein, waar hij even bleef staan. Hij hield niet van roltrappen, niet alleen omdat hij het iets vond voor luie mensen, maar ook omdat je de treden ervan niet kon tellen. Het spandoek boven het Beatrix Theater liet een John Travolta-achtige man zien in een wit pak en in de bekende *Saturday Night Fever*-pose.

Onlangs had Vik, voor de bruiloft van Twan, ook een wit pak gekocht. Twan en zijn vriendin zouden boeddhistisch trouwen en Vik mocht zijn getuige zijn. Vik en Twan hadden elkaar in dienst leren kennen. Samen hadden ze als soldaten naast elkaar gestaan op appel op de kazerne in Seedorf. In de eerste rust, met rechte rug en zonder te spreken, hadden ze geluisterd naar sergeant Oes, die heen en weer liep te ijsberen voor hun peloton.

'Als je in de eerste rust staat,' had hij geroepen, 'liggen je handen met gestrekte vingers achter op je aars. Je benen staan stevig op de grond, je voeten zo'n dertig centimeter uit elkaar.'

Na elk zinsdeel had de sergeant een kleine pauze laten vallen en hen aangekeken, om zeker te weten dat ze hem hadden verstaan en begrepen, om te zien of ze het ook direct uitvoerden, maar vooral om het niet te snel te laten gaan. Niet omdat hij dacht dat ze te dom waren, maar alsof hij daarmee wilde benadrukken wat voor belang ervan uitging dat deze uitleg maar één keer gegeven zou worden en dus nu in de oren geknoopt moest worden. 'Je hebt je buikspieren aangespannen en je borst vooruit...' Achteraf had het iets hilarisch, alsof de trots die je uitstraalde kogels tegen zou houden op het moment dat het erop aankwam, maar toen maakte het indruk. Een dusdanige indruk dat Vik het zich nog steeds tot in detail kon herinneren.

'Je kin omhoog, en je kijkt alsof iedere vrouw een kind van je zou willen.' Pas toen de sergeant ervan overtuigd was dat iedereen in het peloton stond zoals je hoorde te staan, liep hij een voor een alle mannen langs om ze te inspecteren. Kleding, herkenningsplaatje, militair paspoort en gepoetste schoenen. Soms kwam hij met een halfdichtgeknepen oog dichter naar je gezicht, maar ook dan moest je strak voor je uit blijven kijken en pas reageren als je wat werd gevraagd.

'Heb jij je vanmorgen geschoren, De Wildt?'

'Jawel, sergeant!'

'Je wilde mij toch niet zeggen dat dat bij jou nodig is, of wel?' Aan het cynisme van de opmerking kon je horen dat er nog enkele zouden volgen alvorens je een antwoord of een uitleg mocht geven. Mógen was in dezen ook een groot woord, het was meer móéten. Maar je moest daarbij wel goed beseffen dat het antwoord dan ook wel het juiste moest zijn, wat zoveel betekende als een antwoord dat de sergeant tevredenstelde.

'Nou, De Wildt, waarom in godsnaam, als jij die babyzachte wangetjes van je elke dag zou insmeren met Pokon zou je misschien na een maand net genoeg haar op je gezicht hebben om het er met een föhn af te blazen. Ik denk dat ik de verkeerde vraag aan je stel, De Wildt, maar goed. Waarom, De Wildt, waarom heb jij je in godsnaam geschoren vanmorgen?'

'Omdat het voorschrift zegt dat de militair zich iedere morgen dient te scheren, sergeant!'

Het praten in dienst had op sommige momenten iets weg van hoe je begon te praten tegen een buitenlander die jou niet verstond: hard en in een vreemde telegramstijl, de belangrijke woorden benadrukkend.

'Hebben jullie gehoord wat de Wildt zojuist zei?'

'Jawel, sergeant!' riepen nu de anderen uit het peloton.

'Weten jullie hoe belangrijk het is wat hij net zei?'

'Nee, sergeant!'

'"Omdat het voorschrift het zegt" is het enige juiste antwoord.'

Vik liep achter het theater langs de Mineurslaan op en meldde zich bij de ingang van de hoekige torenflat, die van buitenaf iets had van een potsierlijk grote bunker met ramen erin – alsof de architect de militaire staf het gevoel had willen geven thuis te zijn, dicht bij het front, maar toch veilig. Alsof hij wist wat de generaals zelf nog niet mochten denken: dat je op een gegeven moment te oud bent geworden om dapper te zijn, maar het alleen nog niet mag toegeven. Ze kenden de politieke leugens die steeds weer herhaald werden, maar mochten er niet over praten – een stilzwijgend complot waar je door ouder te worden en in rang te stijgen vanzelf deel van uit ging maken.

Het was die ervaring die hen blijkbaar in staat stelde om verstandige vragen te stellen over dapperheid, om te kunnen besluiten wat dapper is en wat niet. Dat was wat Vik vandaag voor Leon moest doen: vragen beantwoorden over dapperheid, over de onderscheiding die hij als commandant voor zijn sergeant had aangevraagd. Terwijl Vik zich afvroeg of het hele idee echt wel zo gecompliceerd was dat er een commissie voor nodig was om erover te kunnen beslissen. Dapper en dom lagen in zijn beleving niet ver van elkaar vandaan; misschien was dapper niet veel meer dan de domme beslissing die achteraf goed had uitgepakt.

Een klein uur later stond Vik weer buiten. De herfstwind hoopte de goudgele bladeren op in een hoek van de parkeerplaats.

Twee keer had hij aan het hoofd van een grote ovale tafel plaatsgenomen. Vier officieren, onder wie ten minste twee generaals die hij kende, hadden hem vragen gesteld, vragen waarvan de relevantie hem eigenlijk ontging. Toen ze daarmee klaar waren, mocht hij door de gangen met dikke betonnen muren terug naar een kleine ruimte waar hij koffie kon drinken. Nergens drong er in deze ruimte daglicht binnen. Het gebouw mocht vanbuiten een bunker lijken, vanbinnen was het nog erger.

Na een minuut of vijf wachten werd hij opnieuw door de gangen geloodst terug de kamer met de ovale tafel in. Ook die tweede keer was hij verrast geweest door de omvang van de kamer, die in schril contrast stond met de smalle gangen, die je het gevoel gaven dat je in de Maginot-linie beland was.

'We zouden graag willen dat je het verhaal nog een keer opschrijft, maar dan duidelijker, met meer details en dan specifiek over het gedrag van de sergeant.' De zin dreunde na in Viks hoofd. Hij voelde zich een bokser die in zijn hoek te horen kreeg wat hij de komende ronde moest gaan doen, die wist dat het zo niet goed ging, maar aan wie niet verteld werd hoe het dan wel moest.

'Gaat dat lukken, denk je?' hadden ze na een korte stilte gevraagd.

'Ja, generaal,' had hij vol overtuiging geroepen. Hij was opgestaan om de opdracht uit te voeren zoals een bokser die na een kansloos verloren ronde bij het horen van de gong voor de vorm nog één keer opstaat, nog een keer met zijn handschoen tegen zijn bitje aan slaat en zijn tegenstander tegemoet loopt, om iedereen te laten geloven dat er in deze ronde een kentering plaats zal gaan vinden. Hij was aangeslagen; hij had een opdracht, maar hij begreep niet wat de opdracht inhield. Hij snapte niet wat ze nu eigenlijk precies van hem verlangden.

Verward liep Vik terug. Alles had hij verteld, alles stond op papier, en nog was het niet genoeg. Zijn onmacht in deze situatie frustreerde hem. Hij moest denken aan hoe hij zijn zus ooit had geholpen de stelling van Pythagoras te begrijpen. Uiteindelijk was hij gestopt met uitleggen waarom de stelling werkte en had hij gezegd dat die gewoon gebruikt kon worden bij elke driehoek met een hoek van negentig graden. Tien voorbeelden had ze meteen zonder problemen gemaakt, maar toen hij vervolgens de stelling verpakte in een toepassingsvraag, zoals ze die op haar proefwerk zou krijgen, ging alles mis. Een raam op vier meter hoogte, een stoep van drie meter breed en een ladder van de glazenwasser vormden geen driehoek.

6

Het sissen van het gas werd langzaam maar zeker overstemd door het pruttelen van het kleine Bialetti-espressoapparaat. Vik wachtte met het uitzetten van het gas tot het geprutttel overging in een schrapend, gorgelend geluid, waardoor hij wist dat al het water dat onder in het reservoir zat onder druk door het filter was geperst.

Lot dronk geen koffie. Een tijdje geleden had ze voorgesteld om een Senseo-apparaat voor Vik te kopen, omdat het makkelijk was, maar dat had in Viks ogen weinig tot niets met koffie te maken. 'De Bialetti is prima,' had hij kortaf gezegd, en daarmee was de discussie van tafel. Het ging hem niet alleen om de koffie, maar vooral ook om het ritueel dat koffiezetten voor hem was. Alsof de handelingen therapeutisch werkten. Vooral van het moment dat hij het espressokannetje van het vuur haalde en op het aanrecht plaatste, kon hij genieten. Als de hete onderkant op een paar koude waterdruppels op de zwarte, gladde natuurstenen ondergrond werd gezet verdampten de druppels onmiddellijk, waardoor het koffiepotje enkele momenten sissend over het aanrecht danste. Precies lang genoeg om zijn rode espressokopje om te spoelen met heet water .

'Kutzooi!' Terwijl hij de vingers die hij net aan het staal had gebrand in zijn mond stak en een sprongetje achteruit maakte om geen koffie over zijn kleren te krijgen, zag hij dat het kannetje de gootsteen in stuiterde en een donkerbruine vlek achterliet.

'Wat is er?' vroeg Lot vanuit de woonkamer. 'Ging het niet goed?'

'Dat hoor je toch!'

'Ik bedoel niet met de koffie.'

'Wat bedoel je dan?'

'Ik bedoel in Utrecht. Je moest toch naar Utrecht vandaag, voor die dapperheidsonderscheiding of zo?' Lot keek Vik vanaf de bank aan. Ze had een kop thee in haar ene hand en bladerde met de andere door reclamefolders die op haar schoot lagen. In tegenstelling tot Vik, die alleen de elektronicafolders bekeek, bladerde zij ze meestal allemaal door. Alleen de meubelboulevardfolders bleven volledig ongelezen en werden met een ongeïnteresseerde blik in de hoek van de bank geworpen voordat ze definitief in de oudpapiermand verdwenen.

'Ben je er nog bekenden tegengekomen? Hoe was het voor de commissie? Wat gaan ze met je aanvraag doen?'

'Is dat het enige wat de mensen tegenwoordig nog kunnen: stompzinnige, inhoudsloze vragen bedenken die beantwoord moeten worden?' Vik snoof. 'Gek word je van al die vragen van iedereen, van de behoefte aan antwoorden van mensen. Zonder antwoorden weten we het schijnbaar niet. Alle domme vragen moeten worden beantwoord.'

'Domme vragen bestaan niet.'

'Misschien niet, maar er zijn wel domme mensen die vragen stellen, en ik weet eerlijk gezegd niet wat erger is.'

In zijn zak voelde Vik zijn telefoon trillen. Hij draaide zich om een keek. Een WhatsApp-bericht van Ruth:

Gggrrfrtedsckllop

Sorry, zakkenroller!

Wat?!?

'Zakkenroller', mijn telefoon niet goed afgesloten dus ontstond er een spontaan bericht.

Oké, gaan we dit weekend nog fietsen

Ik kan niet, blessure. Er zit iets niet goed in mijn knie, kleine deeltjes die loszitten en door mijn knie zwerven. Ze weten niet wat precies.

Higgs-deeltjes? Daar ben je sneller vanaf dan dat ze kwamen. Wel jammer, ik had me erop verheugd.

Ik ook, maar niet alleen op het fietsen.

Ik wil je Vik. Tot gauw ;-) X

Vik voelde dat hij bloosde. Terwijl hij zijn telefoon weer in zijn zak stak, keek hij schuldig naar Lot om te zien of haar iets was opgevallen. Maar op het moment dat Vik zijn telefoon had gepakt, had zij de folder weer opengeslagen. Vik keek naar de hippe rode laarsjes aan haar voeten die over elkaar heen geslagen op het chaise longue-gedeelte van de grijze hoekbank lagen. Haar brede heupen hadden ervoor gezorgd dat het korte spijkerrokje iets omhoog was gekropen, maar net niet genoeg om te kunnen zien wat voor ondergoed ze droeg. De damp van de thee sloeg neer op haar rechthoekige leesbril, die haar iets strengs gaf.

‘Was het een leuk berichtje?’ vroeg Lot plagerig, terwijl ze naar Viks kruis staarde.

‘Flikker toch op met je vragen, ik ben het zat.’

‘Lieverd, ik weet niet wat er aan de hand is, maar sinds je terug bent uit Utrecht ben je niet te genieten. Ofwel je hebt een kater van hier tot Tokyo en je moet eerst maar even je roes uit gaan slapen, ofwel er is iets gebeurd bij die commissie waardoor je nu echt niet te harden bent.’ Lot liet een korte stilte vallen. ‘Misschien is het iets om vanmiddag in de therapie te bespreken.’

Sinds een paar weken hadden ze samen therapie, om elkaar beter te begrijpen na de missie.

‘Jij zult het wel weten, jij weet altijd alles toch? Eigenlijk weet iedereen hier altijd alles, en omdat we alles al weten stellen we zoveel vragen. Domme vragen dus, want elke vraag die tot een antwoord leidt dat we al weten is een domme vraag, of op z’n minst een overbodige vraag. Maar ook overbodige vragen – nee, juist overbodige vragen dienen nauwkeurig beantwoord te worden om ons een “helder en compleet beeld” te kunnen verschaffen. Zonder de antwoorden op overbodige vragen kunnen we het toeval niet uitsluiten en moeten we vertrouwen op ons eigen oordeel, en dat zou achteraf weleens onjuist kunnen zijn.

“Hoeveel talibanstrijders zaten er in die greppel, of hoe noemde u dat ook alweer?”

“Zaten die strijders er nog toen sergeant Leon zijn acties ondernam?”

“Heeft de sergeant niet al een Draaginsigne Gewonden gekregen?”

“Kunt u ons het hele verhaal nog een keer van het begin tot het einde vertellen?”

“Wat was uw rol in het gevecht?”

“Waarom is er niet gezocht naar bermbommen voordat het voertuig positie innam op die heuvel?”

“Zijn er nog dingen die u toe wilt voegen?”

"Kunt u ons de exacte tijd geven dat het vuur op de patrouille werd geopend?"'

Vik voelde zich steeds kwader worden. 'Alsof het tijdstip op de dag invloed heeft op of iets dapper is of niet, alsof ik met eigen ogen had kunnen vaststellen hoeveel taliban er in dat gangenstelsel rondhobbelden. Ze hebben me natuurlijk ge-sms't met hun namen en bedoelingen. Bovendien, wat doet het ertoe dat Leon tijdens deze actie gewond is geraakt en hier al een onderscheiding voor heeft gekregen? Stelletje mongolen, dat is nog eens een medaille waar je blij of trots op kunt zijn, het Draaginsigne Gewonden. Een arbeidsongeschiktheidsverklaring die je zichtbaar op je uniform mag dragen: hoera! Natuurlijk kan ik het hele verhaal nog een keer vertellen, nog wel tien keer als u wilt, maar verandert dat de situatie, het gedrag van de mensen en van Leon in het bijzonder? Dat denk ik dus niet. Ze hebben mijn verhaal op papier, de patrouilleverslagen, de getuigenverklaringen, wat missen ze? Weet je wat ze missen? De ervaring om in een vuurgevecht te zitten. Ze kunnen niet oordelen over dit soort zaken, maar vragen gaat ze echt niet helpen. Als ze niet uit zichzelf begrijpen dat je in een vuurgevecht wel wat anders aan je hoofd hebt dan zoeken naar bermbommen, als ze niet begrijpen dat Leon handelt vanuit de aanname dat die strijders daar nog steeds zitten en dat dát bepalend is voor of wat hij doet dapper is, en niet de vraag of ze er nog wel of niet zijn. Natuurlijk zou ik iets willen toevoegen – niet veel, gewoon één simpele zin: "Vertrouw op mijn integriteit en oordeelsvermogen als officier, ik was erbij en wat Leon deed is een dapperheidsonderscheiding waard. Anders had ik de aanvraag simpelweg niet geschreven."'

Lot liet een lange stilte vallen, alsof ze zeker wilde weten dat er niet nog meer zou komen. 'Heb je hun dit ook allemaal verteld?'

'... Kutwijf.'

7

'Majoor, ik heb dat boek uit dat u me geleend had.'

'Welke, Schumi?'

'Die ene, *De Afghaan* of zo, maar nu heb ik een probleem.'

'Wat is er dan?'

'Ik heb het aan iemand anders uitgeleend, maar weet niet meer aan wie.' Schumi keek schuldig omlaag, wachtend op een antwoord, terwijl Vik zich vooroverbukte om zijn cappuccino uit de houder van de automaat te pakken.

Na het appel van vijf voor halfacht ging Vik altijd naar de koffieautomaat op de eerste verdieping, waar je aansloot in de rij omdat het een ritueel was waar zo'n beetje iedereen aan deelnam. Alleen de rokers kwamen iets later, omdat ze de rij als excuus gebruikten om voor de ingang van het gebouw nog een sigaret op te steken. De koffie die het apparaat produceerde was op z'n best abominabel, alsof Nederland nog ergens een voorraad surrogaatkoffie uit de oorlog had liggen waarmee dit apparaat gevuld werd. De cappuccino met veel suiker was nog enigszins drinkbaar, maar vooral warm. Vik stond hier ook niet echt voor de koffie, maar om te horen wat er onder de mannen leefde, wat ze dit weekend hadden gedaan of wat ze van plan waren voor het komende weekend. Er werden grappen gemaakt en je leerde er de nieuwe mensen een beetje kennen.

'Wilde hij het graag lezen?' vroeg Vik met een schuine blik omhoog.

'Ja, ik geloof het wel.'

'Mooi. Boeken zijn om gelezen te worden, en als hij het terugbrengt, komt het vanzelf wel weer bij mij. Als hij het weer doorgeeft, leest iemand anders het en dan is het toch ook weer goed?'

'En als hij het houdt?'

'Dan zijn er twee mogelijkheden. Je maat is onbetrouwbaar; dat zou ernstig zijn. De tweede is dat hij het boek zo mooi vond dat hij het op zijn boekenplank of nachtkastje koestert. Aangezien we dat niet weten, gaan we dan maar uit van het laatste.'

'Maar u had dat boek toch van uw moeder gekregen?'

'Cappuccino?'

'Nee, chocomel, alstublieft.' Vik drukte de knop rechtsonder op de automaat in, zag dat er een bekertje met een droge klik in de houder belandde en stapte opzij.

'Het geeft niet, Schumi. Mijn moeder houdt niet van dit genre en ik zal haar niet verklappen dat het boek is gaan zwerven.'

Vik gaf de soldaat een knipoog en liep rustig langs de rij richting zijn bureau. Hij stelde zich voor hoe het boek langzaam maar zeker ouder zou worden bij iedere keer dat het gelezen werd. Ezelsoren, pagina's die verder uit elkaar zouden komen te staan... Een boek voelt zich het best als het wordt verhoereerd, zo stelde hij zich voor. Het boek wil gelezen worden, iedere keer weer.

'Majoor, vraagje.'

Vik keek opzij naar de sergeant, die niet wachtte op een antwoord, maar zodra ze oogcontact hadden verderging met praten. Daar kenden ze elkaar ook meer dan goed genoeg voor. Vik herinnerde zich dat hij in Afghanistan op Poentjak een keer een flink meningsverschil met hem had gehad. Waarover wist hij niet meer, maar uiteindelijk bleek het een storm in een glas water en hadden ze er hard om moeten lachen.

'Is het goed als ik morgen een paar uurtjes later ben?' vroeg de sergeant.

'Moeten jullie geen lesgeven aan de pelotons dan?'

'Jawel, maar bij het eerste deel ben ik niet nodig. Ik heb mijn korporaals geïnstrueerd en zo meteen controleren we alle spullen voor de schietweek. Als dat in orde is, dan is het geen probleem als ik wat later kom.'

'We hebben in de middag twee schietbanen waar een hospik moet staan. Als dat geregeld is, dan heb ik geen bezwaar.' Vik liet een korte stilte vallen. 'Moet je de kinderen naar school brengen?'

'Nee, ik moet de scheidingspapieren tekenen.'

'Kom zo anders even langs op mijn bureau.'

'Het hoeft niet, ik ben oké.' De sergeant keek Vik rustig aan. 'Ze heeft een ander; dan houdt het al vrij snel op, toch?'

'Hoe lang al?' wilde Vik weten. Eigenlijk was het zo'n vraag die er misschien niet echt toe doet, maar die je automatisch stelt als iemand je zoiets vertelt. Hij zag dat de sergeant zijn brede mond in een cynische grimas trok en zich achter zijn oren krabde alvorens Vik een antwoord te geven.

'Tijdens de uitzending is het schijnbaar gebeurd, zo'n vriend die je vrouw troost.'

'*That's what friends are for.*'

Vik gaf de sergeant een klap op zijn schouder en liep verder. Dat was de realiteit van nu. Een scheiding was in het begin nog echt iets geweest waar mensen zich druk om leken te maken. Een gesprek, empathie, soms zelfs tranen. Tegenwoordig was het iets dat je in de dagelijkse file voor de koffie tussen neus en lippen werd meegedeeld. Het grappige was dat Defensie had aangegeven dat het aantal echtscheidingen in het leger niet hoger lag dan het landelijk gemiddelde. Als hun eigen eenheid representatief was voor het gemiddelde, dan zou dat betekenen dat ongeveer vijftig tot zestig procent van de huwelijken in Nederland geen stand hield.

Vik liet het plastic bekertje in de ronde metalen prullenbak naast zijn bureau vallen en schoof achter zijn computer om e-mails te beantwoorden. E-mails waren de ideale manier om je eigen problemen elektronisch door te schuiven naar het bureau van een ander. De hele dag kon je druk zijn met reageren op de mail, kon iedereen zien hoe goed je bezig was, terwijl het echte werk bleef liggen. In het begin had Vik alles gelezen wat er binnenkwam; later had hij een onderscheid gemaakt tussen berichten die direct aan hem waren gericht of niet. 'CC' verdween direct in de prullenbak. 'BCC' werd gelezen omdat die laatste hem de indruk gaf dat iemand vond dat hij iets moest weten zonder dat anderen wisten dat hij op de hoogte was. Later was hij een verdere schifting gaan maken, op basis van afzender en onderwerp. Mails zonder onderwerp waren meestal niet belangrijk en verdwenen dus ook in de prullenbak.

'Vergeet u de vergadering straks niet?' Celine, de administratrice van de eenheid, was zonder dat hij het had gemerkt zijn kantoor binnen komen lopen met enkele stukken die hij moest ondertekenen.

'Dank je, Celine. Zitten er nog belangrijke dingen bij?'

'Nee, maar vanmiddag moet u die lezing over Afghanistan geven in Amsterdam. De manier waarop Celine haar zachte g uit haar getuite mond liet rollen had altijd iets gezelligs. Soms, om haar wat te plagen, deed hij haar een beetje na, maar vandaag knikte hij slechts vanachter zijn computer naar haar.

'Dank je, ik zal het niet vergeten.'

'De generaal heeft gevraagd of u hem na de lezing wilde laten weten hoe het is gegaan.'

'Zal ik doen,' antwoordde Vik zonder op te kijken. 'Na de lezing rijd ik gelijk door naar de Harskamp, dus ik kom niet eerst hier terug.'

'Robbie heeft de jeep al bepakt. Rijdt hij u ook naar de lezing?'

'Ja, hij weet waar we moeten zijn.'

'Gaat het wel goed met u?' vroeg Celine. Vik voelde dat ze hem afwachtend aankeek. Hij opende het postboek en begon de stukken te scannen en te ondertekenen. Vanuit zijn ooghoeken zag hij dat Celine was gaan zitten in een van de fauteuils aan zijn bureau. Ze bleef hem aankijken tot hij antwoord zou geven. Alsof ze het antwoord al wist, maar hem wilde verplichten het uit te spreken.

'Ik had geen ja moeten zeggen tegen die lezing.'

'Maar dat vindt u toch juist leuk en nuttig om te doen?' Celine boog voorover, terwijl Vik het ene na het andere document ondertekende en daarom nog steeds niet naar haar opkeek.

'Ja, maar leuk is niet altijd het juiste criterium om iets te doen,' mompelde Vik. 'Ik had het gewoon niet moeten doen. Ik had met de eenheid mee moeten gaan naar de Harskamp. Van de eerste minuut tot de laatste had ik erbij moeten zijn.'

'De eerste dag gebeurt er toch niets. Het is juist een dag waarop niemand zal merken dat u er niet bent.'

'Dank je, maar dat maakt nog steeds niet dat het ook de juiste keuze is.'

'Het is toch best leuk om naar Amsterdam te gaan?'

Voor het eerst keek Vik op uit zijn postboek. 'Koffie?' Zonder op een antwoord te wachten schoof hij twee kopjes onder het apparaat op het bureau naast hem en drukte er twee pads in. 'Amsterdam... Ik haat Amsterdam. Brel schreef er ooit een mooi nummer over, maar daar is dan ook alles mee gezegd. Laatst liep ik er door het centrum en ik dacht dat ik gek werd. Overal mensen.'

'Dat zie je wel vaker in steden,' lachte Celine, terwijl ze de koffie aanpakte en keek hoe Vik op de met blauwe kunststof beklede fauteuil naast haar ging zitten. Vik reageerde niet op haar opmerking. Hij legde zijn voeten op tafel, liet zich onderuitzakken en keek schuin omhoog naar het plafond om zich het moment helder voor de geest te kunnen halen.

'Overal mensen,' herhaalde hij. 'Het was alsof ze op, om en over me heen gingen zonder dat ze zich realiseerden dat ik bestond, zonder dat ze zich leken te realiseren dat er überhaupt andere mensen bestonden. Het beklemde me. Een kwartiertje ben ik midden op straat stil gaan staan en heb ik gekeken naar wat er gebeurde. Ik had moeite om mezelf en de anderen nog als mens te zien. Eerder hadden we iets weg van een kolonie mieren die doelloos door elkaar heen krioelden, zich slechts bewust van hun eigen taak, zich niet bewust van een groter geheel dat er zou kunnen zijn. Je bemoeien met een ander, je zorgen maken om de ander is niet aan de orde, van geen enkel belang. Als iedereen zijn eigen taak en rol vervult, dan komt het goed, dan overleeft de kolonie. In tegenstelling tot bij de mieren lijkt bij ons echter elk sociaal contact te ontbreken.'

'Sociaal contact bij mieren,' zei Celine.

'Absoluut. In tegenstelling tot de manier waarop de mensen in Amsterdam om me heen liepen, alsof ik een steen was in het stromende water, hebben mieren voortdurend contact met elkaar. Raken ze elkaar aan met hun voelsprieten om vast te kunnen stellen of die ander wel deel uitmaakt van hun groep. Wij niet, wij lopen om elkaar heen alsof het andere individu sowieso een parasiet is die gemeden moet worden. Onze vrijheid heeft zo onderhand meer weg van een absoluut individualisme. Soms denk ik weleens dat de mensen hier democratie en anarchie met elkaar verwarren, dat ze elke vorm van realisme langzaam maar zeker aan het verliezen zijn.'

'De mensen hier?'

'Ja, Celine, de mensen hier, verdomme. Hier in Nederland. In het Westen. Ik vraag me weleens af of de welvaart hier niet een beetje doorgeslagen is. Of het niet tijd is voor een oorlog, zodat mensen zich realiseren dat vrijheid niet iets vanzelfsprekends is, iets wat je moet koesteren en waar je voorzichtig mee moet omgaan. Het is geen recht, geen product dat je zo even achter een toonbank vandaan trekt. Maar als je dat tegen de mensen zegt, kijken ze je aan alsof je niet goed snik bent.'

8

> Wanneer spreken we af, dan kan ik mijn kleine Johannes opbergen.

Ruth had het over de vibrator die ze naar eigen zeggen gebruikte als haar man er niet was. Vik wist niet of ze het serieus meende of dat ze een grapje maakte. Veel vrouwen hadden tegenwoordig 'speeltjes'. Lot ook. Ze hadden hem zelfs samen uitgezocht voordat hij naar Afghanistan ging. Ze hadden er ook wel samen mee gespeeld, of beter gezegd: hij had toegekeken hoe zij ermee speelde. Het had hem het gevoel gegeven dat Klimt gehad moest hebben in de tijd van zijn *Erotische Zeichnungen und Aktestudien* – een serie tekeningen die Lot in het Centre Pompidou had betiteld als vergeelde porno, terwijl Vik juist gefascineerd was door de leegte van de tekeningen, het gebrek aan besef van het bestaan van een wereld.

Klimt had het orgasme van zijn muzen nog weten te evenaren, het misschien zelfs overtroffen. Tegenwoordig leek dat niet meer mogelijk. Vik kon niet neuken en likken tegelijk, trillen op drie verschillende dieptes en in zeven verschillende snelheden. Hij moest haar lichaam lezen, en één verkeerde beweging betekende vaak dat de spanning weer helemaal opnieuw opgebouwd moest worden. Dat was het voordeel van vreemdgaan: de angst betrapt te worden bracht al genoeg spanning met zich mee.

Zonder echt antwoord te geven stuurde hij Ruth een YouTube-link:

Slaapliedje: Everlong, akoestisch.

Ben jij een wandelende jukebox ofzo?

Het leven is wachten en muziek maakt het wachten draaglijk. Het wachten op een missie, het vliegtuig, op het moment dat je weer naar huis mag, op het geluk of op een minnaar.

Hij twijfelde even of hij met die laatste opmerking niet te ver ging, maar stak zijn telefoon in de binnenzak van zijn witte pak. Met de volumeknop had hij het geluid uitgezet. De trilstand zou niet werken, wist hij. Hij zou het niet kunnen laten om bij elke trilling naar zijn telefoon te grijpen.

Lot haatte het. In therapie had ze een paar keer opgemerkt dat sinds hij altijd en overal in verbinding stond met internet het ding gewoon deel uit leek te maken van zijn lichaam. 'Vik een iPhone geven is hetzelfde als een heroïneverslaafde aan een infuus hangen.'

Bij het passeren van de ober pakte Vik een biertje van het dienblad en hij liep de tuin van het restaurant in, waar Ellen stond. Bij de uitgang bukte hij om onder de gekleurde Tibetaanse vlaggetjes met gelukwensen door te lopen. Het gras was drassig van de hevige regenbui die zojuist was gepasseerd, maar nu scheen de zon alsof de lente net was begonnen. Over de weilanden, tussen de bomenrijen in het polderlandschap door, keek hij naar een dijk en hij vroeg zich af of de Schelde er direct achter zou liggen. Veel mensen wisten het niet, maar hier in de buurt was ooit hard gevochten. Breskens, Vlissingen, Westkapelle... De monding van de Westerschelde was voor de geallieerden belangrijk geweest omdat ze daarmee, na Arromanche in Normandië, eindelijk een tweede haven in handen zouden hebben om brandstof, voeding en munitie sneller aan het front te krijgen. Een haven die sinds enkele jaren trouwens opnieuw tot strijd leidde – het uitdiepen van de Schelde, het onder laten lopen van de Hedwige-polder.

'Wat een bizar weer, hè?' zei Ellen. Vik knikte. Hij zag dat ze de smalle bandjes van haar trouwjurk had gebruikt om de witte zijden sjaal die ze bij de huwelijksceremonie van de boeddhistische monnik had gekregen precies op haar schouders te laten hangen.

'Je ziet er goed uit,' antwoordde Vik.

'Twan en ik zeiden van jou hetzelfde. Je lijkt rustiger dan de laatste keer dat we elkaar zagen, maar ook dat witte pak... Man, ik zei nog tegen Twan dat als hij zijn pak vandaag zou verpesten, hij mooi het jouwe kon lenen.'

'Dank je, ik kocht het speciaal voor jullie. In het boeddhisme is wit geloof ik de kleur waarin je een ander geluk wenst.' Vik kneep zijn ogen half dicht om tegen de laaghangende zon in te kijken. 'Waarom vandaag?' vroeg hij. 'Of heeft de dag niets speciaals?'

'Niet helemaal.'

'Maar toch een beetje, begrijp ik?' vroeg Vik zonder opzij te kijken. 'Grappig eigenlijk, dat de datum die jullie vorig jaar kozen uiteindelijk de dag bleek te zijn dat wij naar Afghanistan vertrokken.'

'Dit jaar kozen we eerst voor 18 oktober, maar dat vond Lama Cartha geen goed idee, omdat je dan op nul uitkomt als je alles van elkaar aftrekt: 18-10-08. Acht is een mooi getal, vond hij. Het is niet alleen een geluksgetal voor veel mensen, maar ook de lotusbloem heeft acht blaadjes.'

'Ik geloof niet in getallen, maar achttien is ook geen goed getal; neonazi's gebruiken het vaak als een soort code.'

'Een code?' wilde Ellen weten.

Vik knikte. 'De één staat voor de A, de eerste letter in het alfabet, en de acht voor de H. Samen vormen ze de initialen van Adolf Hitler.'

'Gezellig, die triviale weetjes van jou.' Ellen lachte. Vik wist dat ze van dit soort flauwe dooddoeners hield. 'Twan is te Joods en ik ben zelf niet zuiver van ras, dus dat *white power*-gedoe laat ik aan me voorbijgaan. Ga je mee dansen?'

'Straks. Je moet eerst nog vertellen waarom jullie dan wel voor vandaag kozen.'

'De acht weet je al, dat is een geluksgetal. Wist je trouwens dat om precies die reden de Olympische Spelen in Beijing op acht augustus om acht minuten over acht geopend werden? Maar goed, één november tweeduizendacht. Trek de acht en de één van de elf af en je houd twee over, en ook twee is een geluksgetal; al het goede hoort dubbel te komen.'

'Vandaar dat ik aan één vrouw niet genoeg heb.'

'Vik!'

'Grapje.'

'Bij een huwelijk hoort ook het dubbelgeluksteken, wist je dat?'

'*Nope,* ik weet wel dat je die som van jou ook op vier kunt laten uitkomen, en vier is geen best getal in Azië: als je het uitspreekt klinkt het als het woord "dood".'

'Ik dacht dat je niet in getallen geloofde?'

Ellen porde Vik in zijn zij en trok hem mee richting de dansvloer. 'Vind je Joep trouwens geen vette dj? We kennen hem nog uit Amsterdam.'

'Joep klinkt echt als een goede naam voor een dj; dat zal goed staan op een affiche. Jullie hadden de uitnodiging moeten zetten: "Neem je 3D-bril mee."'

'Ik geloof niet dat ik je nog kan volgen, Vik.'

'3D staat voor: drank, drugs en dj's.'

'Vik, moet ik me zorgen om je maken?'

Vik sloeg zijn armen om Ellens middel en draaide haar over de dansvloer.

'Waarom?'

'Dit soort dingen weet je meestal alleen omdat je tot de groep behoort voor wie het is bedoeld.'

'Haha, nee hoor. Kim, die kunstenares die dat schilderij boven de bank bij ons maakte, vertelde het me toen ik dat op kwam halen bij haar atelier.'

'Zomaar?'

'Nee, ze was nogal down van het weekend. Ze had een heftige party achter de rug en ik vroeg een beetje hoe en wat. Lekker wijf trouwens, niet normaal.'

'Lot is een lekker wijf, Vik.'

Vik lachte. 'Zeker als ze straks een beetje dronken is. Misschien had ik het je moeten vertellen voor je huwelijk, maar alle mannen zijn hetzelfde.'

'Dat weet ik. Wij vrouwen doen ook alleen maar alsof we het erg vinden.'

Vik keek naar Lot, die ook op de dansvloer stond. Aan de blos op haar wangen kon hij zien dat ze al redelijk wat gedronken had. Samen met een paar andere meiden danste ze op haar felrode hakken op de beats van de dj.

Bij de bar haalde Vik een glas champagne. Hij kuste Lot in haar nek en gaf haar het glas. Met zijn andere hand gleed hij over het gladde zijden jurkje langs haar heupen omlaag om te voelen of ze inderdaad haar jarretels droeg. Straks zou hij haar meenemen de tuin in, haar zachtjes zoenen en in haar borsten knijpen. Ze zou niet tegenstribbelen, maar hem gelijk in zijn kruis grijpen, om hem dan tegen zich aan te trekken. Daarvoor kende hij haar goed genoeg. Haar blik zou veranderen van flirterig naar gedecideerd, dwingend, alsof ze wilde zeggen: 'Jij bent dit begonnen, nu maak je het af ook.' Vik dacht even aan de scène uit *Ik, Jan Cremer* waarin de hoofdpersoon op de voorplecht van een cruiseschip in zijn witte pak een ongestelde vrouw naait. Hij sloeg de dubbele manchet van zijn blouse terug over de mouw van zijn colbert en keek op zijn oversized horloge. Het stond al sinds vanmiddag stil; een van de gasten had hem erop gewezen en Vik had zijn schouders opgehaald. 'Ik kom toch altijd te laat, dus het maakt niet uit,' had hij droog geantwoord. 'In Afghanistan zeiden ze dat ook altijd: dat wij een horloge hebben, maar zij hadden de tijd.'

De meeste mensen hadden het feest inmiddels verlaten, zag hij, maar Joep draaide nog onverstoorbaar door. Vik keek naar de parkeerplaats, waar hun auto met nog maar enkele andere auto's stond. Hij had te veel gedronken om nog te mogen rijden, wist hij. Omdat ze er geen afspraak over hadden gemaakt, had ook Lot er waarschijnlijk niet echt bij stilgestaan. Bovendien wist ze dat Vik over het algemeen niet dronk, al was het maar omdat hij bang was het overzicht te verliezen. De angst de controle kwijt te zijn bij onverwachte gebeurtenissen maakte dat hij zich normaal gesproken altijd inhield.

Vik zocht in zijn telefoon naar een nummer van een taxicentrale in de buurt.

'Goedenavond. Hebt u voor mij een indicatie wat het zou kosten om een man of tien te vervoeren naar Hulst?'

'Dat hangt af van waar u zich bevindt, meneer.'

'Sorry.' Vik liep iets naar voren om het bord op de oude boerderij te kunnen lezen. De tuin was een ravage; het toilet binnen was verstopt geraakt, waardoor er eerder op de avond door de eigenaar een mobiele toiletwagen gehuurd was, die achter de feesttent in de tuin was neergezet. De trekker die hem had geplaatst had diepe sporen in het zompige gras achtergelaten en de tuin leek nu meer op een slordig geploegde akker. Een akker waar vrouwen op hoge hakken veel moeite hadden om het toilet te bereiken. 'Petrus-en-Paulus-hoeve heet het hier, de naam van het dorp ben ik even kwijt. Het ligt denk ik een kilometer of tien ten noorden van Hulst.'

'Dat zou Kuitaart of Lamswaarde kunnen zijn.'

'Dat laatste.'

'We hebben op dit moment geen busjes, dus dat moet met gewone auto's. U moet dan rekenen op een drietal taxi's, wat in totaal op zo'n vijfenzeventig tot tachtig euro gaat komen.'

'Dank u wel.'

'Begrijp ik dat u hiermee van een taxirit afziet?'

'Ja, en dat begrijpt u zelf ook wel.'

Vik trapte tegen een lege wijnfles en las het berichtje dat Ruth hem terug had gestuurd:

Testje: Rearviewmirror... X-je Ruth

'*I gather up speed, from you fucking with me*,' mompelde hij lachend in zichzelf. 'De mooiste zin uit een liedje ooit, "Rearviewmirror", Pearl Jam.'

Een feestterrein was als het feest voorbij was net een strand na de storm of een slagveld na de slag. Overal en nergens lagen spullen die er niet thuishoorden, sporen van wat was geweest. In het licht van de Pipo de Clown-achtige toiletwagen zag hij de modder aan zijn broekspijpen en zilverkleurige sneakers geplakt zitten.

Van een afstandje keek Vik naar Lot, naar hoe haar blonde haren meebewogen met de muziek; ze lachte, waardoor haar mooie tanden zichtbaar waren. Lot kon lachen met haar hele gezicht zonder dat het overdreven werd – met haar lippen, wangen, maar vooral haar ogen. Als ze zo keek kon hij niet anders dan verliefd op haar zijn. Hij had het haar nooit verteld; het was ook beter van niet. Misschien zit houden van 'm wel in de momenten dat je van de ander geniet zonder dat ze het weet. Zoals een moeder naar haar kinderen kan kijken op de momenten dat ze zich niet bewust zijn van hun omgeving en gewoon volledig zichzelf zijn. Weten dat hij er zo over dacht was eigenlijk een soort verraad. Na het verteld te hebben zou het moment zijn glans verliezen, zou het iets obligaats krijgen, alsof je het iedere keer dat het er is ook moet zien. Mensen hechtten sowieso te veel waarde aan de dingen die gezegd werden, alsof dat wat je niet zegt er ook niet is. Misschien moest je ook nooit tegen een vrouw zeggen dat je van haar houdt. Als je het eenmaal hebt gezegd, worden de momenten dat je het niet zegt moeilijker, vooral als je het niet hebt gezegd op een moment dat de ander er in stilte juist zo'n behoefte aan had. Als je het te vaak zegt wordt 'Ik hou van je' niets anders dan 'Hallo, goedemorgen' of 'Hoe gaat het?'.

Vik liep langzaam op Lot af en pakte haar voorzichtig aan de onderste rand van haar bh door haar jurk heen vast. Ze liet haar hoofd achterovervallen op zijn schouder.

'Zullen we gaan?' vroeg ze.

'Ja, ik ga de auto halen.'

'Jij hebt toch ook gedronken?' wilde Lot weten.

'Ja, maar het laatste halfuur alleen nog fris. Het is hier het dorp uit en dan de provinciale weg. Alsmaar rechtdoor tot aan het hotel in Hulst.'

'Weet je het zeker, van het rijden?'

Vik knikte. 'Er rijdt hier geen hond op deze wegen op dit tijdstip.'

'Jij rijdt nooit als je gedronken hebt.'

'Vandaag wel. *Trust me,* het komt wel goed. Het is hier op de rotonde rechtsaf en dan eigenlijk alleen maar rechtdoor. Wat kan er gebeuren?'

'En je had altijd zoveel te zeggen over je vader...'

'Mijn vader is hier nu niet, en heb jij enig idee hoe we anders op dit uur bij het hotel komen?' Vik keek toe hoe Lot bij de garderobe haar hakken omruilde voor een comfortabeler paar. Elegant drapeerde ze een stola over haar schouders en liep met Vik mee naar de auto.

9

'Als je je telefoon zoekt, hij ligt op de tafel.'

Aan Lots stem merkte Vik dat er iets aan de hand was. Hij kende haar goed genoeg om te weten dat ze er niet zelf over zou beginnen, dat hij moest bekennen.

'Moet je niet even kijken of je vandaag berichtjes hebt gehad?' vroeg ze, terwijl ze uit haar ooghoek toekeek hoe Vik het apparaat in zijn zak stak. De kilte in haar stem had iets weg van nagels die over een krijtbord werden getrokken. 'Het is wel handig dat jouw abonnement op mijn naam staat,' zei ze, terwijl ze ogenschijnlijk onverstoorbaar doorging met uien snijden op het aanrecht.

Vik zweeg. Hij haalde de telefoon weer uit zijn zak en zag na het invoeren van de code dat hij nog open stond op de WhatsApp-berichten met Kim. *Shit.* Hij las het bericht dat hij een maand geleden van haar had ontvangen en dat nu midden op het scherm te lezen was:

> Waarom is onze relatie zo gecompliceerd? Ik wil in Amsterdam blijven wonen met baby's en met liefde, ik MOET mijn eigen kinderen en wil geen stiefmoeder zijn

'Neem gerust de tijd,' zei Lot. 'De kinderen blijven vanavond bij je moeder slapen.'

Aangeslagen liep Vik naar de badkamer, waar hij zijn hoofd onder de koude kraan stak in een poging de plotseling opgekomen misselijkheid te verdrijven en helder te worden. Ze kon onmogelijk alles gelezen hebben. Alle eerder verzonden berichten waren al te veel om in één dag te kunnen lezen, zeker als je rekening houdt met het feit dat deze ontdekking haar ook uit balans gehaald moest hebben.

Kim... Ze weet alles van Kim en verder niks, besloot Vik. Ruth kon ze niet ook niet gevonden hebben; die stond onder 'pelotonscommandant logistiek peloton' in zijn telefoon en dus niet onder haar eigen naam. Zijn eigen kerels hadden het hem nota bene uitgelegd: dat je vrouwen altijd onder een andere naam in je telefoon moest opslaan zolang je een relatie had.

Vik trok zijn uniform uit en stapte onder de douche. Hoe had hij zo stom kunnen zijn om zijn gespreksgeschiedenis niet te wissen? Even dacht hij eraan om kwaad te worden omdat Lot aan zijn telefoon had gezeten, maar hij besefte dat dat hem niet zou helpen. Hij moest redden wat er te redden viel. Maar eerst moest hij reconstrueren wat er allemaal precies tussen hem en Kim was gebeurd, om zo te kunnen peilen wat Lot wel en niet wist, wat hij dus wel kon of moest vertellen en wat hij weg kon laten.

'Ik wil je schilderen,' had Kim na een lezing van hem gezegd. 'Je ogen, ze fascineren me.'

Op een stukje afgescheurd papier had ze haar naam, adres en telefoonnummer geschreven, en zo stond Vik nog geen week later in haar atelier op de Meeuwenlaan in Amsterdam. Hij had aangebeld en er had iemand opengedaan die gezegd had dat hij op de garagedeur moest kloppen; Kim had geen bel. Rechts zag hij twee groengeverfde houten deuren, zoals ze die in boerenschuren nog weleens hebben. In het ronde deel zaten ramen van enkel glas. Vik had erdoor naar binnen gekeken. Er brandde licht, maar hij zag niemand. Links naast de deur zag hij een oud zwart potkacheltje. Aan de andere kant leunde een beschilderd autoportier tegen een kledingrek met beschilderde witte T-shirts. Net over de helft van de kamer stond een soort kast overdwars, waar hij lijsten en schilderijen zag. Er stond een bureau met een beeldscherm erop en hij zag een koelkast met een klok erboven. Tien voor halfeen.

Alsof hij de klok niet vertrouwde, had hij op zijn horloge gekeken. Om halfeen hadden ze afgesproken. Uit ervaring wist hij dat mensen van militairen stiptheid verwachtten en om dat beeld te bevestigen had hij ervoor gezorgd dat hij er ook op tijd was.

Nadat hij op de ruit had geklopt, zag hij achter de kast een paar benen uit een stoel omhoogkomen en richting de deur lopen. Kim lachte naar hem, terwijl ze op de deuren af liep.

'Koffie?'

'Graag,' knikte Vik, terwijl hij naar binnen stapte. Kim liep door naar het keukenblok, dat hij van buiten niet had gezien. Hij verkende het atelier – zorgvuldig, zoals hij gewend was om een gebied tijdens patrouilles stap voor stap in zich op te nemen. Elk detail was belangrijk, omdat pas achteraf bepaald kon worden welke dat niet waren. Kim keek om en zag dat Vik de punt van een T-shirt vasthield om zo de print op de volgende te kunnen onthullen. 'Het zijn vingeroefeningen,' zei ze. 'Voordat ik echt kan schilderen moet ik eerst wat simpele en snelle dingen gedaan hebben, anders lukt het niet. Als je lief bent, zal ik er straks eentje voor je uitzoeken.'

'Mag ik niet zelf kiezen?'

'Nee, ik zoek er eentje uit die bij jou past. Als je er zelf eentje uit wil zoeken, dan kosten ze vijfentwintig euro.'

Vik slenterde richting de kast om te kunnen zien wat voor boeken Kim in haar kast had staan. Nieuwsgierig kantelde hij af en toe een boek om de kaft te kunnen zien, sommige om te kunnen zien of ze identiek waren aan de boeken die hij zelf ook had staan, andere omdat hij er echt nieuwsgierig naar was of ze juist helemaal niet kende.

'De boeken die op hun rug in de kast staan moet ik nog lezen of wil ik nog een keer lezen,' legde Kim uit zonder dat Vik ernaar vroeg. Afwijkend gedrag moest blijkbaar verklaard worden, leek ze te vinden, om te voorkomen dat mensen zouden denken dat je vreemd was. In tegenstelling tot Kim deed Vik zelf zelden een poging dit soort zaken uit te leggen. Zijn strategie was meer om het onzichtbaar te houden. Zoals hij nu ook opgestaan was en haar boekenkast bekeek, om daarna elk detail van haar atelier te bestuderen, de foto's aan de muur en de spullen op het aanrecht.

'Daar kun je zo naar het toilet.' Kim wees naar de deur achter het bureau. 'Je moet echt even gaan, want straks wil ik dat je zo lang mogelijk in dezelfde houding blijft zitten. En kleed je meteen even uit.'

In een reflex keek Vik opzij om te zien of Kim een grapje met hem uit probeerde te halen, maar haar blik was niet anders dan eerst. Vervolgens keek hij naar het potkacheltje. Daarop stond een ventilator, die ze waarschijnlijk gebruikte om de warmte van de kachel door de ruimte te laten blazen.

'Moet ik naakt zijn om jou een schilderij van mijn ogen te laten maken?'

'Ja. Alles wat overbodig is, wil ik niet zien. Als je naakt bent kun je niets meer voor me verbergen en kan ik pas echt schilderen wat ik zie.'

Kim keek naar hoe het licht door de ramen naar binnen viel en schoof met het houten krukje tot ze tevreden was. 'Ben je nog niet uitgekleed? Als je bang bent voor een erectie hoef je je geen zorgen te maken. Ik heb er weleens eerder een gezien.'

Het was Vik duidelijk dat er niet over viel te discussiëren en dus besloot hij maar te gaan plassen. Precies boven het gat van de toiletpot aan het plafond had Kim een grote poster met de selectie van Ajax opgehangen. Vik ging op het toilet zitten en maakte alvast de veters van zijn oranje sneakers los. Hij trok door en stapte het atelier weer binnen.

'Leuk dat die voetballers toekijken hoe je hier op het toilet zit,' merkte hij op terwijl hij zich bij de boekenkast uitkleedde.

'De meeste mensen zien het pas de tweede of derde keer dat ze hier zijn,' merkte ze op. 'Vind je die poster niet briljant? Zoals die voetballers met hun hoofden tegen elkaar in een cirkel staan en omlaagkijken. Het is niet alleen of ze toekijken, maar ik denk ook dat een man die staat te piesen op precies dezelfde manier omlaag het toilet in kijkt.'

Vik wachtte tot Kim naar de kast liep waar haar penselen, mesjes en andere schilderattributen lagen, waarna hij schuchter, angstig bijna, plaatsnam op de plek die ze voor hem in gedachten had.

'Aan die Rodin-pose heb ik niks,' merkte ze droogjes op. 'De denker kijkt omlaag, waardoor zijn ogen niet zichtbaar zijn, en daar heb ik dus niets aan.'

Vik wist niet hoe lang het had geduurd voordat Kim tevreden was over zijn pose. Hij wist ook niet of ze er expres langer over had gedaan dan nodig was om hem zijn angst voor zijn kwetsbaarheid te laten vergeten. Hij hoopte slechts dat ze niet gemerkt had dat dit niet gelukt was. Toen ze eindelijk haar penselen neerlegde, was hij opgelucht. Vik zag dat ze afstand nam van haar werk en haar hoofd kantelde om het te beoordelen.

'Als ik naar het toilet ga, mag je kijken,' zei ze toen.

Even twijfelde Vik of hij zich eerst zou aankleden, maar ze had niet gezegd dat het mocht. Misschien was ze nog niet klaar. En dus stond hij even later in volle verbazing naakt voor een schilderij dat hem langzaam maar zeker zijn adem benam.

'Jouw ogen, of beter: jouw oog. Het is er maar eentje.' Vik voelde dat haar hand over zijn billen gleed.

'De holle leegte achter je pupillen.' Ze liet haar koude vingers langs zijn liezen omhoogglijden tegen zijn balzak aan, die zich in een reflex tegen zijn lichaam terugtrok, zoals de tentakels van een slak in zijn kop verdwenen als je er voorzichtig tegenaan tikte.

Vik staarde naar het bijna apocalyptische tafereel op het doek voor hem. Hij probeerde te bevatten wat hij zag. Het leek wel alsof de zwarte dood in het midden van een veld vol ontzielde en wanhopige mensen stond. Mensen die nog nauwelijks herkenbaar waren, amorf geworden, wegsmeltend, gevangen in de groene rand van de iris van het levensgrote oog.

'Wat is dit?'

'Mooi, hè?' Haar stem klonk als die van een kind dat vol trots haar zwemdiploma toonde, onbewust en blij. 'Dat felle randje in je ogen is fascinerend, het geeft ze een vreemde gloed, die de leegte nog dieper lijkt te maken.'

Even liet ze een stilte vallen, waarna ze een bijna fluisterend 'wauw!' aan haar lippen liet ontsnappen. Ze leek niet in de gaten te hebben hoezeer Vik door het doek als aan de grond genageld stond, door een realiteit die hij achter zich gelaten dacht te hebben.

'Zie jij de dood in mijn ogen?'

'Nee, eerder een vreemde leegte,' zei ze, terwijl ze de tatoeage op zijn rechterschouder voorzichtig kuste. 'Alsof je daar iets hebt achtergelaten dat je hier niet meer vindt. Is het niet prachtig?' Zonder op een antwoord te wachten pakte ze zijn hand en trok hem mee naar de pluchen stoel. Ze drukte haar lippen op de zijne en begon hem te zoenen.

Vik zoende haar terug, als worstelaars die zich aan elkaar vastklampen.

'Neuk me,' zei ze zachtjes maar dwingend. 'Neuk me, Vik.'

Er was sinds haar toiletbezoek iets veranderd, alsof hij geen object meer was, maar een prooi. Vik zag dat ze haar zwarte laarsjes uittrapte en achter de stoel tegen de boekenkast op de grond liet vallen. Hij keek toe hoe ze haar billen uit de strakke spijkerbroek wrong, waardoor haar zwarte kanten slip zichtbaar werd, een bh droeg ze niet. Machteloos liet hij zich door haar meevoeren. Hij voelde zich een beetje als een hond die een loops coyotevrouwtje volgt, maar niet weet dat ze hem slechts lokte om als prooi te dienen voor de roedel.

'Wodka?' Vik keek hoe Kim halfnaakt de deur van de koelkast

opende en vooroverboog om er iets uit te pakken. Het was lang geleden dat hij zulke stevige borsten had gezien. Ze veranderden amper van vorm als ze een andere houding aannam. Alleen op het moment dat ze haar rug hol trok en een slok uit de fles nam leken ze iets kleiner te worden.

'We moeten naar boven, naar mijn woonkamer. Hier kunnen we niet neuken – tenminste, niet zoals ik het wil.' Opnieuw zette ze de fles wodka aan haar lippen en nam een slok. Vik wist niet hoe vol de fles gezeten had, maar aan de luchtbellen kon hij zien dat ze stevig doordronk.

'Met speed en wodka kan ik uren aaneengesloten neuken,' besloot ze, terwijl ze de dop weer op de fles draaide en op de houten vloer van de woonkamer zette. 'Doe de deur achter je dicht, anders sloopt de kat straks mijn atelier,' gebood Kim. Vik draaide zijn pols, maar blijkbaar had hij zijn horloge in het atelier laten liggen. Twee keer had hij zijn blik door de kamer laten glijden voor hij de Franse comtoiseklok aan de muur achter hem zag. De antieke klok vormde een schril contrast met de strakke hoekbank, het lage tv-meubel met een kleine flatscreen erop en de rest van het IKEA-achtige interieur.

'Je klok staat stil.'

'Die klok is lelijk en hij irriteert me,' antwoordde Kim, die door de gang wankelde en het toilet opzocht. 'Ik heb hem van mijn opa gehad, dat is eigenlijk de enige reden dat hij nog niet weg is.'

'Hij irriteert je omdat hij stilstaat?'

'Nee!' Haar stem klonk hol door het toilet. 'Dat kutding slaat elk uur dubbel. Gek word je ervan, daarom heb ik hem stilgezet.'

'Dat komt door vroeger,' lachte Vik. 'De boeren op het land hoorden dan de klok slaan, maar waren vaak te laat om de klokslagen te tellen. Ze stopten even met werken, wachtten twee minuten tot de klok weer ging slaan en dan wisten ze hoe laat het was.'

'Ik hoop niet dat je mij als een boerin ziet.'

'Maakt dat uit dan?' wilde Vik weten, maar Kim had niet meer geantwoord. Ze liet haar slip naast de toiletdeur liggen en trok hem mee naar de slaapkamer. Ze duwde hem op haar bed en trok zijn broek uit, waarna ze op hem ging zitten. Vik probeerde, liggend op zijn rug, zijn shirt uit te trekken.

'Je moet niet zoveel praten. Zeker niet als ik speed gebruikt heb; dan moet er gewoon geneukt worden tot ik niet meer kan.' Haar nagels trokken een rood spoor over zijn borst tot aan zijn navel. 'Ik zou wel de hele week met je in bed willen liggen.'

'Er is ook nog zoiets als werk,' ontweek Vik, alsof dat, en niet zijn huwelijkse trouw aan Lot, de reden was dat hij het niet zou doen.

'Kun je vannacht wel blijven?' Kim draaide aan Viks trouwring.

'Ja.'

'Niets is zo heerlijk als neuken met een getrouwde man. Het geeft een vreemd gevoel van macht. Terwijl zij denkt dat je van haar bent, denk jij aan mij, en uiteindelijk maakt het jullie gek, zul je alles verliezen. Zelfs nu je het weet, omdat ik het je vertel, doe je er niets aan, blijf je gewoon hier en neuk je voor je gevoel zoals je nog nooit eerder hebt geneukt.'

Vik kon zich niet herinneren dat hij in slaap was gevallen. Wel kon hij zich herinneren dat hij niet meer kon, dat zijn pik op een gegeven moment schraal was geworden en aanvoelde als een knie die je aan de vloer van de gymzaal hebt opengehaald.

'Saaaiii,' had ze tegen hem gezegd toen hij zei dat hij niet meer kon. Ze was toch nog een keer op hem geklommen. 'Nog één keertje en dan slapen.'

Hij kon zich herinneren dat ze daarna naar het toilet gegaan was en was gevallen, en dat ze een snee onder haar oog had waarvan hij dacht dat ze er beter mee naar een dokter kon gaan, maar dat wilde ze niet. Zijn hand zocht zijn telefoon om de wekker uit te zetten, die hem eraan herinnerde dat hij over een uurtje weg moest. Hij kuste Kim wakker en liet zijn hand tussen haar benen glijden. Ze had haar ogen nog dicht, maar ze glimlachte.

'Blijf je de hele dag bij me?'

'Ik moet naar de vrijgezellendag van mijn beste vriend,' antwoordde Vik. 'Daarom had ik mijn wekker gezet.'

'Zo'n laf excuus heb ik nog nooit gehoord.' Kim wurmde zich onder het lichaam van Vik vandaan, stond op en liep naakt met haar telefoon de woonkamer in. 'Als je straks klaar bent met douchen wil ik dat je vertrekt. En pas op dat de kat niet de deur uitglipt.'

Twee dagen lang had hij niets van haar gehoord en toen had ze dat berichtje gestuurd dat Lot bewust op zijn scherm had laten staan. Kim had er nog een kort berichtje achteraan gestuurd:

Ik ben bijna 30, straks is het te laat.

Ik ga al richting de veertig en ik heb al een gezin met kinderen.

Dat weet ik maar desondanks ben je nog altijd on top of my mind. Vet irritant trouwens.

Sorry.

Daarna hadden ze het er simpelweg niet meer over gehad, deden ze alsof hun relatie bestond in een parallelle realiteit en ze daar beiden vrede mee hadden. Tot een week of wat geleden. Om half-twaalf 's avonds hadden ze een paar berichten uitgewisseld:

Ik ben dronken, te veel wodka waarom ben je niet hier?

Stop met de wodka, ik kom eraan. Waar ben je?

Trouw!

Ik wil niet stoppen met de wodka.

Je moet ruimte overhouden.

Waarvoor

Champagne, omdat er altijd ruimte moet zijn voor champagne.

'Wie was dat?' had Lot hem na het eerste berichtje gevraagd. Ze was wakker geworden van het licht van Viks iPhone in de nacht.

'Thijn, een van de mannen,' had Vik zonder enige aarzeling of schuldgevoel geantwoord. 'Ik moet gaan, hij heeft mijn hulp nodig. Ik bel je morgen wel hoe het met hem gaat. Sorry.' Hij had Lot een kus gegeven en zijn jeans, een schoon shirt en een paar sneakers aangetrokken.

Lot was nog even naar beneden gekomen om te plassen. Verbaasd, vertwijfeld misschien had ze Vik aangekeken.

'Waar ga je eigenlijk heen?' wilde ze weten, alsof ze de waarheid vermoedde.

'Amsterdam,' had Vik gehaast geantwoord, zonder haar de kans te geven om meer vragen te stellen. Beneden uit de schuur had hij een fles champagne gepakt en hij was in de auto gesprongen. Bewust had hij te hard gereden op de A2. Hij had gehoopt op een verkeersboete, om de leugen die hij Lot had verteld te versterken, alsof een boete duidelijk zou maken hoe dringend de WhatsApp geweest was. Via de A2 was hij de ringweg op gedoken en bij de RAI had hij de snelweg verlaten. Hier zou hij parkeren, om dan met zijn vouwfiets naar Trouw te fietsen.

Een kwartiertje later stapte hij club Trouw binnen. Onder aan de stalen trap wachtten twee mannen hem op, ze fouilleerden hem. De fles champagne moest hij laten staan. 'Geen glas,' lichtte de forse bewaker, met het kapsel dat de gemiddelde militair niet zou misstaan, kort toe. 'Als je weggaat mag je hem weer meenemen.'

01.21 uur, gaf zijn horloge aan. Uit het toilet kwamen mensen met pupillen zoals hij die voor het laatst in Afghanistan had gezien. Even vroeg Vik zich af wat hij hier in godsnaam deed; toen volgde hij de mensen die uit het toilet kwamen een tweede trap op naar een deur. Vik probeerde de zaal in zich op te nemen, maar hij zag niets. Het was donker en de techno knalde door de zaal heen. Hij zag geen mensen, maar schimmen die non-stop bewogen op het geluid. Pas toen hij dichterbij kwam, zag hij hoe bezweet hun lichamen waren, dat hun ogen het contact met de werkelijkheid verloren leken te zijn.

'Vind hier, zonder *night vision goggles*, Kim maar eens,' mompelde Vik in zichzelf. Hij voelde de telefoon in zijn broekzak trillen:

Kom je nog? Ik ben even roken. X

Vik trok iemand voorzichtig aan zijn shirt. 'Waar kun je hier ergens roken?'

Alsof dat een domme vraag was, wees de jongen naar een ruimte verderop, draaide zich toen om en danste verder. Het kon Vik niet schelen. Hij baande zich een weg naar de rookruimte. Systematisch, alsof hij tijdens een patrouille op een punt kwam dat hij niet vertrouwde, keek hij de rookruimte rond. De mensen hier binnen hingen op en over elkaar heen op aan de muur bevestigde bankjes. Ze leken uitgeput, hun kapsels waren uitgezakt en hoewel ze hier geen schimmen meer waren, waren ze toch bijna onherkenbaar. Vik zocht niet bewust naar Kim, omdat hij wist dat je, als je bewust zoekt naar iets, je er vaak juist overheen kijkt. Zoals je over autosleutels op de tafel heen kijkt omdat je verkeerd kijkt. Je moet alles wat je op tafel ziet liggen stuk voor stuk in je opnemen, in plaats van alles wat op de tafel ligt in één keer te willen overzien.

Achterin zag hij iemand opstaan en op hem afkomen lopen, Kim.

'Goed dat je er bent,' zei ze, terwijl ze haar zwarte haren opzijstreek en hem een kus op zijn mond gaf. 'Waar is je champagne nou?'

'Bij de ingang, ik krijg hem pas terug als ik weer vertrek.' Vik ging iets op zijn tenen staan om haar terug te zoenen. Ze waren even lang, maar nu ze haar hakken aanhad, stak ze enkele centimeters boven hem uit.

'Kom, ik wil dansen.' Zonder verder iets te vragen trok ze hem mee het donker van de club in. Het was alsof haar lichaam automatisch overgenomen, geassimileerd werd door de harde techno. Vik probeerde op te gaan in het ritme, maar het lukte niet omdat hij nuchter was. Het maakte Kim niet uit; ze drukte haar mooie en stevige kont in zijn bekken en nam zijn handen mee over haar lichaam. 'Eerst dansen, dan wat lekkers en dan gaan we neuken,' zei ze terwijl ze hem geil aankeek.

Vik voelde hoe zijn pik tegen haar billen aan drukte. Over haar hoofd heen legde ze haar rechterarm in zijn nek en ze trok zijn mond naar zich toe. Voor het eerst vroeg Vik zich af wat een vrouw die ruim vijf jaar jonger was dan hij en een heel ander leven leidde, zag in een man als hij. Getrouwd, twee kinderen en fysiek en mentaal gesloopt door een uitzending. Maar de gedachte verdween zodra ze haar tong bij hem naar binnen stak en haar linkerhand zijn ballen zocht.

'Hoewel geduld voor luie mensen is,' zei ze, 'moet je nog even geduld hebben. In Trouw wordt niet geneukt.' Zodra ze het had gezegd liet ze hem los en verdween tussen de dansende schimmen. Maar voor hij de kans kreeg haar te gaan zoeken, dook ze achter hem op, greep zijn hand en nam hem mee naar de toiletten. Even gunde ze hem een blik in haar decolleté – cup B, een kleine. Maar het ging haar niet om de borsten; met haar linkerhand trok ze de rode bh aan één kant open en haalde er een klein envelopje uit. 'Iets lekkers,' zei ze guitig, ' een halfje wit.' Waarna ze hem opnieuw zoende.

Vik dacht dat ze met 'iets lekkers' de champagne had bedoeld. Nu vroeg hij zich af wat Kim al achter haar kiezen had. Niet dat het hem iets uitmaakte; de spanning van dit moment was immens, het was waar hij naar verlangd had, maar waarvan hij niet verwacht had het nog tegen te komen. Samen doken ze een toilet in, waar Kim met haar pinknagel wat van het witte poeder uit het envelopje viste en het krachtig opsnoof. Vik zag dat het poeder haar ogen direct rood en waterig maakten.

'Whooeeiii!' riep ze. 'Alsof er duizend naalden in mijn ogen prikken.'

Vik keek toe hoe haar pinknagel opnieuw door het envelopje schraapte.

'De eerste keer is het mooiste. Het wordt nooit meer zo mooi als die eerste keer, en ik gun jou die kick van die eerste keer, Vik.' Ze stond tegen zijn rechterzij aan, haar rechterbeen op de toiletpot, waardoor Vik het been tegen zijn stijve lul aan voelde drukken. Even twijfelde hij; toen voelde hij de nagel van Kim al onder zijn neusgat.

'Whooeeiii?!' vroeg hij. Kim knikte en lachte. Vik sloot zijn ogen. Hij voelde hoe het poeder in zijn neus brandde en toen was er heel even niets. Hij wist ook niet wat hij moest voelen en hoe lang het zou duren voordat hij iets zou moeten voelen. Zoals je bij het innemen van een aspirine ook nooit weet of en wanneer die gaat werken.

'FUCK!' Alsof er in zijn hoofd een kort moment van kortsluiting was, schudde hij het een paar keer heen en weer. Hij zag dat Kim naar hem lachte. 'Kom,' zei ze en ze trok hem aan zijn hand mee het toilet uit, de trap op en het donker in.

De techno voelde anders nu. Het stroboscopische licht leek de kick te vergroten en de omgeving die hem een halfuur geleden absurd, koud, industrieel had geleken, was nu intens en geil. Alles was scherper: zijn gehoor, zijn waarnemingsvermogen, zelfs zijn huid leek gevoeliger wanneer anderen hem tijdens het dansen raakten. Elk gevoel van tijd raakte hij kwijt. Het maakte ook niet uit, zolang hij Kims lichaam tegen zich aan kon voelen was het goed.

'Ik wil je nu,' lachte Kim ineens.

'In Trouw?'

'Nee, sufferd, we gaan naar huis.' Haar gezicht straalde een meisjesachtige blijheid uit, terwijl haar ogen verrieden dat ze allesbehalve een meisje was.

Terwijl Vik zijn jas ophaalde bij de garderobe, stond Kim bij een winkeltje dat hem eerder niet opgevallen was. Ze kocht iets voor het ontbijt en een paar bananen, waarna ze samen de industriële trap op liepen naar buiten.

'Je bent vast niet op de fiets hier gekomen,' zei Kim.

'Jawel, een vouwfiets. Die ligt meestal achter in mijn auto.'

'Vouwfietsen zijn stom, net als bakfietsen.'

Even liet Vik een glimlach ontsnappen; hij kon haar geen ongelijk geven. Vergeleken met zijn racefiets had een vouwfiets ook niets met fietsen te maken. Maar ze waren praktisch en dat was voor Vik het criterium geweest om er eentje aan te schaffen.

'De champagne, ik moet even terug om die fles champagne op te halen.'

Kim keek hem verbaasd aan. '*Whatever*.' Het was alsof de opmerking van Vik haar ineens irriteerde. 'Laat die champagne, we hebben wel wat beters.' Opnieuw haalde ze het envelopje uit haar bh en drukte ze haar nagel onder Viks neus.

'Had je geen ontbijt in huis?' Vik wees op het pakketje, dat ze in het zwarte krat voor op haar fiets had gegooid.

'Nooit,' antwoordde ze. 'Bananen of ananas zijn goed tegen de kater van de drugs, vandaar.' Ze gaf Vik een van de bananen , stapte op en fietste langzaam weg.

Even later haalde Vik haar in. 'Is het ver?'

'Het Oosterpark door, de brug over en dan zijn we er eigenlijk al. Als je hard fietst ben je er zo.'

Alsof het een spelletje was, begon ze steeds harder te fietsen. Vik liet een gaatje vallen, wachtte tot ze omkeek en wilde toen versnellen, maar hij was de controle over zijn spieren ineens kwijt. Zijn voet schoot van de trapper, waardoor hij over zijn stuur naar de grond duikelde. 'Whooeeiii!' hoorde hij haar roepen, alsof Vik een grapje maakte. Hij zag nog net dat Kim gewoon doorfietste.

Zijn gezicht klapte op het asfalt, eerst zijn wang, toen zijn neus en slaap en als laatste zijn mond. Bij het inademen voelde hij de koude lucht langs zijn rechterhoektand glijden, waardoor hij wist dat de zenuw blootlag en zijn tand gebroken moest zijn. Hij probeerde op te staan en voelde hoe het zweet hem ineens uitbrak. Zijn spieren reageerden niet meer goed en zijn hart ging onregelmatig tekeer, alsof je met het gaspedaal speelde van een auto die in z'n vrij stond. Zijn blik werd waziger, totdat er niet veel meer over was dan dezelfde schimmigheid als in Trouw. Het voelde alsof hij er niet meer was, maar nog wel alles hoorde.

Hij wilde roepen naar Kim, maar het lukte niet. Ik ga dood, schoot het door hem heen. Verdomme, ik ga hier gewoon dood. Terwijl hij de gedachte herhaalde, betrapte hij zichzelf er ook op dat hij het idee niet eens als vervelend ervoer. Het gaf hem eerder een gelukkig gevoel. Niet dat hij dood wilde, maar de aanwezigheid van de gedachte, die hij zo-even nog wanhopig had geprobeerd te stoppen, werkte geruststellend. Euforisch bijna.

'Smerige kutjunk.'

Vik hoorde de lage stem van een man en voelde tegelijk in zijn zij een voet duwen, een beetje zoals een kat zachtjes, aftastend, met zijn poot tegen een muis duwt om te kijken of hij nog leeft, of hij nog verder met het beestje kan spelen.

'Als jij als een hoop stront op de grond wilt liggen, dan doe je dat maar ergens anders.'

Vik voelde dat er op hem werd gespuugd. Hij probeerde een foetushouding aan te nemen, maar zijn spieren reageerden nog steeds niet. Het zou niet lang duren voordat ze wisten dat hij zich niet kon verdedigen en dat ze dus ongegeneerd hun gang konden gaan. De manier waarop mensen geweld gebruikten was datgene waarin ze zich vooral onderscheidden van dieren, wist Vik. Bij mensen ontbrak vaak de noodzakelijkheid; mensen gebruiken geweld ook voor hun eigen genot, uit een sadistisch verlangen naar macht.

De eerste trap landde vol in zijn maag; het was een grote schoen met een stompe neus, zoals legerkisten of bergschoenen. Vik voelde hoe deze trap in één keer zijn maag leegdrukte en gaf over, zoals een te volle vuilniszak openscheurt en zijn inhoud over straat uitstort. Dat was wat hij was nu: een vuilniszak waar tegenaan geschopt werd.

'Mijn schoenen, lul.'

Viks braaksel was blijkbaar op de schoenen van een van de jongens terechtgekomen. Vier verschillende stemmen, misschien vijf, leek hij te horen, maar ze konden ook met meer zijn.

'Die tyfusjunk heeft verdomme over mijn schoenen gekotst.'

Vik voelde nu voeten in een hoog tempo op zijn lichaam landen. Minutenlang trapten ze hem: tegen zijn maag, rug, benen en armen. Hij probeerde aan iets anders te denken, aan Kim, aan de blik die in haar ogen was verschenen op het moment dat ze de cocaïne tevoorschijn had gehaald. Alsof het leven zonder coke niets te bieden had, het een droom was waar je zonder drugs niet uit leek te kunnen ontwaken. Misschien heeft ze gelijk, dacht Vik. Nee, ze hééft gelijk. Mijn gezicht, klootzakken, trap me in mijn gezicht, maak hier een einde aan. Vik probeerde zijn hoofd op te tillen, alsof hij het aanbood zoals je een voetbal op de penaltystip legt. Even later hoorde hij zijn kaak kraken en zijn hoofd met kracht in zijn nek slaan.

'Whooeeiii!' zei hij tevreden tegen zichzelf, terwijl hij voelde hoe het licht uitging.

Op het asfalt van het Oosterpark in Amsterdam was hij bijgekomen. Op nog geen vijftig centimeter van zijn hoofd zat een ekster. Onbedreigd pikte hij de harde stukjes braaksel uit het plakkaat dat voor hem op de grond lag. In eerste instantie had Vik hem alleen kunnen zien als een enorme zwart-witte vlek; de grootte van de vlek had vooral te maken met het perspectief en de afstand. Liggend op de grond lijkt alles groter dan het daadwerkelijk is. Hij had geprobeerd de afstand in te schatten, maar omdat hij zijn ene oog niet open kon krijgen miste hij de diepte die hiervoor nodig was.

Vik wilde opstaan, maar elke beweging deed hem pijn. Hoe stiller hij bleef liggen, des te minder pijn hij had. Bovendien zou elke onverwachtse beweging de vogel weg kunnen jagen. Niet dat hij ervan genoot dat hij de vogel van zo dichtbij kon observeren, maar iets in hem vertelde hem dat hij zelf niet veilig was, dat hij niet voldoende overzicht over de situatie had waarin hij zich nu bevond. De ekster was zijn alarm; als die zou worden opgeschrikt, zou hij zijn maaltijd met rust laten en opvliegen.

Moeizaam zochten zijn handen in zijn zakken naar zijn telefoon. Rechts greep zijn hand in een zachte brij die half uit een schil geperst was, en terwijl hij zijn hand aan zijn jack afveegde vond zijn linker de oude iPhone 3. Het schermpje was gebarsten, maar desondanks werkte de touchscreen nog prima.

Vik, waar ben je nou? Ik ben thuis, ik heb het koud en kan niet slapen, waar ben je...

De laatste app van Kim had ze rond een uurtje of vijf verstuurd; het was nu bijna tien uur, zag hij. Het tikken van een antwoord deed pijn en vergde veel concentratie:

Ik ben in het Oosterpark, ik ben van mijn fiets gevallen.

Op zijn scherm zag hij dat Kim online was en dus wachtte hij op een antwoord:

Toestanden, ik ga slapen. Doei.

10

Vik had zich te gehaast afgedroogd, waardoor het T-shirt dat hij aantrok bleef plakken aan zijn rug. Over het witte shirt trok hij de blouse aan die hij op de trouwerij had gedragen, in combinatie met zijn nette spijkerbroek. Het was een afleidingsmanoeuvre – een slechte, maar iets beters had hij zo snel niet kunnen verzinnen.

Vik liep de trap af en in de gang haalde hij nog even diep adem. Met gebogen hoofd stapte hij de woonkamer in en sprak zachtjes: 'Lot, het is waar. Alles wat je gelezen hebt is waar, ik weet niet...'

'We gaan het er verder niet over hebben,' onderbrak Lot hem. 'Tenminste, nu niet. De kinderen blijven het hele weekend bij je moeder. Ik heb een hotel geboekt. Ik ga naar Den Bosch.'

'En ik?'

'Jij mag kiezen: met mij mee naar Den Bosch of naar Amsterdam...' Lot liet een stilte vallen en wachtte tot ze oogcontact had met Vik voor ze verderging: '... met baby's en met Liefde.'

'Hoe lang weet je het al?' vroeg Vik voorzichtig. Een halfuur lang was er een veelzeggende stilte geweest, een soort wapenstilstand. Vik wist alleen niet of dit een wapenstilstand was die moest leiden tot voorzichtige vredesbesprekingen of juist eentje die slechts bedoeld was om de slachtoffers van het slagveld te ruimen, waarna de oorlog weer in een ongekende hevigheid verder zou gaan.

'Vanaf het begin.'

Vik keek opzij naar Lot, die uit het raam staarde naar het groen verlichte Campina-gebouw.

'Je moet er straks bij knooppunt Empel af.'

'Pardon?' reageerde Vik verbaasd.

'De A59.' Lot wees naar de borden boven de weg. 'Richting Waalwijk.'

'Nee, wat je daarvoor zei. Hoe bedoel je, vanaf het begin?'

'Wat ik zeg: vanaf het begin. Maar pas toen we terugkwamen van de bruiloft van Twan en Ellen wist ik het zeker.'

Voor het eerst keek Lot niet meer uit het raam. Vik voelde hoe ze hem aanstaarde.

'We waren dronken en ineens wilde je anale seks.'

Vik zocht naar het causale verband tussen Lots woorden en vreemdgaan. Hij vroeg zich af of hij ernaar moest vragen, maar besloot te wachten tot ze het zelf uit zou gaan leggen.

'Ooit vertelde je dat anale seks niet iets was dat je met je eigen partner deed; het was iets dat je deed met vrouwen die je begeerde, maar niet echt respecteerde.'

'We waren dronken. Op een gegeven moment heb je alles samen al een keer gedaan...' Vik wilde verdergaan, maar hij slikte zijn woorden in. 'We waren dronken, Lot, ik wilde het en jij toen ook, *that's all*.'

'Ik wilde je niet kwijtraken, Vik, en deed alles om dat ook niet te laten gebeuren.' Haar stem klonk nog steeds snerend, boos, maar achter de harde verwijten hoorde Vik de trilling van haar verdriet.

Vik stuurde de auto de afslag op. Het bleef stil.

'In het centrum moeten we zijn, het hotel heet Plein 13. Tegenover de kerk.'

Vik knikte. Hij liet de auto langzaam achter de bus aan glijden die het dorpje in reed. Op het Raadhuisplein draaide hij een zijstraat in en hij parkeerde hun auto langs de zijkant van het hotel.

'Goedemiddag, ik heb een kamer gereserveerd voor twee nachten,' zei Lot tegen de receptionist.

'Twee personen, De Wildt-Fluiter?' Alsof ze bij een positief antwoord hun naam van het lijstje zou afstrepen hield de donkerharige hotelmedewerkster de punt van haar potlood bij het begin van hun naam. Vik schatte in dat haar man in de keuken zou staan en dat ze bij drukte misschien een werkster inhuurden om ze te helpen; verder deden ze alles samen.

'De Wildt-Fluiter,' herhaalde Lot.

'Er is kermis. Ik geloof dat we dat bij uw reservering vergeten zijn te vermelden.' Het gele potlood wees door het raam naar buiten, waar op het plein naast de kerk botsauto's, een draaimolen en een spin te zien waren. 'We hebben u een kamer zo ver mogelijk achterin gegeven, maar we zijn bang dat u toch wat last zult hebben van de herrie.'

Vik keek naar buiten. De kermis was nog niet begonnen, dus er viel weinig te zeggen over het geluid.

'Het zal wel meevallen,' antwoordde Lot. 'We gaan vanavond naar Den Bosch. Zou u voor ons rond een uur of zeven een taxi kunnen regelen?'

'Natuurlijk, maar u kunt ook de bus nemen. Lijn 301 vertrekt hier voor de deur; dan bent u met een halfuurtje op het centraal station.'

'Doet u maar een taxi.' Lot nam de sleutels in ontvangst.

'Als u hier de trap neemt, dan is het boven de voorlaatste kamer aan uw linkerhand.'

Vik volgde Lot de trap op en sleepte de kleine reiskoffer achter zich aan.

Midden in de kamer stond een luxe tweepersoonsbed tegen een wand waar op het zwarte behang witte bloemen getekend waren. Als je het bed voorbijliep kwam je via een deur in een relatief ruime badkamer.

'We hebben ook een bad.' Uit Lots stem bleek een soort blijdschap over die luxe die ze thuis niet hadden.

Vik legde de koffer op de standaard die daarvoor bedoeld was en opende hem. De kleren van Lot legde hij in de kast op de plank op ongeveer ooghoogte, die van hem op de plank eronder. Hij had er een hekel aan om tijdens een verblijf in een hotel, hoe kort ook, uit zijn koffer te leven. Het gaf hem het idee dat hij op oefening was, alsof de koffer zijn rugzak was, maar dan niet functioneel ingepakt, waardoor hij naar de simpelste dingen moest zoeken en de koffer binnen de kortste keren een bende werd. Vik hoorde de kraan lopen. Hij nam aan dat Lot in bad zou gaan. Hij schoof zijn schoenen naast het nachtkastje en ging aan de rechterkant op het bed liggen. Hij had niet aan Lot gevraagd waar zij wilde liggen, maar ging ervan uit dat ze gewoon zo zouden gaan liggen als ze thuis ook lagen. Hij vroeg zich af of hij even zou gaan slapen, of een boek moest gaan lezen. In ieder geval kon hij niet niets doen; als hij iets aan het doen was, was de kans dat Lot na haar bad het gesprek zou voortzetten kleiner. Lezen was het best, besloot hij.

Voordat hij zijn boek kon pakken, liet de BlackBerry van zijn werk kort het geluid van een fietsbel horen. Vik draaide aan het wieltje aan de zijkant, waardoor het scherm oplichtte en hem om zijn wachtwoord vroeg. Een ongelezen mail, onderwerp: 'Kapot!' stond er in dikke letters te lezen. Aangezien het zaterdag was had hij eigenlijk verwacht dat het een mail was van de generaal, de enige die vond dat hij je altijd en overal lastig mocht vallen omdat je nu eenmaal *twenty-four seven* militair bent, maar dit kon onmogelijk van de generaal zijn. Vik scrolde door naar de afzender: dekzwabber@gmail.com. Hij las:

Beste majoor, Vik,
Hoe gaat het? Met mij gaat het beter. De gesprekken hier helpen me om te zien wat ik heb gedaan en de dingen een plaats te geven. Als het goed is, mag ik volgende week eindelijk naar huis, voor zover ik nog een thuis heb.

Vik glimlachte. Larie was na hun nacht in Rotterdam overgebracht naar het centraal militair hospitaal, waar ze PTSS hadden geconstateerd. De medicijnen en de therapie hadden hun werk blijkbaar al voor een deel gedaan. Hij las verder:

Ik heb het er hier niet over gehad, ik denk ook niet dat ik het ze wil vertellen, maar door de uren die ik hier alleen op mijn kamer heb doorgebracht weet ik nu dat mijn familie en vrienden me alsmaar niet begrepen na de uitzending. Alleen op mijn werk voelde ik me nog thuis, en dus besloot ik om alles uit mijn verleden kapot te maken. Wat er niet is, is ook geen probleem, toch? Toen ik me realiseerde dat ik te oud was om een nieuw leven te kunnen starten zonder een verleden, wilde ik zo snel mogelijk terug naar Afghanistan, maar dat kon en mocht niet.

Ondertussen weet ik niet meer of ik nu wel of niet terug wil naar Afghanistan. Wat ik wel weet is dat het nog steeds veel moeite kost om mijn dag te organiseren, structuur te handhaven en te accepteren dat het oké is om gewoon dingen te doen waar je plezier aan beleeft. Soms zou ik willen dat ik net als jij kinderen had. Gewoon om ze te kunnen zien opgroeien of omdat ze ervoor zorgen dat je soms niet na hoeft te denken over wat je gaat doen; je moet voor je kinderen zorgen, ze normen en waarden bijbrengen en beschermen tegen – ja, tegen wat eigenlijk? Dan denk ik weleens aan jou en aan wat je me vertelde over Daan en Fleur, maar vooral aan de blik die dan in je ogen verscheen. Kutkinderen, zeiden we toen we weer in Nederland aankwamen...

'Discipline en motivatie,' zei Vik zachtjes tegen zichzelf terwijl hij de mail wegklikte en de BlackBerry op het nachtkastje liet vallen. Normaal keken de mannen uit naar een oefening en hadden ze weinig problemen om gemaakte afspraken na te komen. Maar dat was precies wat er nu binnen de eenheid – en niet in de laatste plaats bij hemzelf – leek te ontbreken sinds ze terug waren gekomen uit Afghanistan. De beperkingen die hun waren opgelegd op het gebied van Arbo of milieu maakten van de oefeningen een slechte persiflage op de rauwe werkelijkheid; het was surrogaatkoffie.

Een aantal eenheden van de brigade zou naar Noorwegen gaan voor wintertraining. De eenheid van Vik was niet aangewezen voor de oefening, maar hun eenheid was niet groot en dus bestond er een kans dat het nog binnen de budgetten paste. In de winter boven de poolcirkel is de natuur onverbiddelijk, bedacht Vik; in elk extreem klimaat is de natuur onverbiddelijk. Noorwegen in de winter betekende een gevaarlijke kou, de absolute noodzaak om elkaar in de gaten te houden, alleen al vanwege het gevaar van bevriezing van lichaamsdelen. Het betekende afspraken maken die nageleefd dienden te worden omdat er anders gewonden, of erger, zouden vallen. Elke niet-nagekomen afspraak of nonchalance van wie dan ook zou vroeg of laat niet alleen een probleem worden van de persoon zelf, maar vooral ook van de groep.

'Wil je ook in bad?'

Vik legde zijn BlackBerry omgekeerd op het bed en keek op zijn horloge. Halfvier, ze hadden nog voldoende tijd voordat ze naar Den Bosch zouden vertrekken. 'Is het water nog warm?'

'Warm genoeg.'

Vik kleedde zich uit. Hij nam zijn boek mee de badkamer in. De helft van het badwater liet hij weglopen; hij vulde het bij met alleen heet water om het weer op temperatuur te krijgen en strooide er wat badzout in. De geluiden van de kermis waren ondertussen door het openstaande badkamerraam hoorbaar. Het stoorde hem niet; voor nu overheersten de geur van lavendel en de veilige warmte van het water. Vik voelde de ontspanning. Het zweet begon zich langzaam als bubbeltjes op zijn hoofd en armen te vormen, zoals er zich langzaam luchtbelletjes vormen in water dat aan de kook gebracht wordt. Het leidde hem af van het boek dat hij aan het lezen was. Hij had het gekregen na een lezing over Afghanistan: *Gloed* heette het. Het ging over twee vrienden die elkaar na 41 jaar weer zien; ooit waren ze onafscheidelijk, maar daarna verraadde de een de ander.

Vroeg of laat verraden we elkaar allemaal, dacht Vik. Beloftes, zelfs niet-uitgesproken beloftes, scheppen verwachtingen, die vroeg of laat plaatsmaken voor eigenbelang. In een belofte zit uiteindelijk meestal al de kiem van het verdriet, de teleurstelling van wat er niet kon worden waargemaakt. Hoe groter de belofte, des te erger het verraad. Maar zelden zagen mensen de moeite die de ander had gedaan om de belofte niet te breken, soms jarenlang. Zelfbewustzijn maakt dat we kunnen genieten, dat we een eigen mening kunnen vormen, maar het maakt ook dat we egoïsme in zijn puurste vorm kennen. Dat we onszelf soms onderdompelen in zelfkwelling en zogenaamd verdriet dat ons door een ander werd aangedaan. Terwijl we hadden kunnen weten dat die teleurstelling onvermijdelijk is.

Vik legde zijn boek op de rand van het bad, greep met zijn handen door het sop en spoelde het zweet van zijn gezicht en armen. Soms leek het of de gedachtes in zijn hoofd niet ophielden, alsof hij het denken zelf kon voelen, tintelend als een slapende voet of arm. Soms zo erg dat het pijn leek te doen, fantoompijn.

Hij opende zijn mond om zijn longen langzaam, terwijl hij zich onderuit liet glijden in het bad, volledig te vullen met lucht. Net voor hij zijn hoofd onder water liet zakken sloot hij zijn mond en probeerde hij ook zijn sinussen te blokkeren. Anders dan wanneer hij een zwembad in dook zou het water onherroepelijk in zijn oren en neus terechtkomen, waar het een scherp gevoel zou veroorzaken. Als hij zijn neus wist af te sluiten, zou dat gevoel snel verdwijnen. Zo niet, dan zou hij zich binnen enkele seconden verslikken en proestend boven water komen.

Vroeger kon hij dit minutenlang volhouden, 4 minuten en 49 seconden, had hij ooit geklokt. Het was een trucje, een trucje dat hij had geleerd na het zien van de film *Le Grand Bleu* van Luc Besson. Het had hem laten inzien dat de verdrinkingsdood alleszins draaglijk was, als je er maar aan toegaf. Eigenlijk waren er twee dingen die je moest doen om dit lang vol te houden. Het begon boven water door, met een paar snelle en oppervlakkige happen lucht, tijdelijk hyperventilatie te simuleren en dan de laatste ademteug voor je onder water gaat zo diep mogelijk in te ademen. Je moest je longen vullen tot ver boven hun eigenlijke capaciteit, als een ballon die als je er nog een zuchtje lucht in zou blazen zou klappen, en dan onder water glijden. Je longen als een interne duikfles.

Onder water moest je rustig blijven, toegeven aan het feit dat je niet kunt ademen, de paniek van je hersenen negeren en tegen ze zeggen: het is goed, het komt goed, er is niets aan de hand, we hebben genoeg lucht. Je hoofd verzet zich, en op het moment dat je hoofd schreeuwt om lucht moet je het negeren. Dit is het moment waar je doorheen moet, een moment dat zo'n dertig seconden duurt en bij de meeste mensen na ongeveer een seconde of veertig op z'n ergst is. Als je hierdoorheen bent raakt je lichaam in een soort roes, je hoofd heeft zich overgegeven en vertrouwt – overigens volledig onterecht – op het lichaam. In die roes merk je dat je nog minutenlang onder water kunt blijven en verleg je je grenzen – weliswaar met het risico om flauw te vallen en dus uiteindelijk te verdrinken.

Het deed Vik aan Afghanistan denken, aan Sjingola. Het gevecht achter het muurtje. De mensen thuis hadden hem steevast gevraagd waarom hij toen niet laag, uit het zicht van de taliban, achter die lemen muur was gedoken. Ze hadden nooit uit zichzelf begrepen dat dat geen oplossing was, dat om het gevecht naar je hand te kunnen zetten het eerst nodig is om overzicht te bewaren of te krijgen.

Vik voelde hoe zijn hoofd lichter werd, dat hij het bewustzijn dreigde te verliezen en zijn gedachten trager werden, waardoor ze vreemd genoeg aan helderheid leken te winnen.

Noorwegen, dacht hij, we moeten naar Noorwegen.

Vik wist niet hoe lang hij onder water had gelegen, maar met een ruk kwam hij boven. Zodra hij voelde dat het water rond zijn neus en lippen was verdwenen opende hij zijn mond en vulde hij, met een zuigend geluid dat deed denken aan de ademhaling van een astmapatiënt, zijn longen opnieuw. Binnen enkele tellen nam het hoofd de controle weer over en begon de lucht door zijn lichaam te pompen, als de turbo van een motor die boven een bepaald toerental aanslaat.

11

'Mogen wij een fles van deze rode wijn en de kaart?' Lot wees naar het bijna lege glas dat voor haar stond. Ze klonk gedecideerd, alsof ze had besloten dat het vanavond een goed plan zou zijn om samen dronken te worden.

De serveerster knikte. Ze schoof een schaaltje bitterballen en een mandje brood op tafel. 'Blijft u buiten zitten? Dan zet ik de terrasverwarming vast aan.'

Beslissingen die er niet toe deden kon je prima aan anderen overlaten. Toen de serveerster zag dat Vik zijn schouders ophaalde, wachtte ze beleefd op het knikje van Lot. De Korte Putstraat leek langzaam vol te lopen met stelletjes en vrouwen met winkeltassen die op zoek waren naar een plek om iets te eten of drinken.

'Eigenlijk is het raar. We hebben het in therapie nog gehad over of je destijds in Afghanistan vreemd had kunnen gaan,' begon Lot toen de serveerster weg was gelopen. 'Het antwoord dat je toen gaf maakte me eigenlijk bozer dan het feit dat je het nu daadwerkelijk hebt gedaan.'

Vik keek toe hoe Lot voorzichtig in een warme bitterbal beet.

'Misschien had je niet moeten stoppen met de therapie.'

'Toen we daar nog naartoe gingen, kende ik Kim nog niet.'

Lot knikte. 'Hoe vaak eigenlijk, Vik, hoe vaak heb je met haar gevreeën en mij bedrogen?'

'Doet het ertoe?' Zijn stem klonk net zo beheerst als de manier waarop Lot haar voorgerecht aansneed.

'Misschien. Ik denk het wel.'

'Eén keer zou je nog als een vergissing, een foutje, kunnen beschouwen, maar is alles meer dan die eerste keer niet gewoon bewust?' Vik smeerde een stukje stokbrood en bood het aan Lot aan. 'En als het iets is geworden wat je bewust hebt gedaan, maakt het dan nog uit of je dat twee of twintig keer hebt gedaan? Je vraagt me hoe vaak, en mijn eerlijke antwoord is dat ik het niet precies weet.'

'Ik wil het graag weten, Vik.'

'Is de essentie van houden van niet dat je de ander probeert niet te kwetsen?'

Vik keek naar Lot. Het verbaasde hem dat ze überhaupt zo rustig bleef bij zijn ontwijkende antwoorden.

'Dus je antwoord is kwetsend?'

Vik keek naar de serveerster die de menukaart kwam brengen, zweeg en ging even verzitten op het aluminium tuinstoeltje. Toen ze was verdwenen zag hij dat Lot hem nog steeds doordringend aankeek.

'Maar goed, blijkbaar is je antwoord te kwetsend om het me gewoon te zeggen.'

Vik knikte voorzichtig en zakte weer onderuit. 'Ik genoot ervan. Hoewel ik jou nooit kwijt zou willen, verlangde ik iedere dag ook naar Kim, en dus deed ik het zo vaak mogelijk.'

'Waarom eigenlijk, Vik?' Lot liet een grote plons rode wijn in haar glas landen en nam een slok voordat ze verderging. 'Ik probeer het te begrijpen. Ik vraag me af of het misschien de spanning is die je mist, of je daarom je zo anders bent geworden.'

Vik klapte de kaart dicht en liet hem op de vierkante tafel vallen. Vik, Vik, Vik. Hij had eens gelezen dat de politie bij ontvoeringszaken de naam van de ontvoerde persoon vaak bewust liet vallen. Het slachtoffer werd voor de ontvoerders dan ineens een mens, waardoor zijn overlevingskans zou toenemen. Het was een soort psychologische oorlogvoering. Was Vik zeggen haar manier om hem ervan bewust te maken dat hij de oorzaak was en zij het slachtoffer? Of hoopte ze zo misschien tot hem door te dringen?

Om de stilte te rekken wenkte Vik de bediening.

'Hebt u een keuze gemaakt?' Uit haar schort haalde het meisje een pen en blocnote, ze streek haar lange blonde paardenstaart naar achteren en glimlachte, terwijl ze Lots bestelling als eerste opnam.

'Ik wil graag hetzelfde.' Vik zag dat ze een slordige twee op het papiertje krabbelde, even een glimlach op haar gezicht toverde en weer verdween.

'Weet je wat ik zo fijn vind aan de mensen die ik na Afghanistan heb leren kennen?' Vik zuchtte. Hij voelde dat zijn hoofd rood werd, een teken dat hij zijn irritatie nog maar moeilijk kon onderdrukken. 'Zij vergelijken me niet de hele tijd met wie ik was en zeiken niet de hele tijd aan mijn kop dat ze de oude Vik weer terug willen, of dat ze me niet meer begrijpen.'

'Het is heus niet alleen negatief,' zei Lot. 'Ik vind dat je ook in positieve zin een aantal veranderingen hebt doorgemaakt.'

Zoals na elke zin viel ook nu weer een lange, pijnlijke stilte.

'Ja, en als ik nou de positieve dingen van ervoor en erna combineer en het slechte kwijtraak, ben ik perfect. Alsof perfectie bestaat.'

De serveerster zette de hoofdgerechten op tafel. 'Tweemaal de runderentrecote in truffeljus en frites.'

'Eet smakelijk.' Vik boog zich over zijn vlees en liet een lange stilte vallen. Even had Lot hem aangestaard, waarna ze voorzichtig wat frites op haar bord schoof.

'Ik zou het niet eens willen zijn, perfect. Ik heb dingen meegemaakt die maken dat ik anders tegen de wereld aan ben gaan kijken. Dat hoef je niet met me eens te zijn of te begrijpen. Je kunt het misschien ook niet begrijpen, omdat je niet weet wat ik weet.'

'Maar ik wil het graag begrijpen.'

'Ik heb liever dat je het gewoon accepteert, dat lijkt me niet te veel gevraagd.'

'Misschien lukt dat beter als je dingen uitlegt.'

'Uitleggen?'

'Ja, gewoon praten. Misschien moet je bij het einde beginnen, bij die boete voor te hard rijden op weg naar Thijn. Waar je al die tijd was en hoe je aan die hechtingen boven je oog kwam.'

'Ik had je toch verteld dat we opgeroepen waren om te assisteren met de eenheid bij het blussen van die heidebrand, dat er een stuk van de top van een oude berk was afgebroken en op mijn hoofd terecht was gekomen? Ik heb je nog gebeld vanuit het ziekenhuis in Tilburg en verteld dat ik daar moest blijven ter observatie.'

'Dat heb je wel verteld, maar ik blijf het een vreemd verhaal vinden.'

Vik kwakte drie biljetten van twintig en één van tien op het schoteltje met de rekening. Om te voorkomen dat het geld weg zou waaien liet hij er wat muntgeld op vallen, dat tevens ook als fooi diende. Koffie en thee hadden ze afgeslagen.

Vik slenterde door de smalle straatjes rondom de Markt achter Lot aan, toen ze plotseling halt hield en wachtte tot ook Vik zou stoppen en zich om zou draaien.

'Ik heb nog nooit geblowd,' zei ze zonder dat Vik daar enige aanleiding toe zag. Hij besloot daarom gewoon verder te gaan waar ze waren gebleven.

'De hele week zijn er daar eenheden ingezet om die brand te helpen blussen. Je hebt het zelf op tv gezien. De kinderen hadden het erover toen ik weer thuiskwam.'

'Maar de nacht ervoor was je niet bij Thijn.'

'Nee, ik was op stap met Kim. Maar ik heb daar niet geslapen en ik heb haar daarna ook niet meer gesproken.'

'Waarom niet?'

'Doet er niet toe.'

Lot keek hem met een priemende blik aan.

'Geloof me, het doet er niet toe,' benadrukte hij.

'Weet je nog toen je net thuis was en we ook door de stad liepen? Dat ik tegen je zei dat je soms ineens heel gespannen werd, dat je systematisch de omgeving begon af te speuren en het leek alsof je handen een onzichtbaar geweer vasthielden?'

'Ja, natuurlijk weet ik dat nog,' antwoordde Vik verbaasd. 'Ik was me er niet bewust van en vroeg aan jou om het tegen me te zeggen zodra het gebeurde, zodat we uit konden zoeken wat het was dat me zo alert maakte.'

'Iedere keer dat het gebeurde hebben we rondgekeken en gezocht naar de oorzaak,' vulde Lot aan. 'Mensen die er liepen, auto's, kleuren, drukte of juist het plotselinge ontbreken daarvan. Het bleek dat we verkeerd keken. Het bleek niet iets zichtbaars te zijn, maar een geur, de geur van wiet.' Lot wees naar de ruit van de coffeeshop waarvoor ze stil was blijven staan. 'De geur deed je denken aan de gevechten in Uruzgan, omdat het daar overal naar wiet rook. En het ging over, Vik; toen we wisten wat het was ebde het weg. Tenminste, dat dacht ik.'

'Hoezo "dacht je"? Het is toch weg?' Vik wees naar het grote wietblad dat in rastakleuren op de ruit geschilderd was. 'Ik had niet eens in de gaten dat we hier voorbij liepen.'

'Het is niet weg, je bent er alleen op gaan letten en hebt het gedrag afgeleerd. Maar vanbinnen is het gebleven. Zoals ze van die brand dachten dat hij was geblust, terwijl hij onder de heide was blijven broeien en oplaaide toen de wind aantrok.'

Het was voor het eerst dat Lot harder was gaan praten. Het klonk niet boos, eerder machteloos. 'Ik heb nog nooit geblowd, maar nu lijkt me een goed moment.'

Verbaasd keek Vik haar aan. 'Ik weet niet of...'

'Je weet niet wat?' onderbrak Lot hem resoluut. 'Ga je nu moeilijk doen over een jointje, terwijl je zonder ook maar een moment te twijfelen de coke van die tieten van Kim af hebt gesnoven?'

Vik keek zwijgend toe hoe Lot naar binnen stapte en een joint kocht.

'Misschien dat je als je een joint rookt eindelijk eens rustig wordt, en als dat niet werkt bestaat altijd nog de mogelijkheid dat het roken mij helpt om die affaire van jou te vergeten.'

Via de snelle straat kwamen ze op de Markt uit, waar ze stopten en de joint aanstaken. Het was een vreemd gezicht om Lot met een joint tussen haar lippen in haar chique zwarte jurkje op de stenen trap van het gemeentehuis te zien zitten. Vik keek hoe de roodbruine punt oplichtte in het donker en wachtte tot ze het stickie aan hem zou doorgeven.

De laatste keer dat hij geblowd had was in lente van 1994, op Pinkpop, net na zijn dienstplicht. Vik had nooit echt het gevoel dat het iets met hem deed, maar van anderen hoorde hij dan terug dat hij urenlang verhalen had verteld over van alles en nog wat. Vik inhaleerde diep. Wat deed hij hier eigenlijk met Lot? Het was alsof ze wisten dat ze in een doodlopende straat liepen, maar dat pas aan het einde ervan zouden toegeven. Hij keek opzij naar Lot, die een beetje giechelig geworden was van het roken.

Ze stond op. 'Kom,' zei ze.

Ze verlieten de Markt via de noordzijde, waar Lot Vik aan zijn arm de scheidingssteeg in trok. 'Iedereen zoekt zo zijn eigen momenten van spanning,' zei ze. 'Je weet wat de mijne is, toch?' Halverwege de steeg trok ze hem tegen de muur en begon hem te zoenen. Vik voelde dat ze zijn riem lostrok en de knopen van zijn broek in één vloeiende beweging wist open te maken.

'Niet hier,' sputterde Vik nog voor de vorm tegen.

'Juist hier,' antwoordde Lot. 'Als je nog iets om me geeft, dan laat je dat hier en nu aan me zien.'

Vik keek om zich heen en schatte de kans in dat iemand zou passeren of het zou zien, maar Lot had haar jurkje al iets omhooggewurmd en Viks bekken ertegenaan getrokken. Vik liet zijn handen over haar dijen naar haar billen glijden en voelde de jarretels, waarvan hij de tekening al gezien had toen ze bij het restaurant was gaan zitten. Om te voorkomen dat zijn broek op zijn enkels zou vallen had hij zijn benen gespreid. Op zijn ontblote onderrug voelde hij de kou van de nacht. In de verte hoorde hij stemmen, die langzaam maar zeker dichterbij kwamen. Toen de stemmen praktisch naast hem klonken opende hij even zijn ogen en zag dat twee jonge gasten zo langzaam mogelijk passeerden.

Als ik mijn bekken stilhoud valt het niet op, dan is het net of we hier alleen staan te zoenen, schoot het door Viks hoofd. Gespannen wachtte hij, maar het leek of Lot niets had gemerkt, of het haar simpelweg niet interesseerde. Een paar keer had ze Viks heupen zelfs stevig tegen zich aan getrokken, waardoor ze de eventuele twijfel die er nog kon bestaan voor iedereen wegnam en de jongens na het passeren zo lang mogelijk om hadden gekeken.

Op het station namen ze een taxi. De zwarte kanten rand van Lots kousen stak af op het grijze leer van de achterbank.

'Het probleem met mensen is dat ze geen seks meer hebben vanwege de natuurlijke noodzaak, maar vanwege het genot,' zei Vik.

'Waarom is dat een probleem?' vroeg Lot.

'Ik denk omdat we daarmee seksualiteit aan een bepaalde exclusiviteit koppelen, en dat er dus teleurstelling en verraad in schuilgaan.'

'Jezus, Vik!' Lots ogen leken vuur te spuwen. 'Ik ben dit soort gelul zo zat! Wees nou gewoon eens een keertje duidelijk, praat eens over jezelf en niet over de mensheid in zijn algemeen. Ik ben er lang in meegegaan – te lang, denk ik. Ik hoopte dat het je het gevoel zou geven dat ik naar je luister.'

Het was even stil.

'Het is nog erger dan dat. Omdat wij zelf bepalen wanneer we ons voortplanten zijn we volledig onafhankelijk geworden. We hoeven niet meer te geloven, we beslissen zelf over leven en dood,' zei Vik. 'Wij vinden onszelf beter dan welke god ook.'

'Hoor je wel wat ik zei? Misschien kan of wil ik het niet begrijpen, maar in ieder geval begrijp ik het niet. Teleurstelling, verraad, exclusiviteit... Wat probeer je nu echt over jezélf te zeggen? Dat ik niet zo'n probleem moet maken van jouw vreemdgaan, omdat jij je gewoon als een mensaap wilt gedragen?'

Lot keek Vik aan om te zien of ze hem bereikte. 'Nogmaals, Vik: zullen we ons beperken tot de feiten en niet meteen de hele mensheid ter discussie stellen?'

'Je wilt feiten?' vroeg Vik kalm.

'Ja, en ik wil ze graag allemaal.'

'*Be careful what you wish for, you just might get it.*' Vik liet een kort lachje ontsnappen terwijl ze de taxi uit stapten. De kermis was al uitgestorven. Zachtjes liepen ze via de roodfluwelen treden naar hun kamer op de eerste verdieping. 'Ik heb met meerdere vrouwen gevreeën sinds ik terug ben. Het gaat me geloof ik niet om de seks, maar om de macht die ik voel als ik het doe. Hoe meer vrouwen ik heb gehad, des te beter ik me voel.'

Lot zei niets terug. Zwijgend stapten ze hun kamer binnen.

Op hun kamer liet Vik zich op het bed vallen en trapte zijn schoenen uit. Hij wist niet of Lot niet tegen hem aan durfde of wilde liggen. Misschien was het wel een combinatie van beide, dacht hij.

'Een vaste minnares vond ik al erg genoeg.' De stem van Lot klonk zacht, ver weg en gekwetst. 'Hoeveel?'

'Het maakt niet uit,' antwoordde Vik. 'Ik weet het zelf ook niet eens meer precies. Niet dat het er zoveel zijn, maar ik heb er simpelweg geen gevoel bij.'

'En bij mij?'

Vik slikte. Lot was de eerste bij wie hij dit gebrek aan gevoel had gehad, maar het leek hem beter dat niet te vertellen. Lot kwam naast hem liggen. Hij voelde dat ze zijn blouse open knoopte en haar nagels over zijn borst liet glijden. Ze huilde, bijna onzichtbaar, maar ze huilde. Voorzichtig liet hij zijn hand door haar blonde haren glijden.

'Vrij met me, Vik, zeg me dat het niet voorbij is, laat me voelen dat je van me houdt.'

Vik draaide zich half over haar heen, kleedde haar uit en begon haar zonder iets te zeggen te zoenen.

DEEL III – NOORWEGEN

1

Het was donker op het vliegveld van Bardufoss. Rillend keek Vik om zich heen naar een plek om te pissen. Als je het koud had, was dat vaak een teken dat je moest zorgen dat je je ontlasting of pis kwijt moest. Hij voelde de droge kou door zijn luchtpijp trekken, als ijskristallen scheermesjes die de weg naar zijn longen van het begin tot het einde opensneden. Door de duisternis had hij geen goed overzicht van waar hij zich nu bevond. Vanuit de lucht had hij de groene en rode lampen gezien die de piloten moesten helpen om de landingsbaan te vinden.

Vik drukte op het lampje van zijn horloge. Tegen het groene achtergrondlicht las hij dat het pas 18.22 uur was. Te vroeg om zo donker te zijn, maar de komende weken zouden ze moeten wennen aan de korte periodes dat ze gebruik konden maken van het daglicht.

Ze wachtten op de kapitein Dæhli, Sverre, de Noorse officier die verantwoordelijk zou zijn voor hun wintertraining. Tijdens de voorbereiding was Sverre al een keer naar Nederland gekomen om les te geven over het optreden boven de poolcirkel. Hij vertelde over de gevaren waarmee je geconfronteerd werd, maar vooral ook hoe je te kleden op de kou.

Sverre had zijn hele leven al in Brandmoen gewoond, een dorpje net ten noorden van het vliegveld. Hij was opgegroeid met zomers waarin de zon amper onderging en winters waarin die leek te weigeren om op te komen, in een omgeving waar vooral kazernes stonden, en je dus of militair was, of diensten leverde voor die militairen. Militair worden was in deze omgeving een logische en bijna onontkoombare keuze. Sverre trok al op jonge leeftijd met zijn honden vaak de bergen in om te wandelen of te telemarkskiën. Hij bleef soms dagen weg en zorgde dan voor zichzelf. Hij paste in de omgeving waar hij was opgegroeid. De Barduelva – er waren verscheidene rivieren op de kaart die eindigden op '-elva', en dus nam Vik aan dat het zoiets betekende als water of rivier – had hem grootgebracht en hem meegevoerd naar de kazerne op Bardufoss, 'mannenwaterval'.

Sverre had niet gewacht tot hij opgeroepen werd voor de dienstplicht. Op zijn achttiende was hij vertrokken naar Oslo, naar de militaire academie. Het was de eerste keer in zijn leven dat hij onder de poolcirkel kwam – terwijl de meeste Noorse jongeren uit de omgeving van Oslo de dienstplicht juist vreesden uit angst om bóven de poolcirkel geplaatst te worden. De eeuwige dag of nacht had een dusdanige impact op hun bioritme dat zelfmoord onder de dienstplichtigen niet ongewoon was. Vik kon zich zoiets bijna niet voorstellen. Hij verlangde juist naar dit gebied, naar de onverbiddelijke natuur.

'*God kveld*,' klonk het vanaf het hek enkele meters voor ze. Boven de witte sneeuwcamouflagejas zag Vik dat Sverre aan kwam lopen. In tegenstelling tot de drie dagen in Nederland droeg hij nu een dikke, verzorgde baard. Zijn kale, hoekige hoofd was verstopt onder een Noorse winterpet die deed denken aan Goofy of Pluto, en die ze daarom gekscherend de Pluto-pet noemden: een kort klepje aan de voorkant en een flap rondom, die, als je hem omlaagvouwde, je oren bedekte met een zachte en warme strook fleece. Naast hem liepen een herdershond en een witte, husky-achtige hond.

'*God kveld*, goedenavond,' antwoordde Vik. Hij haalde zijn hand uit zijn zak en stak die uit naar Sverre. Op de plekken waar zijn baard niet groeide, waren zijn wangen rood van de kou, waardoor zijn blauwgrijze ogen zelfs in het donker opvielen.

'*Sorak, Judy ga er*,' zei Sverre tegen de twee honden, die meteen gingen liggen, '*Welcome in Bardufoss. Did you have a good trip?*' Sverre wachtte niet op een antwoord, '*Tell your guys to take their bags to the building over there.*' Hij wees naar het gebouw waar de verlichting binnen aan was. '*After that we'll go straight away to the dining room for dinner. I think your men are hungry.*'

Vik knikte en draaide zich om.

'Mannen, luister,' riep Vik. 'We pakken onze tassen en zetten die in het gebouw hierachter. Daarna stellen we ons buiten direct weer op en volgen we kapitein Dæhli naar de eetzaal.'

Zonder verdere vragen te stellen pakten de mannen hun tassen op en trapten ze hun sigaretten uit. Achter hem hoorde Vik de grappen; er werd wat geduwd, getrokken en pootjegehaakt. Het waren patronen die aan het begin van elke oefening of missie terug te vinden waren. Het was de leegte van hun ongeduld en onzekerheid die op die manier werd opgevuld.

Terwijl Vik zijn plunjebaal tegen de muur aan drukte, op de andere plunjebalen die er al lagen, wachtte Sverre buiten om iedereen mee te nemen naar de eetzaal. Zijn honden lagen opgerold naast hem om zo min mogelijk warmte te verliezen. Zelf wreef hij in zijn handen en blies er af en toe wat warme lucht in om te voorkomen dat ze te koud zouden worden. Vik keek opnieuw even op zijn horloge en drukte op de knopjes om de temperatuur af te kunnen lezen. Tweeëntwintig graden onder nul, en toch voelde het hier minder koud dan in Nederland toen ze vertrokken. Uit de zak van zijn jas haalde hij zijn handschoenen, die hij er vooraf al had in gestoken, en het wollen mutsje. 'De meeste warmte verlies je via je hoofd,' hadden ze in Nederland voor de zoveelste keer te horen gekregen. Zijn handschoenen en muts waren misschien prima voor de Nederlandse winter, maar hier zouden ze hem niet beschermen. Vik trok de capuchon van zijn jas over zijn muts en stak zijn handen in zijn zakken terwijl hij naar buiten liep.

'Nadat we hebben gegeten, staat er een bus klaar en gaan we ervoor zorgen dat jullie je uitrusting voor hier en je kledingpakket krijgen,' zei Sverre, terwijl hij wees in de richting waarin ze zouden vertrekken. 'Zeg tegen je mannen dat het koud wordt de komende weken, en dat ze daarom het roken maar beter kunnen laten.'

Vik keek achterom, waar hij in het donker de oranje askegels zag opgloeien.

'Het ergste is niet eens dat van roken je aderen vernauwen, waardoor de doorbloeding slechter wordt en je sneller afkoelt,' ging Sverre verder. 'De grootste problemen ontstaan meestal doordat de mannen het lastig vinden om met hun handschoenen aan te roken, waardoor ze een minuut of tien geen handschoenen dragen, en dat is hier genoeg om ernstig koudeletsel op te lopen.'

'Ik vrees dat er maar één manier is waarop ze dat gaan leren: *the hard way*, zei Vik. 'Wat eten we?'

'Vis.'

'Hmm,' antwoordde Vik, 'ik ben niet gek op vis.' Het was een understatement. Eigenlijk lustte hij helemaal geen vis, maar dat hoefde Sverre niet te weten.

'Wat je wel of niet lekker vindt, is hier niet belangrijk,' lachte Sverre terug. 'Wen er hier maar aan dat je moet eten wat goed voor je is en wat nodig is. Vis en vet houden je warm.' Ze stapten de hal van de eetzaal binnen, waar Sverre zijn jas en twee truien uittrok.

'Mag je bij jullie zo de eetzaal in?' vroeg Vik aan Sverre. Een broek met alleen een shirtje gold op de kazerne in Nederland als incorrect tenue en was daarom niet toegestaan.

Sverre knikte. 'Als het shirt maar in je broek zit en niet vuil is,' legde hij uit. 'In de eetzaal is het warm en dus zou het zonde zijn als je je warme kleding aanhoudt; dan heb je er buiten niets meer aan.'

'Alsof ik mijn moeder hoor praten,' lachte Vik, terwijl hij Sverres voorbeeld volgde. Opzichtig trok hij met beide handen aan de onderkant van zijn shirt, om de mannen zo te laten zien dat ze in hun T-shirt zouden eten. Een signaal dat geen verdere uitleg nodig had en zonder meer werd opgevolgd. Vik wachtte met de eetzaal binnengaan tot iedereen binnen was en sloot achter aan in de rij. Een paar keer had hij laten weten dat er gegeten werd wat de pot schaft, ongeacht of je het lekker vond of niet, dat het was wat ze nodig hadden en dat ze anders de komende dagen weleens in de problemen zouden kunnen komen.

Als laatste pakte hijzelf een hardplastic dienblad, een wit aardewerken bord, en zocht naar het bestek, dat in de bakken lag achter de balie waar het eten opgeschept moest worden. Hij probeerde zich af te sluiten voor de geur van vis die in de eetzaal hing, maar hoe meer hij het probeerde, des te bewuster hij zich ervan leek te worden. Het leek op kabeljauw. Kabeljauw is te doen, dacht Vik bij zichzelf, kabeljauw is visstick zonder krokant laagje. Als er thuis vroeger vis gegeten werd, kreeg hij vissticks. Zijn ouders hadden vaak geprobeerd hem vis te laten eten, maar hij had zich er als jongetje zo tegen verzet dat hij letterlijk over zijn nek ging zodra hij het had doorgeslikt.

Achter de balie stond een grote, vriendelijk lachende man. Zijn dikke buik ging schuil achter een wit schort en met zijn worstvingers pakte hij het bord van Vik aan. Tijdens het opscheppen leek de man Vik te beoordelen; zelf vond Vik dat hij sinds de uitzending te zwaar was geworden, maar daar dacht de kok blijkbaar anders over en dus schepte hij hem extra op. '*You need it*,' legde hij vriendelijk uit zonder Vik iets te vragen. Het bord van Vik lag vol met twee flinke stukken vis, aardappelen en een soort groenteratatouille. *You don't*, dacht Vik geïrriteerd, terwijl hij beleefd lachend het bord aanpakte.

Toen ze een halfuurtje later in de bus zaten richting het depot waar ze hun kleding zouden krijgen, was het begonnen te sneeuwen. Het sneeuwde hier in de winter dusdanig vaak dat het sneeuwvrij maken van de wegen blijkbaar geen nut had. De Noren reden met spijkerbanden en dat werkte prima.

'Ze voorspellen veel sneeuw vanavond,' zei Sverre. 'Je kunt het ook voelen: de temperatuur buiten is omhooggegaan en dat kan twee dingen betekenen.'

Vik keek op.

'Of het gaat sneeuwen, of de wind is gedraaid. Meestal komt de wind hier in de winter uit het oosten; die is altijd koud en guur en neemt de kou mee van de Russische steppen. De westenwind brengt zachtere zeelucht en dus is het dan warmer.'

'Scheelt dat veel?' wilde Vik weten.

'Het kan twintig tot dertig graden schelen, afhankelijk van waar je zit. Het is het verschil tussen min tien en min veertig, soms zelfs nog kouder. Voor de komende week voorspellen ze extreme kou, tot min vijftig.'

Vik stapte uit de bus en ging het gebouw in, waar ze verteld werd dat ze in een rij moesten gaan staan en hun schoenen vast uit moesten trekken, zodat het allemaal sneller zou gaan – de kleine mensen eerst en dan de langere. Vik zou dus wel ergens net voorbij het midden komen te staan. Hij dacht even na. Min vijftig, ging het door zijn hoofd; het warmste dat hij ooit had meegemaakt was in Afghanistan: zesenvijftig graden boven nul. Dat betekende dat als ze hier temperaturen mee zouden maken van min vijftig het verschil tussen die temperaturen groter was dan honderd graden. Bij honderd graden kookt water.

Voetje voor voetje schoof de rij op. Uit verveling speelde Vik net als de anderen met zijn telefoon:

> Hey Lot, we zijn in Noorwegen aangekomen, het is hier koud en we zijn druk vanavond met spullen halen. Ik bel jullie morgenavond even.
> X Vik

Hij twijfelde even of hij Ruth ook een berichtje zou sturen. Ze zouden hier nog wel even staan, schatte hij in, dus waarom ook niet? Misschien had ze wel iets leuks te vertellen, zou ze hem even laten lachen.

Eskimo zoekt hulp in de iglo.

Bekijk het maar, mij te koud.

Je mag 's nachts tegen me aan komen liggen.

Ik heb ook een bloedhekel aan pinguïns.

Die zitten hier niet, dat is de Zuidpool.

Bovendien ben ik allergisch voor ijsberen.

Dat komt goed uit, de ingang van een iglo is zo gemaakt dat een ijsbeer er niet door kan.

Het makkelijke aan zijn affaire met Ruth was eigenlijk dat ze elkaar vonden als ze dat nodig hadden. Liefde zou hun relatie te complex maken. Ze genoten van de stiekeme berichten die ze elkaar stuurden, het samen fietsen en de spanning die het vreemdgaan met zich meebracht.

Vik zag de eerste mannen ondertussen terugkomen met hun nieuwe kleren en keek nieuwsgierig naar wat hij straks ook allemaal zou krijgen. Nog een man of tien voordat ook hij naar binnen zou mogen.

De kinderen liggen net op bed, ze missen je.
HVJ X Lot

Vik borg zijn telefoon op en ging voorovergebogen zitten, met zijn ellebogen op zijn knieën. Ongeduldig keek hij rond, terwijl hij met zijn duim en wijsvinger een korstje uit zijn neus probeerde te peuteren. Hij had inmiddels geaccepteerd dat hij nooit meer fatsoenlijk door zijn neus zou kunnen ademen; het woestijnzand leek erin versteend.

'Maat?' vroeg de magazijnmedewerker.

'Tweeënveertig, drieënveertig.' De medewerker verdween en kwam even later terug met twee paar schoenen, inlegzooltjes en vijf paar sokken. 'Deze kant onder voor de isolatie, dan trek je één paar sokken aan en daarna pas je de schoenen.'

Vik knikte begrijpend.

'Ze zouden moeten passen, maar je hebt waarschijnlijk nog wat ruimte over. Dan trek je het tweede paar sokken aan. Als het te strak zit, heb je de juiste schoenen.'

'Drieënveertig,' zei Vik, terwijl hij het tweede paar omhooghield om mee te nemen. De man knikte en wees naar een blauwe lijn op de vloer van het magazijn die gevolgd diende te worden. Bij elk punt waar ze iets moesten krijgen stond een Noor ze op te wachten. De meesten hadden al zoveel mensen voorbij zien komen dat een enkele blik op het postuur voldoende was om de mannen zonder verdere vragen te stellen te voorzien van kleding.

Naast zijn kleding kreeg hij nog een pannensetje, een kooktoestel, skistokken en een paar sneeuwschoenen. Vik stopte de kisten en de kleren in de lege rugzak die hij mee had moeten nemen; de dikke drievingerige wanten en het petje hield hij apart om straks gelijk te kunnen gebruiken. Alleen de skistokken en de sneeuwschoenen, die iets weg leken te hebben van tennisrackets met bindingen erop, bevestigde hij met een spin aan de buitenkant van zijn rugzak. Terug op de kazerne zou hij eerst zijn spullen naar zijn kamer brengen, om daarna alle dingen die op Sverres lijst stonden in zijn rugzak te stoppen. Hij zou het niet heel zorgvuldig doen, zoals hij dat in Afghanistan altijd deed; daar zat alles precies waar hij het wilde hebben, waar het hem het best uitkwam. Dat had nu geen zin; morgen zouden ze te horen krijgen hoe je hier je rugzak het best in kon pakken en hoe ze de spullen die ze hadden gekregen het best konden gebruiken.

2

Onder in de bus stonden hun wapens en rugzakken en twee grote gamellen met heet water voor thee. Voor het eerst kon Vik een beetje zien hoe de omgeving er in het echt uitzag, of het beeld dat hij in Nederland had gevormd op basis van de kaart ook overeenkwam met de werkelijkheid. De weg volgde de westoever van de Barduelva; water zoekt altijd het laagste punt en dus keek je vanuit de bus tegen de bergen aan. De berg aan de linkerzijde van de Barduelva moest de Asen zijn, met daarachter de Sundhaugen en de Brandsegg, en rechts de Rustafjellet en de Barhaugen. Het scannen was eigenlijk iets dat hij automatisch deed. In zijn opleiding had hij het bijna oneindig vaak moeten doen; kaartlezen was zoveel meer dan alleen maar de weg volgen en de zijwegen tellen. Een verkenner overleeft door het terrein goed in zich op te nemen, en dus had Vik zichzelf aangeleerd om de platte kaart in zijn hoofd om te zetten in een soort 3D-model. Dit had hij zijn mannen ook geprobeerd bij te brengen.

De Barduelva, 's zomers een kolkende massa van smeltwater van een meter of honderd breed, was in de winter tot stilstand gekomen en had iets weg van een witbesneeuwde snelweg. Op een aantal plekken was de sneeuw over de breedte weggeschoven, waardoor er een soort corridor ontstond naar de andere oever. Vik pakte de kaart erbij en zag dat er ook wegen waren die naar deze plekken leidden.

'Bent u de kaarten weer aan het downloaden?' hoorde hij Tony, een van de sergeanten, die hier al twee weken was, vanuit de stoel achter hem zeggen.

'Ja,' lachte Vik terug, 'en als het goed is heb jij dat al gedaan.'

'Zoals u een kaart uit uw hoofd leert en wat u er allemaal op ziet... Ik zou willen dat ik dat kon.' Tony wreef door zijn korte, donkerblonde haren. Met zijn kin hing hij op de hoofdsteun van de stoel naast Vik, zijn pezige onderarmen had hij eromheen gevouwen en met zijn grijze ogen keek hij Vik aan.

'Het komt vanzelf,' stelde Vik hem gerust. 'Hoe vaker je het doet, des te makkelijker het gaat.'

Tony was nog maar kortgeleden bevorderd tot sergeant. In Afghanistan zat hij al wel bij de eenheid, maar toen nog gewoon als soldaat. Toen kon je van hem nog niet verwachten dat hij dit al zou beheersen. Vik mocht Antonio, zoals hij eigenlijk heette, wel. Hij was iemand van wie je altijd op aan kon, die er altijd stond. Het was een van de redenen waarom hij hem met een aantal anderen al een week eerder naar Noorwegen had gestuurd. Zij hadden de opleiding al gehad van de Noren, en onder begeleiding van die Noren moesten ze nu de rest van de eenheid opleiden. Ze zouden worden opgedeeld in kleinere groepjes, om in een carrouselvorm een aantal lessen te volgen.

Een klein kwartiertje hadden ze in de ochtendschemer in de bus gezeten die ze naar de andere kant van het vliegveld had gebracht. Vanaf de bus volgden de mannen Sverre naar een grote loods van een meter of tachtig diep en een meter of tien breed. Het dak was een koepel, waardoor de maximale hoogte een meter of vijf zou moeten zijn. Vik vroeg zich af of de vorm iets te maken had met de stevigheid, of het gebouw zo de grote hoeveelheid sneeuw die erop lag beter aan zou kunnen. Direct bij binnenkomst rechts bevond zich een klein kantoortje met een oude potkachel waar kooltjes rood in lagen te gloeien. Achter het kantoortje leidde een houten trap naar een paar eenvoudige toiletten. Helemaal achter in de loods stonden drie sneeuwscooters, waarvan één zonder achterband. Op de witte kuip waren zwarte en groene vlakken gespoten.

Dit in tegenstelling tot de quad die ernaast stond, die een donkergroene kleur had. Er stonden geen wit gespoten voertuigen, dus blijkbaar werden ze alleen in de zomer gebruikt.

Links langs de muur legden de mannen hun rugzakken netjes op de grond, uitgelijnd, zoals ze dat zelf altijd noemden: de afstand tussen twee rugzakken was telkens gelijk en de manier waarop de overige spullen erbij lagen was ook identiek. Ook Vik lijnde zijn spullen uit op de rugzak naast hem. Bij het vooroverbukken voelde hij de harde stroom warme lucht uit een van de twee warmtekanonnen door zijn haren blazen.

Vik pakte de plastic zak waar het kooktoestel in zat en voelde in zijn broekzak of het doosje lucifers er nog in zat. Ook in zijn jaszak en zijn rugzak had hij lucifers gestoken, zodat hij altijd wel ergens vuur had. STØRRE FYRSTIKKER, stond er op het doosje. Vik haalde het vierkante kooktoestel, dat dichtgeklapt iets weg had van een reisbarbecue, uit de plastic zak. De zak was alleen bedoeld om te voorkomen dat lekkende brandstof direct in contact zou komen met schone of droge kleding, die daardoor zijn beschermende werking zou verliezen. Hij klapte het open en vulde, op aanwijzing van een van de sergeanten, het brandstoftankje met de nafta uit de kleine jerrycans die klaarstonden. Met een pompstangetje bracht hij de nafta op druk, zodat de verstuiver hem door de pit zou kunnen blazen.

'Om te voorkomen dat de leiding dichtvriest, is het belangrijk dat je die nu eerst opwarmt,' riep Angelo, een andere jonge sergeant die een paar weken geleden bij de eenheid was gekomen. 'Dat doen we door een klein beetje van de vloeistof uit het kleine rode blikje in het schaaltje onder pit te spuiten en dit op te laten branden. Pas als het is uitgebrand kun je de brander in gebruik nemen.'

In tegenstelling tot Tony had Angelo nog weinig ervaring binnen het leger. Vik had hem gestuurd om hier te kunnen zien hoe hij invulling zou geven aan zijn rol als leidinggevende. Ontspannen liep hij tussen de mannen door, die in groepjes van drie, vier mensen op hun knieën voor het brandertje zaten. Vuur is belangrijk in dit soort gebieden, wist Vik, die geduldig toekeek hoe de langzaam brandende blauwe vlam steeds kleiner werd. Hij hield ook wel van spelen met vuur.

'Als je brander het doet,' vervolgde de sergeant, 'dan heb ik hier een doos met theezakjes. Jullie hebben een pannensetje gekregen en buiten ligt sneeuw. Je bent klaar zodra jullie voldoende kokend water hebben om met je eigen groepje een kop thee te drinken.'

Het was geen wedstrijd; toch merkte Vik, tot zijn genoegen, een duidelijke drang om te winnen, aangewakkerd door de woorden van de sergeant. Pannetjes werden volgepropt met de verse sneeuw van buiten, waarna de mannen erachter kwamen dat de verse sneeuw niet compact was. Een pannetje vol sneeuw leverde amper een bodempje water op – de bovenste sneeuwlaag was vooral lucht, gebakken lucht in dit geval, waardoor je steeds opnieuw sneeuw moest gaan halen. De bovenste laag moest je weggraven. De diepere lagen waren massief, ineengedrukt door het gewicht van de sneeuw die erbovenop lag. Je moest het afsteken als turf en die blokken laten smelten. Er waren bijna drie volle pannetjes sneeuw nodig voor een volle thermosfles kokend water.

Vijftien, misschien twintig minuten nam het thee zetten in beslag, schatte Vik, maar dat was binnen in een warme loods. Buiten zou het anders zijn; de wind en de kou zouden die tijd sterk beïnvloeden. Warm water is kostbaar hier in Noorwegen, dacht Vik.

3

Met z'n drieën dronken ze om beurten de warme thee uit de grote blikken mok. Als ze de mok aangegeven kregen haalden ze hun handen uit hun zakken en vouwden die om de mok heen terwijl ze het randje tegen hun lippen hielden. Door zachtjes te blazen in de mok trok de damp over je gezicht en verwarmde die eventjes je wangen.

'Welk les hebben we hierna eigenlijk?' vroeg Vik. Rob, de blonde korporaal, haalde zijn schouders op en keek naar Jan Willem.

'Kleding.' In het weekend voor het vertrek naar Noorwegen was Jan Willem al gestopt met scheren, zoals Sverre ze destijds al had aangeraden, waardoor zijn kin schuilging achter een dikke rode baard.

'Ik kan niet wachten tot we dat visnetondergoed aan mogen,' lachte Robbie. 'Ik zou mijn vriendin ook wel in een paar van die netkousen willen zien. Misschien dat het haar over de streep trekt als ze mij erin ziet.'

'Als ze er al geil van wordt, dan is dat als ze die zachte g van jou hoort ook gelijk weer voorbij, denk ik,' Vik keek Robbie, die zijn baard ook al een paar dagen had laten staan, plagerig aan. Door de blonde haren van zijn baard scheen de dieprode kleur van zijn wangen, die verraadde hoe koud het buiten was.

'Ik denk dat we naar binnen moeten.' Jan Willem knikte richting de groep, die zich naar de deur van de loods bewoog.

Rob stompte Vik op zijn biceps, waardoor zijn hand spastisch samentrok, direct gevolgd door een dood gevoel tussen zijn schouder en elleboog. Robbie was naast militair ook kickbokser en nam soms deel aan free-fight-evenementen. Als er iemand binnen de eenheid wist hoe je iemand goed kon raken, dan was hij het. Ze kenden elkaar lang genoeg om te weten tot hoe ver ze het spel konden laten gaan. Vik pakte achteloos zijn telefoon en opende een berichtje, waarmee hij wilde laten zien dat hij de stoot niet eens gevoeld had, maar beiden wisten wel beter.

Hoe is het daar tussen de Eskimo's? X Ruth

Koud. Over wintertenen maak ik me in ieder geval geen zorgen, sneeuwballen schijnen erger te zijn. Zoen Vik

Hij had niet lang nodig gehad om het berichtje te typen, maar moest binnen toch even in zijn handen blazen om ze weer warm te maken. Hij liep naar zijn rugzak, slingerde die aan een hengsel over zijn rechterschouder en liep ermee naar het volgende lespunt.

Het duurde niet lang of de inhoud van hun rugzakken lag keurig uitgelegd voor hen op de grond. Elk los onderdeel zou een nieuwe, logische plek krijgen en elke rugzak zou hetzelfde ingedeeld worden, zodat ze alles wat ze nodig hadden zonder problemen konden vinden. Zo hoefde je niet te zoeken in de spullen van een ander. De slaapzak helemaal onder in het grote middenvak, schone kleding (waterdicht verpakt) daarboven, en helemaal bovenop, direct voor het grijpen, de warme Noorse trui. Het thermo-ondergoed dat ze hadden gekregen moest worden gedragen onder je broek en je jas. Eigenlijk was het zo'n beetje het enige wat je droeg onder je jas. De essentie was om zweten te voorkomen; vocht bevriest en maakt je koud, dus was het zaak om je zo koud te kleden als je maar durfde. Warm worden deed je door te bewegen en als je zweette had je je of te warm aangekleed, of je maakte je te druk.

'Dit ondergoed werkt eigenlijk alleen als je er helemaal niets onder aantrekt,' vertelde Tony. 'Het moet direct op je huid zitten om het eventuele vocht af te kunnen voeren, dus ook geen onderbroek.' Om te bewijzen dat hij het meende draaide hij met een sprong om en boog voorover, waardoor zijn witte kont door het visnet heen duidelijk zichtbaar werd. De mannen lachten en ook Vik kon genieten van deze typische directe vorm van militaire humor.

Tony liet zien hoe je de rest van je kleding gebruikte. 'Als we straks buiten bezig zijn, wordt er ten minste elk uur een stop ingelast,' ging hij verder. 'Je prikt je skistokken stevig in de grond, gooit je rugzak af en ritst je jas tot op je heup open. Dan pas doe je je handschoenen uit; die zet je op je skistokken. Je haalt je armen uit de mouwen van je jas en laat je jas op je heupen hangen. Je trekt je trui uit je tas en trekt die aan, waarna je gelijk je jas weer aantrekt en dichtritst, zodat er zo min mogelijk warmte verloren gaat.'

Vik hield van de manier waarop er lesgegeven werd binnen dit bedrijf. De meeste dingen zou je met gezond verstand zelf ook kunnen bedenken, maar er mocht niets aan het toeval worden overgelaten. Er was wel ruimte voor vragen, maar niet te veel voor discussie, leek het motto. Om die te voorkomen hadden ze geleerd dat het handig is om kort aan te geven waarom ze het zo deden. Vik had altijd al moeite gehad met zomaar dingen doen; als hij het nut en belang ervan niet zag, vroeg hij ernaar. Als ze hem geen duidelijke reden aan konden geven waarom ze iets deden, was de kans groot dat hij zich er niet aan zou gaan houden. Het was iets dat na de uitzending eigenlijk alleen maar erger was geworden, realiseerde hij zich nu hier in deze hal. Alleen omdat deze lessen een duidelijk doel hadden, wist hij zijn aandacht bij het onderwerp te houden, kon hij het verlangen naar de realiteit in Afghanistan onderdrukken. Zwemmen leer je in het diepe, schoot het door Viks hoofd. Hij keek uit naar het einde van de dag; dan mochten ze zwemmen en zouden ze de dingen die ze vandaag hadden geleerd in praktijk moeten gaan brengen.

'Als je je jas weer aanhebt, pak je je thermosfles uit je *daypack* en drink je iets warms terwijl je even uitrust op de achterkant van je rugzak.' Tony liet zien hoe hij de thermosfles uit een van de zijtassen die op de rugzak waren geritst haalde. 'Het is wel handig om een stuk PVC-buis waar je fles in past af te zagen; dan heb je namelijk geen last van de rest van je uitrusting.'

Vik checkte de thermosfles in zijn daypack, die aan de zijkant van zijn rugzak hing. Rondom de fles zaten sokken, ondergoed, een handdoek en wat andere zaken gepropt. Hij realiseerde zich dat de PVC-buis ervoor zou zorgen dat de thermos altijd makkelijk op zijn plek geschoven kon worden, maar vroeg zich af waar hij hier zoiets vandaan zou moeten halen. Het hele ritueel moest binnen een minuut kunnen worden uitgevoerd. Zodra de groep zich weer moest klaarmaken om te vertrekken zou de groepscommandant 'Eén minuut!' roepen, wat het signaal was om de trui en andere spullen weer op te bergen en het hele ritueel in omgekeerde volgorde te doorlopen. Na een paar keer zelf geoefend te hebben, volgden nog een aantal herhalingen, die door Tony werden geklokt. Ze gingen net zo lang door totdat iedereen het ook daadwerkelijk binnen de tijd voor elkaar kreeg.

Terwijl ze buiten de bindingen van hun sneeuwschoenen op maat stelden begon het al te schemeren. Ze leerden hoe ze van de Noorse skistok een peilstok maakten, om mensen mee onder een lawine uit te halen. In het donker zouden ze dus met hun uitrusting de tien kilometer naar de barakken terug moeten. Vik keek om zich heen. Het petje met de flappen over de oren, het witte sneeuwcamouflagepak, dat er ook voor zorgde dat de overige kleding niet nat zou worden als het sneeuwde, de grote groene drievingerige wanten en de rubberen overlaarzen die hun schoenen droog moesten houden. De mannen zagen eruit als een ontsmettingsteam dat op het punt stond om de reactor van Tsjernobyl of een ander chemisch besmet gebied te betreden.

Vik keek naar zijn wanten. 'Goeie snowboardwanten,' zei hij tegen een van de soldaten die naast hem stonden, terwijl hij zijn vingers demonstratief in de wanten liet bewegen. De wanten bestonden uit twee delen: een soort drievingerige wollen sok die je eerst aan moest trekken, met daaroverheen de buitenhandschoen die de wind tegen moest houden. De duim en wijsvinger waren los als vingers te gebruiken, de overige drie niet. Gewone handschoenen waren hier geen optie, daarbij miste je de warmte van je vingers die tegen elkaar zitten, en met wanten had je geen wijsvinger meer om je wapen te gebruiken.

'Hebt u al een sok kapotgesneden?' vroeg de soldaat.

'Ja.' Vik liet de groene sok zien die hij een centimeter of tien vanaf boven aan de schacht tot aan de hiel had ingesneden. In de voet zat zijn veldfles en het geheel hing om zijn nek.

'Hebt u de tweede sok nog?' vroeg hij. 'Als ik die zou mogen gebruiken, dan hoef ik niet ook een paar sokken te verpesten.'

Vik trok het bovenste vak van zijn rugzak open en haalde de eenzame sok eruit.

'Alleen als ik hem gewassen en wel weer terugkrijg.'

De soldaat maakte met zijn zakmes vanaf een centimeter of vijf boven de hiel een lange snee tot een paar centimeter onder de schacht in de sok, waarna ook hij zijn veldfles in de voet van de sok drukte en het geheel tevreden om zijn nek hing. Het was een praktische oplossing: de wollen sok zou er samen met je lichaamswarmte voor zorgen dat het water niet te koud zou worden. Bovendien knelde de ketting dan niet te veel in je nek, en op deze manier had je altijd water bij de hand. Zelfs met de dikke wanten kon je er nog makkelijk bij.

Buiten was het al donker geworden. Af en toe passeerde er een jeep of legertruck. In de koplampen zag je hoe de bevroren watermoleculen in de lucht een spoor van dwarrelende diamanten achterlieten. Verder leek het hier uitgestorven, alsof je op het einde van de wereld stond. Het stuk waarvan men vroeger dacht dat de wereld ophield, waar je met een volgende stap van de wereld zou vallen. Bij het inademen sneed de droge, koude lucht opnieuw door zijn longen. Vik controleerde nog een keer zijn rugzak. Over een paar minuten zouden ze een kilometer of tien gaan lopen en gingen ze wat ze vandaag geleerd hadden in praktijk brengen.

De kaart die voor hem lag markeerde met zwarte stippellijn de route die ze straks zouden nemen. Vanaf de hangar waar ze nu stonden zouden ze een smalle weg volgen die naar een zijuitgang van het kamp leidde; daarna ging het in een rechte lijn richting het vliegveld, waar ze het hek zouden volgen om bij de slaapbarakken te komen.

'Groep vier!' klonk het kort en luid door de hangar. 'Over vijf minuten buiten opgesteld en gereed voor vertrek.'

4

De eerste oefening die ze hadden na Afghanistan was de schietserie geweest in Bergen Hohne, Duitsland. Inmiddels bijna een jaar geleden. Vik had zijn best gedaan om zich erop te focussen, maar op de een of andere manier miste hij de energie. Het was alsof hij een barbecue probeerde aan te steken, maar de kolen maar niet wilden gaan gloeien. Soms leek hij het gevoel gevonden te hebben, zoals het vuur begint te gloeien als je erin blaast, maar dan stopte dat weer.

Vik hield juist zo van schieten; hij had altijd vol overgave lesgegeven op de schietbaan. Op de banen in Duitsland in het bijzonder, omdat daar meer kon. Ze mochten er oefeningen doen die in Nederland niet gedaan konden worden.

Hij herinnerde zich nog dat hij er in 1993 voor het eerst kwam als dienstplichtig militair, bestuurder van een tank. Het was herfst, koud en nat. Tijdens de uitleg van de oefening stonden ze buiten onder de wachttorens van waaruit de schietoefeningen werden geleid. Ze leunden tegen de pilaren en rookten belastingvrije sigaretten. Vik las met Twan en de anderen de *Praline*, een Duitse variant op de *Penthouse*, waar een grote zwarte stip je het zicht op de wijd open vagina ontnam. In de grote groene gamellen zat koffie en thee. De koffie was meestal niet te zuipen, drabberig, te sterk of te licht, maar nooit gewoon goed. Zolang het maar warm was, maakte het ook niet uit. De thee was nog erger; op de dertig liter water hadden ze een heel doosje theezakjes in de gamel gehangen. Doordat ze er veel te lang in hingen, ontstond er een filmachtig laagje op de thee. Als je het spul dronk, voelde je je mond droog worden doordat het laagje zich afzette op je tanden, waardoor je de rest van de dag met je tong langs je tanden bleef glijden. Maar juist dat gebrek aan luxe leek een sterke band te creëren.

De macht die uitging van de tanks was opwindend; de klappen van het vurende kanon, de druk die je over je heen voelde komen als een soort monstergolf die tegen je lichaam kapotslaat. Zijn eigen wachtmeester verwoordde het misschien wel het meest treffend: 'De tank is Gods eigen voertuig.' Vik voelde het ook als hij alreed, als hij de 1500 pk gedoseerd losliet op de rupsbanden die alles op hun pad konden vermorzelen. Daar in Bergen Hohne had hij besloten om beroepsmilitair te worden. Maar hij had toen niet kunnen bedenken dat hij de oorlog ooit van zo dichtbij zou meemaken. Oorlog leek met het vallen van de Berlijnse Muur zelfs op zijn retour, maar hij was er, net als zijn wachtmeester, door gefascineerd.

'De tank, mannen,' riep zijn wachtmeester steevast voor een oefening, 'daar zit je niet in, die trek je aan. Het is niets meer of minder dan Gods eigen voertuig, een prachtig stukje techniek waardoor onze liefde voor oorlog toch nauwelijks te ontkennen valt.' Vik had er vooral om moeten lachen omdat hij het er zo mee eens was geweest.

Tot aan Afghanistan waren de oefeningen altijd anders geweest; ze waren de mooie facetten van zijn werk. Het buitenland, proberen de oorlog zo dicht mogelijk te benaderen, slapen in zelfgegraven putten of geïmproviseerde onderkomens, rantsoenen eten, de lucht die ze verspreidden door het gebrek aan persoonlijke hygiëne, de kameraadschap, de vermoeidheid en de buitenwereld die even niet leek te bestaan. Oefeningen die serieuzer werden naarmate de terroristische dreiging toenam. Terroristen waren wat dat betreft een betrouwbaardere vijand dan de Russen, die nooit kwamen.

Vanaf 2006 wist Vik dat hij naar Afghanistan zou gaan. Ze gingen nog harder en fanatieker trainen dan ooit tevoren. Zijn gezin zag hij vooral in de weekenden. Na dertien jaar zou het oefenen eindelijk plaats maken voor de realiteit. Dertien jaar onderdrukt verlangen stond op het punt van exploderen, zoals lava de krater van een vulkaan uit barst. Zonder dat hij het doorhad, schoven Lot, Fleur en Daan steeds meer naar een tweede plek.

'Je bent wel veel weg,' had Lot een keer in bed tegen hem gezegd. 'Het lijkt wel of jullie de eenheid belangrijker vinden dan thuis.'

De blik in haar ogen had Vik niet kunnen zien, maar hij had de angst gevoeld die in de lucht hing. 'Onzin, niets is belangrijker dan thuis,' sprak Vik vol overtuiging. 'Maar er zijn gewoon verschillen.'

'Wat dan, wat zijn die verschillen?'

'Gewoon, verschillen.' Vik dacht even na over hoe hij dit moest uitleggen. 'Mijn gezin bescherm ik door ervoor te zorgen dat ze niet in een oorlog terechtkomen. De mannen hebben geen keus, die moeten die oorlog in. Die kunnen we alleen beschermen door ze zo goed mogelijk voor te bereiden. Ze moeten weten wat ze te wachten staat, hoe ze moeten handelen in gevaarlijke situaties, en we moeten in alles op elkaar kunnen vertrouwen. De enige manier waarop wij ons kunnen beschermen is door zo veel mogelijk te trainen.'

'Maar waarom, Vik, waarom wil je in godsnaam die kant op, wat wil je daar bereiken?'

Vik ging rechtop in bed zitten, om aan te geven hoe belangrijk hij het vond wat ze nu bespraken. 'Ik geloof in vrijheid van meningsuiting, ik geloof dat ieder mens recht heeft op vrijheid van denken en doen, en dat kinderen naar school moeten kunnen, jongens én meisjes. Dat ze een tekening moeten kunnen maken zonder de angst te hoeven hebben om voor die gedachte gestraft te worden.'

'Dat begrijp ik wel...' Lot klonk als een te strak gespannen snaar, die elk moment zou kunnen knappen, 'maar dat hoef jíj toch niet te doen? Ben je nooit bang dat je niet terugkomt? Denk je nooit na over het feit dat jij je leven waagt voor mensen die je niet eens kent, terwijl er hier thuis mensen zijn die op je wachten, je missen en door jouw idealen in angst moeten leven?'

'Stel je voor dat wij dat zouden zijn, dat Daan wel naar school mag en Fleur niet. Dat Fleur al haar creativiteit moet verbergen omdat er hier mensen zijn die dat verbieden. Als wij in die situatie zouden zitten, dan hoop ik dat er mensen zijn die voor ons zouden doen wat wij nu voor de mensen in Uruzgan doen.'

'Dat gaat niet gebeuren, schat, dat weet jij net zo goed als ik.' De nauwelijks voelbare cynische ondertoon in het woordje 'schat' was precies genoeg geweest om Vik te irriteren.

'Het is al gebeurd,' had Vik geantwoord. 'De geallieerden hebben ons toch ook geholpen, of praten jij en ik nu Duits met elkaar?'

'Doe niet zo flauw. Dat was anders en dat weet jij ook.'

'Nee, voor mij is het precies hetzelfde. Trouwens,' vervolgde Vik ineens op ingetogen, bijna fluisterende toon, 'ik ben helemaal niet bang of ik wel terugkom, ik vraag me hooguit af hóé ik terugkom.'

Een paar minuten hadden ze tegen elkaar gezwegen, zoekend naar nieuwe woorden, misschien naar een sorry of een gelijk toegeven, maar het was niet gekomen.

'Als je zou moeten kiezen, Vik, tussen je werk en je gezin. Als je zou moeten, wat zou je dan kiezen?' Lots vingers draaiden de trouwring aan Viks hand zachtjes rond.

Vik had opnieuw een stilte laten vallen; hij twijfelde even of hij het geijkte, geruststellende antwoord zou geven en dus zou liegen, of de keiharde nietsontziende waarheid.

'Het lijkt me beter als je die vraag alleen stelt als je ook wilt dat ik het antwoord waarmaak, dat ik de keuze ook echt moet maken,' sprak hij zacht. Tegelijkertijd besefte hij dat, hoe eerlijk dat antwoord ook was, het misschien erger was dan liegen. Hij had de verantwoordelijkheid bij haar neergelegd; ze zou hem die vraag nooit meer kunnen stellen zonder verwijten achteraf. Ze hadden niet meer verder gepraat. De opmerking van Vik had het onbespreekbaar gemaakt, een soort taboe. Huilend had Lot zich omgedraaid en was uiteindelijk in slaap gevallen.

Die eerste oefening na Afghanistan was een anticlimax geweest. Op de kazerne had hij er nog naar verlangd, maar eenmaal in Duitsland had hij gevoeld dat alles anders was. Een paar keer had Vik zijn wapen door zijn handen laten glijden, maar het voelde anders aan. Niet als voor de uitzending, toen het, door jaren oefenen, bijna een deel van zijn lichaam was geworden.

Wat doe ik hier, had Vik zich afgevraagd, wat ga ik hier nog doen, wat ga ik hier leren wat ik niet al kan of wat ik nog niet weet, wat doet het er nog toe om hier te zijn? Als commandant hoefde hij ook niet meer te schieten. Tot dan toe had hij altijd bij de schietserie geschoten om zijn vaardigheid te behouden, als voorbeeld voor de mannen, om ze te tonen wat hij zich in jaren training eigen had gemaakt. Nu hij weer terug was wilde hij dat niet meer. Hij kon ook volstaan met aanwijzingen geven, wist hij. Dat was ook precies wat hij zou gaan doen. Zijn geweer, dat lang een soort verlengstuk van zijn arm was geweest, leek operatief verwijderd na de uitzending. Het was eerder een soort prothese geworden, die hij alleen zou plaatsen op het moment dat hij geen andere keuze meer had. Oefeningen misten de noodzaak; ze moesten een realistische weergave zijn van de werkelijkheid, maar in feite waren ze op hun best een karikatuur van de oorlog, vol regels, restricties en veiligheidsbeperkingen. Op de een of andere manier hadden ze iets kinderachtigs gekregen. Grote mannen die soldaatje speelden.

Vik had door de tabel van schietoefeningen gebladerd die de jongens een dag later zouden moeten doen. Eenvoudige oefeningen, waar ze niet meer patronen voor mochten gebruiken dan de oefening voorschreef. Meestal niet veel meer dan een kogel of twintig, soms dertig. '*Train as you fight*', zeiden ze dan, terwijl ze in Afghanistan met minstens vijftien magazijnen van dertig kogels rondliepen.

Voorzichtig, met respect, had hij zijn wapen even opgepakt en het toen teruggelegd in de kist. Alsof hij brak met zijn wapen, zoals je een liefdesrelatie kunt verbreken. Het was er ook niet meer uit gekomen. De eerste dagen had Vik het nog overwogen, maar naarmate de week vorderde, verdween ook de fantoompijn. De jongens hadden hem nog gevraagd of hij mee wilde schieten, maar Vik had steeds alleen vriendelijk gelachen. Hij had gezegd dat hij zijn wapen niet bij zich had en als een van de mannen het zijne uit wilde lenen, loog hij dat hij wilde dat ze met de groep trainden zoals het moest. Dat de munitie voor hen en niet voor hem bedoeld was. Subtiele en makkelijk te geloven leugentjes, die het begin hadden gevormd van iets dat hij niet onder ogen durfde te zien: dat hij verlangde naar de echte oorlog, naar de momenten die ertoe deden, naar de plek waar vergroeid zijn met dat wapen als normaal, iets goeds, misschien zelfs wel moois werd gezien.

Hij had aan zijn wachtmeester gedacht, of die zich net zo had gevoeld bij het afschaffen van de tanks als Vik nu. De tanks waren niet ingezet in Afghanistan en waren daarom afgeschaft. Het had zijn wachtmeester tot op het bot geraakt, maar desondanks was hij trots blijven kijken, zoals hij zijn mannen geleerd had. Wat kon hij ook anders?

5

'Je moet je trui nog uit,' zei Tony tegen Vik. 'Onder je jas moet je eigenlijk alleen dat geile visnetondergoed dragen.'

'Die trui is nostalgie,' antwoordde Vik. 'Had jij vroeger niet een oma die prachtige truien voor je breide en die je van je moeder moest dragen? Van die kriebeltruien, in een model waarvan je niet wilde dat je vrienden op school het zagen?'

'Het model is hier weinig relevant, majoor.' Tony lachte. 'En aangezien iedereen dezelfde draagt, zou je bijna kunnen zeggen dat het mode is.'

Vik keek opzij. 'Het is dat, of klederdracht natuurlijk.'

'U lijkt me niet het type dat voorstander is van klederdracht, dus misschien wordt het tijd om de trui uit te trekken.'

'Je hebt gelijk, al is de klederdracht hier wel gebonden aan functionaliteit.' Vik opende zijn rugzak. 'Maar ik wil die drill van een korte stop hier nog een keer in de hangar oefenen voor we weggaan.'

Vik trok zijn rugzak overeind en klemde hem tussen zijn benen. Hij ritste zijn jas open tot net onder zijn navel en haalde zijn handen uit de mouwen; de jas hing nu op zijn heupen. Snel trok hij zijn trui uit, trok nu pas de klep van zijn rugzak naar achteren en propte de trui in het grote vak. Hij sloeg de klep dicht, zodat er geen sneeuw in zijn rugzak terecht kon komen, en trok toen pas zijn jas weer aan. Hoewel er in de hangar natuurlijk geen sneeuw in zijn rugzak kon komen, wist Vik dat het gewenning moest worden, anders zou je op de verkeerde momenten fouten maken. Eén minuut en vijfendertig seconden had hij nodig gehad om het hele ritueel te voltooien; hij rondde het af op twee. Twee minuten onder ideale omstandigheden waren drie, misschien vier minuten in het echt. Naarmate hij het vaker zou doen zou de routine komen en zou het sneller gaan. Voor nu hield hij het op drie minuten en had hij dus, als het vijfminutenteken gegeven werd, nog twee minuten voordat hij echt in actie moest komen. Elke seconde die hij te snel zou zijn betekende dat hij stil zou staan, wachtend op het moment dat ze weer zouden gaan bewegen. Hij zou afkoelen, onnodig warmte verliezen, en dat moest zo veel mogelijk voorkomen worden.

Vik trok de witte beschermhoes over zijn rugzak en gooide hem op zijn rug, zette de met fleece gevoerde pet op en trok de grote wanten over zijn jas. Het was een raar gezicht: de groene wanten, zijn OPS-vest met patroonhouders en groene overschoenen op de witte sneeuwcamouflage. Van achteren konden de mannen volledig opgaan in hun omgeving, van voren vielen ze op zoals een vuurtoren langs het strand. Hij pakte zijn wapen en controleerde het voordat hij er een magazijn in plaatste en het om zijn nek hing. Als automatisch bracht hij, om de afstelling van de wapenriem te controleren, het een paar keer vanuit de hangende positie naar een positie om ermee te kunnen vuren. Daarna liet hij het schuin langs zijn linkerzij hangen. De meesten lieten het recht voor de borst of aan de rechterkant hangen, maar Vik had lang voor Afghanistan al ontdekt dat hij vanuit deze positie het snelst en meest accuraat was met zijn wapen. Urenlang had hij alle mogelijke posities geprobeerd, en deze beviel hem het best. Oorlog was eerst en vooral een kwestie van effectiviteit.

Vik pakte zijn skistokken en voegde zich bij de groep, die langzaam begon te bewegen. Hij rilde even en keek opzij naar Jan Willem, die naast hem liep. JW was net terug uit Afghanistan en daarna overgeplaatst naar de eenheid van Vik. Hij had hem bij binnenkomst bevorderd tot ritmeester, maar veel tijd om met elkaar te spreken hadden ze nog niet gehad.

'Voel je je al een beetje thuis bij ons?' wilde Vik weten.

'Met deze oefening val ik in ieder geval met mijn neus in de boter.' Het grootste deel van Jan Willems hoofd ging schuil achter een witte wollen balaklava, maar in de lichten van de kazerne waren zijn sproeterige wangen nog goed te zien.

'Hoe was je uitzending?' Even liet Vik een voorzichtige stilte vallen; hij wist niet of JW het erover wilde hebben. 'Ik hoorde dat je met je peloton behoorlijk klem gezeten hebt.'

Om JW's mond verscheen een lachje. 'Laten we zeggen dat het die dag ergens toch ook mijn geluksdag was.'

Minutenlang liepen ze vervolgens zwijgend naast elkaar, luisterend naar het knerpende geluid dat de poedersneeuw onder hun schoenen maakte.

'Mooi geluid,' doorbrak JW de stilte. 'Het doet me denken aan het geluid van de sneeuw onder je snowboard wanneer je als eerste op de piste bent. Vroeger maakte ik tochten met vrienden. Dit jaar ging ik wel op wintersport met vrienden, maar boarden deed ik alleen. Het eerste uur genoot ik van de stilte op de piste, de rust; daarna zette ik mijn koptelefoon op en liet ik me in mooie, lange bochten omlaagglijden. Kijkend naar het punt waar je je volgende bocht gaat maken. Zoals golven op de stranden rollen: op het moment dat er eentje landt, weet je al wanneer de volgende zal breken.'

Opnieuw viel er een stilte. Vik dacht aan de laatste keer dat hij op zijn board had gestaan, aan de manier waarop je door soepel je gewicht te verplaatsen en druk te geven op de kant mooie ronde bochten kunt maken. 'Zoals golven het strand op rollen,' herhaalde hij met een glimlach om zijn lippen.

De kazerne hadden ze inmiddels achter zich gelaten, waardoor ze steeds meer in duister gehuld raakten. In de verte zagen ze de gekleurde lampen van het vliegveld weliswaar al liggen, maar aangezien die op de grond geplaatst waren zouden ze niet helpen om te kunnen zien waar ze liepen. Vik keek omhoog. Hij hoopte het noorderlicht te zien, maar de lucht was helderzwart, het aantal sterren ontelbaar. Op de een of andere manier had hij het gevoel dat ze er hier dichterbij stonden dan in Nederland. In ieder geval was de nachtelijke hemel anders.

Vooraan werd het teken gegeven voor een korte stop; de voorste man van de groep boog af naar links en liep door tot hij aan kon sluiten bij JW en Vik, die achteraan stonden. Nu ze een cirkel vormden, draaide iedereen zijn gezicht naar buiten. Vik drukte zijn skistokken in de sneeuw, plaatste de rugzak opnieuw tussen zijn benen en gespte de klep alvast los. Hoewel hij de drill nog niet volledig onder de knie had, viel het hem niet tegen.

'We pakken mijn water wel,' had hij tegen JW gezegd, die had geknikt. Zittend op zijn rugzak pakte hij zijn thermosfles, schonk het warme water in de beker die boven de dop zat en nam een slok. Uit zijn jas had hij een paar dunnere wanten tevoorschijn gehaald, om zijn handen beter te kunnen gebruiken. De grote wanten had hij onder zijn jas tegen zijn borst gedrukt om ze warm te houden. Na de eerste slok bewoog hij zijn arm naar rechts en wachtte tot JW de mok had overgepakt. Hij dook dieper weg in de kraag van zijn jas en stak zijn handen in zijn zakken.

'Weet je wat het vervelendste was aan dat gevecht?' JW had een paar slokken warm water genomen en gaf de mok nu terug aan Vik. 'Ik heb trouwens genoeg,' voegde hij eraan toe. Vik schudde zijn hoofd en vouwde beide handen om de mok, om te voorkomen dat het water te snel af zou koelen.

'Geen flauw idee, ik was er niet bij', mompelde Vik, terwijl hij stoïcijns voor zich uit bleef kijken.

'Vijf!' klonk het duidelijk. 'Over vijf minuten gereed voor vertrek!'

'Echt niet meer?' JW schudde nee en dus kiepte Vik het laatste beetje warme water achterover en stak de met groene duct-tape bedekte thermos terug in het rechtervak van zijn rugzak. Hij begon zich klaar te maken voor vertrek. Hoewel de voorste mensen alweer liepen, stond Vik nog stil.

JW trok het elastiek van zijn wanten aan en trok het over de duim heen, zodat het nergens achter kon blijven hangen. Hij begon weer te praten. 'Het gevechtsinsigne was net ingesteld en wij waren de eersten die het zouden ontvangen. Er was besloten om de eerste insignes in Afghanistan uit te delen. De Commandant der Strijdkrachten was ervoor naar Afghanistan gekomen, en wij waren de eersten die het zouden krijgen. We voelden ons er kut bij, schuldig eigenlijk.'

Vik keek opzij en wachtte op een vervolg. Hij herinnerde zich het bericht in de *Defensiekrant*. Het had inderdaad een hoop kwaad bloed gezet. Veel jongens hadden er iets over gezegd: de laatsten die een insigne verdiend hadden, waren blijkbaar de eersten die er een kregen. Vik was er zelf ook kwaad om geweest; hij wist wel dat die jongens van dat peloton er ook niet om gevraagd hadden, maar toch. Het had gevoeld als voordringen. Bovendien bestond er de kans dat een of andere commissie vond dat zijn jongens het niet verdiend hadden, of dat het besluit teruggedraaid werd of de onderscheidingen op zouden zijn. Hij had het afgereageerd op jongens die hij niet kende. Een van die jongens was dus JW. 'Waarom voelde je je schuldig?' vroeg hij.

'Dat kan ik eigenlijk niet uitleggen,' vervolgde JW, 'maar het voelde gewoon niet goed. Wij waren heus niet de eersten die in gevechtscontact raakten. Sterker nog: wij waren op dat moment de laatsten en vergeleken met Chora of Deh Rawod in 2007 was het gevecht dat wij meemaakten toch iets heel anders.'

Vik zweeg. De woorden van JW deden hem pijn. Hij had de spijker op zijn kop geslagen, voelde hij, maar hij wist niet of hij dat moest vertellen, of kón vertellen. Het was zo'n moment dat het makkelijker was om te liegen. Hij begon zijn passen te tellen, terwijl hij zich afvroeg of zijn normale paslengte beïnvloed werd door de sneeuw. Hij kon van onderwerp veranderen; dat zou niet eens echt vreemd zijn na de woorden van JW. Hij had het zelfs kunnen opvatten als een vorm van respect of begrip. Het zou geen leugen zijn, of in ieder geval geen opzichtige of aantoonbare.

'Voor mij voelde het inderdaad ook zo.' De opmerking verraste Vik zelf ook. Hij had willen liegen, moeten liegen misschien, maar het lukte niet. 'Zo heeft het voor mij al die tijd gevoeld, tot jij mij nu dit verhaal vertelt.'

6

Na het eten was Vik naar de kelder van hun barak gegaan. Volgens de zandloper aan de muur zat hij nu al twintig minuten in de eenvoudige sauna. Hij was alleen. Door de glazen deur zag hij zijn kleren liggen op het lattenbankje, dat deed denken aan de kleedkamers van een eenvoudige voetbalclub. Op het bankje lag een net stapeltje met zijn handdoek, schone sokken en een onderbroek. Het stapeltje er direct naast zag er minder geordend uit. Zijn T-shirt op de grond, zijn gevechtsjas half op het bankje. Een pijp van zijn broek lag op het vermolmde hout van het bankje, de andere raakte net het plasje water op de tegelvloer.

Hij had een bericht gehad van Lot: de kinderen misten hem en zij ook, en ze hoopte dat hij het leuk had. Aan Ruth had hij zelf een berichtje gestuurd. Ze was zwanger, had ze hem die middag geschreven, en hoewel hij twijfelde of het van hem was, leek het hem beter om er niet naar te vragen en zo de dingen nog complexer te maken. Het leek hem een goed excuus om een punt achter hun relatie te zetten en verder nergens meer naar te vragen. Hij had het haar in een WhatsApp geschreven. Binnen tien minuten had hij een stuk of zes berichtjes van haar terug.

Eigenlijk hoopte hij op een bericht van Kim, maar van haar had hij sinds die avond in Trouw helemaal niets meer gehoord. Waarom zou ze ook? Kim was van niemand, ze was van zichzelf en haar enige echte liefdes waren dansen en drugs. Misschien was hij beter af zonder Kim, maar zij was de enige die hij echt miste.

Vik vroeg zich af hoe lang het zou duren voordat haar levensstijl ook fysiek zichtbaar zou worden. Op haar site dacht Vik de eerste veranderingen in haar schilderijen al te kunnen zien; de gestructureerde en spannende chaos leek plaats te maken voor bijna schizofrene doeken. Er sprak een voelbare angst uit haar werk, een donker en ongecontroleerd verlangen naar verlossing. Vooral de werken die ze maakte een dag of twee na een trip waren heftig. Ze was onberekenbaar en onbereikbaar. Daarom juist wilde hij bij haar zijn.

Vik liep de sauna uit. Met een armbeweging pakte hij de telefoon uit zijn zak en ging terug de sauna in. Hij controleerde of hij bereik had en belde naar Lot. Drie keer liet hij de telefoon overgaan en toen hing hij op. Hij bleef naar het scherm kijken en twijfelde, niet zozeer over wat hij ging zeggen, maar eerder hoe. Als Lot zou terugbellen, zou hij dan opnemen? De slechte ontvangst hier gaf hem altijd een excuus om alleen op te nemen als hij er zin in had.

Vik belde opnieuw. De telefoon ging een aantal keren over en sprong op haar voicemail. 'Hallo, met Lot,' sprak haar vrolijke stem. 'Ik ben er even niet, maar ik zou het leuk vinden als je wat voor me inspreekt.'

Vik hoorde de piep en liet een lachje ontsnappen.

'Lot, met mij. Vik.' Alsof ze het anders niet zou begrijpen of geloven. 'Als ik terug ben uit Noorwegen kom ik niet meer naar huis. Ik geloof niet dat ik nog van je hou, eigenlijk geloof ik niet dat ik überhaupt nog weet wat houden van is en of mensen ertoe in staat zijn. Van een ander houden, bedoel ik. Mensen houden van zichzelf, en om daarvoor bevestiging te krijgen zoeken ze mensen om zich heen die zeggen dat ze van hen houden. Omdat we ons omringen met mensen die ons aardig vinden, denken we vaak ook dat we aardig zijn. Het zijn leugens, Lot, maar dat wist ik nog niet toen we trouwden. Neem het jezelf niet kwalijk.'

Vik had nog meer willen zeggen, maar hij hoorde opnieuw een piep, die hem vertelde dat hij de maximale duur van het voicemailbericht had bereikt. Even keek hij met een holle blik naar zijn telefoon, alsof die de ingesproken boodschap nog een keer zou herhalen en hem daarna zou vragen of hij er zeker van was dat dit inderdaad het bericht was dat hij achter wilde laten. Toen zocht zijn wijsvinger de powerknop die boven op zijn toestel zat; als hij hem kort zou indrukken zou het toestel slechts op stand-by gaan. Hij hield de knop ingedrukt tot op het scherm een rood blok met een witte pijl verscheen. 'Zet uit,' stond er. Hij nam de telefoon in zijn linkerhand en liet met zijn vinger de pijl naar rechts bewegen.

7

In de knusse bar vroeg hij om een biertje. Na de sauna had hij zijn spullen voor morgen gecontroleerd en had hij een uurtje geslapen. Hij was wakker geworden met een stijve nek en de bekende druk achter zijn ogen. Hij moest een manier zien te vinden om te ontspannen, anders zou hij binnen een paar uur knallende koppijn hebben en zou alles wat hij at of dronk er bijna direct weer uit komen.

De migraineaanvallen waren een maand of twee geleden begonnen. Hij wilde Lot er niet de schuld van geven, maar hij wist dat de spanning die tussen hen was ontstaan een van de oorzaken was. Hij had het niet durven zeggen, maar het was een vorm van beroepsdeformatie. Hij was opgeleid om patronen te analyseren en elke verandering daarop zo snel mogelijk op te merken. Na al die jaren was het een automatisme geworden en dus zag hij zo ook de veranderingen thuis en in zijn relatie. Veranderingen die niet voortkwamen uit psychologie en logica, maar uit hormonale verlangens. Het waren die hormonale verlangens waar Vik verslaafd aan was geraakt. Dopamine, adrenaline, endorfinen en testosteron bepalen het doen en laten van de mens. Toegeven dat onze hormonen sterker zijn dan ons brein betekent toegeven dat we in feite niet veel intelligenter zijn dan een hond of kat.

In de gesprekken met Lot had Vik gemerkt dat ze elkaar niet meer bereikten. Ze praatten en luisterden, of deden alsof, maar ze hoorden niet meer wat ze eigenlijk tegen elkaar zeiden. Hun gesprekken waren langzaam maar zeker een vast patroon gaan volgen. Steeds weer werden dezelfde onderwerpen besproken, steeds opnieuw hoorden ze elkaars standpunten aan. Maar ze bewogen niet meer naar elkaar toe. Om te overtuigen gingen ze harder praten, en uiteindelijk mondde het uit in schreeuwen. Toen schreeuwen niet meer hielp, waren ze elkaar gaan slaan, en om het geschreeuw en slaan te voorkomen had Vik geen andere oplossing kunnen vinden dan wanhopig zwijgen. Misschien leidde zwijgen wel tot meer wanhoop dan men dacht.

Vik voelde een blikje tegen het zijne aan tikken. 'Proost.'

Hij keek opzij, maar had moeite om zich te concentreren. Het was al te laat, wist hij; nog even en hij zou niet meer in staat zijn om nog licht te kunnen verdragen. Dan zouden zijn ogen voelen als ballonnen die te ver werden opgeblazen. Als hij direct na het bellen een 'bommetje' – twee paracetamol en twee ibuprofen – ingenomen zou hebben, dan was het waarschijnlijk niet gebeurd, maar daarvoor was het nu te laat. Een snuif speed, stuifzand of 'dasht', zoals hij het zelf noemde om de relatie met Uruzgan te benadrukken, zou helpen, maar daar was hij mee gestopt vanwege de angstaanvallen die hij kreeg als het spul uitgewerkt was.

Kim had hem de eerste keer dat het hem was overkomen uitgelachen. 'Goedemorgen, welkom op *terrible tuesday*,' had ze gezegd, waarna ze boven op hem was gaan zitten en ze hem geneukt had. 'Die angst in je ogen, de pijn die je nu hebt, het windt me op... Stel je voor dat je nu echt dood zou gaan.' Vik was niet in staat zich iets voor te stellen; hij voelde hoe ze hem bereed, hoe hij zelf zweette, maar vooral hoe zijn borstkas samentrok. Alsof zijn ribben langzaam maar zeker naar binnen werden gedrukt en de punten zijn longen en hart perforeerden.

'Morgen wordt een mooie dag,' zei Tony naast hem. 'Veel lessen, maar wel leuke lessen. Het schijnt dat het heel koud wordt, dus dan kunnen we gelijk zien of de mensen zich aan de afspraken houden.'

'Misschien moet ik dan maar niet te veel zuipen en vroeg naar bed.' Vik probeerde voorzichtig te glimlachen terwijl hij het zei.

Het liefst zou hij nu het gebouw uit lopen en zich met open ogen voorover in de poedersneeuw laten vallen om daar een uurtje te blijven liggen.

'Vroeg naar bed is een goed plan,' antwoordde Tony. 'De hele dag buiten zijn in deze temperaturen vraagt veel energie, en die hebt u morgen hard nodig.'

Opnieuw lachte Vik. 'Bedankt voor de tip, ik denk dat ik dat maar eens ga doen dan.' Vik dronk het blikje Carlsberg leeg, stak zijn hand op naar Tony en verdween.

In zijn kamer zocht hij naar de aspirines en ibu's, vanwege de kleur ook wel *pink panters* genoemd. Hij drukte ze door de strip heen en slikte de tabletten door met een slok water uit zijn thermosfles. Het lauw geworden water leek in zijn strottenhoofd te blijven hangen en maakte hem misselijk. Om het gevoel tegen te gaan stak hij zijn hoofd onder de koude kraan van de wasbak. Met z'n achten sliepen ze op deze kamer: vier stapelbedden stonden in de lengte langs de muren, ertussenin steeds twee kasten. In het midden stonden twee tafels met acht stoelen eromheen, op de tafel een metalen asbak en verder eigenlijk niets. De kamer leek groot, maar de rugzakken vulden de verder kale ruimte. Er hing, zelfs na die eerste dag, een lucht van zweetvoeten. Hij was nu nog alleen; de anderen stonden onder de douche of waren nog in de bar, gokte hij.

Vik voelde hoe de ijskoude straal water via zijn haren langs zijn nek liep en voor opluchting zorgde. Zodra hij zijn hoofd onder de kraan vandaan haalde kwam de misselijkheid terug – zoals je in het midden van een schip precies op de waterlijn geen last hebt van zeeziekte, maar zodra je denkt dat het over is en je dat punt verlaat, die terugkomt. Vaak sneller dan je verwacht had. In een reflex greep Vik de stalen prullenbak die naast de wasbak stond. De binnenkant vertoonde sporen van roest, de buitenkant was gedeukt en op de sommige plekken was de grijze verf ervanaf gebladderd. Het waren dezelfde bakken als op Nederlandse kazernes:

prullenbakken die je op een kantoor of in fabriekshallen terug kon vinden, van die bakken die eigenlijk nooit verslijten. Een blik in het ding was het laatste zetje dat Vik nodig had om over zijn nek te gaan.

Vik voelde hoe het warme braaksel langs zijn linkerhand liep. Hij had niet langs de emmer gespuugd, maar de bodem bleek gescheurd. 'Jezus christus, dat kon er ook nog wel bij,' hikte hij snakkend naar adem.

'Ben je oké?' Vik vroeg zich af of JW hier al lang stond, maar het deed er ook niet toe.

'Zo ziet het er niet echt uit, of wel?' antwoordde Vik. 'Ik heb het wel vaker de laatste tijd. Het duurt een dagje en dan gaat het wel weer.'

'Kan ik wat voor je doen?'

'Dank je, maar ik ruim mijn eigen zooi wel op voordat de anderen komen. Ik zou het op prijs stellen als het tussen ons blijft.'

'Dat snap ik,' antwoordde JW, 'maar met die zure lucht wordt dat nog lastig. Die zal wel even blijven hangen, vrees ik.'

Vik hield de prullenbak scheef, zodat er niet nog meer uit zou lekken, en liep naar het toilet, waar hij de emmer leegkiepte en hem tijdelijk in een hoek zette. Uit de corveekast trok hij een emmer, een zwabber, sop en chloor, en hij maakte de kamer schoon.

'Ik ga even douchen,' zei hij tegen JW, die op zijn bed met zijn iPod op een boek lag te lezen.

'Roger, ik hoop dat het helpt, dat je je daarna beter voelt.'

'Dat hoop ik ook,' antwoordde Vik. Hij schoot zijn slippers aan, pakte zijn handdoek en smeet zijn telefoon achter in zijn kast. Via het toilet liep hij naar de douches. Onder de douche zou hij de prullenbak ook wel schoon kunnen spoelen, gokte hij; daarna zou hij hem wel voor de deur van hun kamer zetten. Hij hoopte dat het warme water hem zou ontspannen. Hij gooide nog een bommetje naar binnen – het vorige had hij hoogstwaarschijnlijk uitgespuugd – en stapte onder de krachtige warme straal. Hij vroeg zich af of de douches hier zo goed waren omdat een goede douche je de extreme kou kan doen vergeten. De meeste kazernes waar Vik was geweest hadden een douche met een enkele drukknop en een niet-regelbare temperatuur, waardoor de douche meestal net te koud was om lekker te kunnen douchen. Alsof ook het douchen in het leger altijd uniform moet zijn, gedisciplineerd en functioneel moet verlopen.

Het hete water liet een rode streep achter op zijn rug, maar op zijn armen stond kippenvel. In deze toestand mee naar buiten gaan was geen optie, wist hij. Het zou min vijftig worden en zijn lichaam had alle energie al nodig om beter te worden, laat staan dat hij in staat zou zijn om zich in deze omstandigheden warm te houden. Zeker als hij zijn eten en drinken niet binnen zou kunnen houden. Hij probeerde na te denken wat hij eraan kon doen, maar de migraine voelde als een mes dat elke gedachte neerstak en openreet.

JW keek Vik even aan en stak zijn duim op. Aan de blik in zijn ogen zag Vik dat hij wilde weten of hij zich al beter voelde. Vik fronste zijn wenkbrauwen en trok zijn lippen wat op om de indruk te wekken dat het wel ietsje beter ging. Het was niet waar, maar het leek Vik er niet toe te doen. Het was wat je deed om de bezorgdheid weg te nemen; waarom anderen opzadelen met problemen die toch niet op te lossen zijn?

'O ja,' zei JW, 'je vrouw heeft nog gebeld op de telefoon van de eenheid. Ze klonk wat overstuur, hoorde ik.'

Vik keek om vanuit de deuropening van zijn kast. Hij had een dun fleecemutsje opgezet om mee te slapen.

'Ik heb gezegd dat je ziek bent, maar als je je beter voelt moet je misschien even terugbellen.'

'Dank je.' Vik gooide de kast dicht en kroop in bed. Hij wilde maar één ding: morgen weer fit zijn.

8

De tent die ze zojuist halverwege de top van de Andselv hadden opgezet, met een hoge stok in het midden en acht hoekpunten, kwam op zijn hoogste punt tot net iets boven zijn middel, waardoor hij er nog het meest uitzag als een circustent voor tuinkabouters in camouflagekleuren. Hun skistokken dienden als tentharingen, de sneeuwschoenen werden gebruikt om de dieselkachel op te plaatsen. Er waren hier eigenlijk maar weinig attributen die slechts één functie hadden, dacht Vik; creativiteit komt blijkbaar het best tot zijn recht op de plekken waar er noodzaak toe is. Omdat het materiaal dat je mee kunt nemen in een rugzak beperkt wordt door het volume van de rugzak, maar vooral door het gewicht dat iemand kan dragen, werd er hier goed over nagedacht.

Vik sloeg de flap van de tent open. In een soort halvemaanvorm lagen de matjes en slaapzakken rond de kachel, die vrijwel direct achter de ingang stond. Elf matjes telde hij; ze lagen deels over elkaar heen. De tenten waren gemaakt voor veertien man, had hij gehoord, maar zoveel man leken hier alleen te passen als ze lepeltje-lepeltje zouden liggen. Het verbaasde Vik niet; door zo dicht mogelijk tegen elkaar aan te liggen ging er zo min mogelijk warmte verloren, en dat was waar alles hier om draaide.

Toen ze waren aangekomen hadden ze eerst de sneeuw aangestampt tot er een soort krater was ontstaan van zeker een halve meter diep. In dat gat hadden ze de tent opgezet. Nu waren ze met hun sneeuwscheppen bezig om een hoge sneeuwwal rond de tent op te werpen, zodat deze beschermd werd tegen de wind. Het sneeuwde – in de afgelopen paar uur was er zeker tien centimeter sneeuw gevallen, een teken van zeewind.

Tijdens de lessen in de eerste week had Vik gemerkt wat de invloed van de wind hier kon zijn. De westenwind zorgde inderdaad voor een stijging van de temperatuur, maar was vaak wel een voorteken van hevige sneeuwval. Sneeuw die onvoorspelbaar en chaotisch leek als Vikingen. De oostenwind was koud en kwam, als een charge van een meedogenloos kozakkenleger, vanuit Siberië via de toendra's over je heen denderen. Als je je er niet op had voorbereid, was je lichaam weerloos en ontstonden er diepe wonden op de onbeschermde huid. Winter boven de poolcirkel leek een soort loopgravenoorlog tussen Vikingen en kozakken.

Op de circustent lag inmiddels een laagje sneeuw van een centimeter of tien, waardoor de Vikingen op dit moment duidelijk aan de winnende hand leken. De westenwind leek misschien minder gevaarlijk, maar hij verhoogde de kans op lawines, die zich onverwachts, alsof je in een hinderlaag liep, over je heen konden storten. Het desoriënteerde je dusdanig dat je tijdens verplaatsingen goed uit moest kijken dat je het zicht op je voorganger niet verloor. Je liep dan het risico om afgezonderd te raken van de groep, waardoor je kwetsbaar werd, als een rendier dat door wolven van de kudde gescheiden wordt.

De eenheid van Vik had in meer opzichten iets weg van een kudde rendieren, bedacht hij, die voor het eerst van hun leven boven de poolcirkel kwamen en niet bekend waren met de gevaren ervan. Alleen al in de lesweek waren er een man of veertien uitgevallen met ernstig koudeletsel, simpelweg omdat mensen zich niet aan de afspraken hielden. Op de tweede lesdag, met bijna min vijftig graden de koudste dag tot nog toe, waren er maar liefst negen mensen uitgevallen; de meesten omdat ze dachten dat hun eigen handschoenen, het type dat je in Nederland in de winter op de fiets draagt, ook wel voldoende zouden beschermen. Ze hadden een harde les geleerd: de pijn zou hen er de komende dagen aan helpen herinneren waarom er bepaalde regels zijn. Vik was deze dag ziek geweest, maar hij had geen medelijden met ze gehad – sterker nog: hij had ze nog eens geconfronteerd met hun eigen gedrag om ze zich nog rotter te laten voelen dan ze al deden.

Toen de sneeuwmuur klaar was groeven ze een plek waar ze hun branders konden plaatsen en waar ze water konden koken, een gat waarin de rugzakken gelegd werden, en een pispunt. 's Ochtends begonnen ze met ontlasten; je lichaam besteedt schijnbaar veel energie aan het warm houden van je ontlasting, en dat was verspilde energie. Stap één tegen de kou was een muts, stap twee was pissen, stap drie bewegen. Als dat allemaal niet hielp, dan kon je je warmer aankleden, maar meestal hielp dat dan ook al niet meer en was je aangewezen op de lichaamswarmte van een van je collega's.

'Lukt het?' vroeg een van de soldaten met wie hij vannacht in een tent zou slapen.

Vik blies in zijn handen, en draaide daarna voorzichtig aan de gasregelaar en keek toe hoe de vlam in de brander mooi egaal blauw kleurde.' Weet je wat ik zo mooi vind van deze omgeving?'

'Geen idee.'

'Dat hier luxe, geld, taboes, ethiek en wat al niet meer onbelangrijk zijn. Hier telt alleen overleven.'

De soldaat liet een korte stilte vallen 'Zal ik het even van u overnemen?'

Vik schudde zijn hoofd. 'Straks.' Hij pakte een stapel lege campingpannetjes en gaf ze aan de soldaat. 'Vul eerst deze maar met sneeuw,' zei hij.

'Gek, hè, zo vlak als het hier ineens is,' zei de soldaat terwijl hij naast Vik kwam zitten. Hij zette drie tot op de rand volgestampte pannetjes naast Vik neer. 'Het lijkt wel alsof iemand het stuk hier geëgaliseerd heeft zoals je een betonnen vloer gladstrijkt met een lat.'

'We zitten hier op een dichtgevroren meer, denk ik,' antwoordde Vik, die uit zijn jaszak de kaart tevoorschijn trok om te checken of het klopte. 'Aan de vlakke stukken kun je de bergmeren makkelijk herkennen; dat maakt het oriënteren hier makkelijker.'

Langzaam maar zeker begon het zicht af te nemen en leken ze opgeslokt te worden door de dikke, grijze sneeuwwolken.

'Zouden we de top wel kunnen bereiken bij dit weer?' wilde de soldaat weten.

Vik goot het kokende water in een van de lege thermosflessen. 'We gaan,' zei hij vastbesloten. 'Maak jij dit verder af? Alleen deze twee thermo's moeten nog worden gevuld.'

Vik wachtte het antwoord niet af. Hij stond op en liep naar de tent van Sverre, een klein eenpersoonstentje dat amper boven de sneeuw uitkwam. Sverre zat op zijn rugzak en pookte met een lange tak in het vuurtje dat hij had gestookt om warm te blijven. Naast hem lagen zijn twee honden. De husky was eigenlijk niet van Sverre, maar van zijn vriendin. Maar als hij de bergen introk mocht de hond altijd mee. Liggend in de sneeuw, met de haren van haar doffe grijze vacht overeind, haar kop en rug bedekt met de vers gevallen sneeuw, had ze veel weg van een wolf. Ogenschijnlijk nonchalant en ongeïnteresseerd volgde ze Viks bewegingen, maar haar ogen verraadden hoe alert ze was; ze zou niet meer dan een handbeweging, een knik of een opdracht nodig hebben om in een reflex overeind te komen en haar baasje te beschermen.

'Koffie?' vroeg Sverre, die Vik uitnodigde naast hem op de rugzak te komen zitten.

'Graag,' antwoordde Vik, die zag dat Judy nu haar kop ontspannen op haar voorpoten liet zakken en haar ogen half sloot. 'Hopelijk is hij beter dan de koffie uit jullie kantine,' grapte hij. Op het ronde gezicht van Sverre verscheen een glimlach. Zijn wangen waren rood door de kou, wat hem een vriendelijke uitstraling gaf.

Bij het aanpakken van de koffie hielden hun blikken elkaar net lang genoeg vast om te zien wat erachter lag. Er werden geen vragen over gesteld, er waren slechts een korte knik en een schrale glimlach voordat ze beiden voorovergebogen in hun mok keken. Ze hadden genoeg gezien. De grijze ogen van Sverre hadden verraden dat ze wisten wat Vik ook wist. Het zat 'm vaak in de pupillen, die een vreemde gloed kregen. Het deed een beetje denken aan zwart jade, dat de indruk wekt dat je erdoorheen kunt kijken – dat is een illusie die ontstaat doordat je in feite de spiegeling van het licht op het gladde zwarte steen waarneemt.

'Denk je dat het veilig is om morgen de Andselv op te gaan?'

Sverre staarde in het vuur. 'De meeste klimmers die naar Tibet gaan, denken dat ze ervaren klimmers zijn en ze zijn ervan overtuigd dat ze de top halen. Ze hebben getraind, hebben plaatjes van de berg bestudeerd, erover gelezen in boeken en op internet. Als ze bij de berg aankomen, denken ze dat ze alles weten wat ze moeten weten.' Met een stevige stok tilde hij de koffieketel van het vuur en schonk de mok weer vol. 'Ze huren een sherpa die hun bagage kan dragen en hen naar boven kan loodsen. Als ze de gevaren van onwetendheid in die eerste dagen overleven, ontstaat het gevaar dat ze overmoedig worden.'

Vik zweeg; de beeldspraak van Sverre was een op een van toepassing op Afghanistan.

'De weersvoorspellingen voor de komende dagen zijn slecht.' Sverre gebruikte geen eufemisme, wat onder militairen een waarschuwing op zichzelf was.

Vik lachte. 'Dus het ziet ernaar uit dat het weer niet al te best wordt?' De hoop op slechte omstandigheden maakte spanning in hem los, merkte hij.

'Je hebt te weinig vet,' waarschuwde Sverre Vik. 'Als het kouder wordt, kun je gewond raken.'

'Ik overleef het wel,' grapte Vik.

'Maar jij moet wel blijven eten. Je zult de energie nodig hebben,' zei Sverre.

Hij hield de zak met warme cranberrymuesli schuin in de richting van Vik, die zijn lepel pakte en er een hap uit schraapte. Van alle rantsoenen die hij hier tot nog toe had gegeten was dit het smerigste, alsof je mond een cementmolen was die moest voorkomen dat het cement stolde tot beton. En toch, hoe langer je erop zat te kauwen, des te harder de klomp in je mond werd. Uiteindelijk zou het als een blok je maag in vallen, waar het uit leek te zetten als oliebollenbeslag. Op het moment dat Vik de bal door probeerde te slikken, leek het net of deze zijn slokdarm maar niet wist te bereiken, alsof hij in zijn keel bleef plakken als kauwgom onder een schoen.

Sverre keek Vik lachend aan. 'Ik deelde dit rantsoen niet omdat je de energie nodig hebt, ik gaf het je omdat het ranzig is.'

'Terrorist,' beet Vik hem lachend toe.

'Het is gelukkig wel gezond.'

'Maar je hebt mijn vraag nog niet beantwoord,' zei Vik. 'Kunnen we die berg op?'

Hij keek hoe Sorak door de sneeuw sprong en Judy uitdaagde om te komen spelen. Ze zouden buiten slapen, wist Vik ondertussen, dicht tegen elkaar aan bij het vuur, om de volgende ochtend wakker te worden onder de sneeuw. Sverre keek naar zijn honden en gooide een handvol sneeuw in de richting van Sorak, die hem luid blaffend uit de lucht probeerde te happen.

'Misschien.' In de korte stilte die viel keek Sverre naar de lucht. 'Wind uit het oosten gecombineerd met sneeuw betekent dat de kans op lawines klein is, maar dat de kans op koudeletsel toeneemt. Als jouw mensen de lessen van afgelopen weken dan niet in acht nemen, gaan ze naar de kloten.'

'Dat is precies de reden waarom we hier zijn,' antwoordde Vik droog. 'Daarom wil ik dat ze de Andselv op gaan morgen.'

'Zolang ik maar niet degene ben die morgen iedereen weer terug kan brengen naar de barakken, omdat ze bevriezingsverschijnselen hebben opgelopen. '

Vik keek verbaasd naar Sverre; hij vroeg zich af wat hij bedoelde. Blijkbaar was er vandaag al een aantal mannen teruggebracht naar het kamp aan de voet van de berg.

'Hoeveel?'

‘Zes.’

‘Wie gaf daar opdracht toe?’ vroeg Vik verbaasd.

‘De *medic*, die blonde sergeant-majoor.’

‘Als jij ons morgen naar boven brengt, dan ga ik dit wel even regelen,’ zei Vik, terwijl hij opstond. Hij nam een laatste slok van zijn koffie, spoelde zijn mond ermee en tufte op de grond om de laatste resten van de cranberrymuesli kwijt te raken. Hij keek over de ijsvlakte. ‘Basiskamp,’ zei hij hardop tegen zichzelf, omdat dat was waar het kamp het meest op leek.

Hij ging op zoek naar de blonde sergeant van de geneeskundige dienst. Vik kende haar niet; zijn eigen *medic* was op cursus en dus hadden ze er eentje gekregen van een andere eenheid. Hij was pissig, maar ergens genoot hij van het moment dat ging komen.

9

De drukte in het kamp was afgenomen, de tenten stonden, de pisplekken waren gemaakt, de flessen gevuld. De mannen zaten voor of in hun tenten en aten rantsoenen. Eén sneeuwwoestijn was het, en zij waren de Kuchi-nomaden die vandaag op dit stuk land stonden. De paar voertuigen die hier stonden waren hun kamelen. Ze hadden geen beschutting nodig, ze hoorden hier thuis.

Het was lastig om de sergeant te vinden als iedereen zo diep in zijn *whities* weggedoken zat en hun winterpetten tot ver over de oren omlaaggetrokken waren. Vik wist niet eens in welke tent ze eigenlijk sliep en dus besloot hij de tenten langs te lopen en gewoon even een praatje te maken met de mannen. Zo zou hij er vanzelf wel achter komen waar die kuttenkop uithing.

'Majoor, majoor!' Vik keek om. Vanaf de tent links langs de bosrand zag hij iemand op hem af komen; het duurde even voordat hij het goed kon zien. 'Als je het over de duvel hebt,' mompelde hij. En toen, hardop: 'Ja!'

'Majoor, ik wil het even over morgen hebben, over de risico's van het weer,' zei de blonde medic.

'Want?' Vik keek haar doordringend aan. Waar haalde ze het lef vandaan om hierover te beginnen. Alsof zij hier de leiding had, alsof ze al jaren in het gebied woonde en precies wist wat hier de risico's waren. 'Ik wil het daar met jou niet over hebben. Ik wil dat je even nadenkt over wat jouw functie hier is en wat de mijne. Er gaat hier namelijk een aantal dingen goed fout in mijn ogen!'

Vik pauzeerde even. De sergeant had een blik in haar ogen alsof ze er net achter gekomen was dat ze was uitgehuwelijkt voor een schaap en een paar kamelen.

'Even voor de duidelijkheid: ik neem aan dat je weet wat jouw rol hier is?'

'Ik ben hier voor de geneeskundige ondersteuning, majoor,' prevelde ze met een zacht stemmetje. 'Ik zorg ervoor dat mensen de hulp krijgen die ze nodig hebben.'

'Dat is de ellende met veel van jullie: jullie werken te vaak in verpleeghuizen, waardoor je je gaat opstellen als een godvergeten zuster aan het bed van een zieke. Je bent militair verpleegkundige, weet je wat het verschil is?'

Vik gaf haar niet de kans om te antwoorden. 'Het verschil is dat in het leger de opdracht voorgaat, dát is de kern van dit godvergeten bedrijf. Jíj geeft een advies en ík neem een besluit over wat er gaat gebeuren.'

'Maar ik dacht...'

'Het was fijn geweest als je had gedacht, maar daar heb ik je nou niet echt op kunnen betrappen.'

'Pardon?'

'Dat ik je daar niet op heb kunnen betrappen. Heb jij enig idee met hoeveel mensen we hier nu in het kamp zitten, heb je voor mij een namenlijst van de mensen die je omlaag hebt gestuurd?'

'Nee.'

'Hoe moet ik dan in godsnaam weten met z'n hoevelen we hier zijn, wie hier nog wel is en wie niet meer? Op deze manier raak ik het overzicht behoorlijk kwijt. Denk je ook niet?'

'Jawel, majoor.'

'Mooi, dat lijkt me dan duidelijk! Vanaf nu geef je mij een advies en neem ik het besluit. Hoe beter jouw advies, des te beter mijn besluit. Ik neem aan dat ik duidelijk ben.'

Hij zag de sergeant bevestigend knikken. Toen liet hij haar gaan.

10

Vik keek toe hoe de mannen bezig waren de tenten waar ze in hadden geslapen achter in een BiVi-rupsvoertuig te stapelen. Het slapen in de tenten was een ervaring op zich geweest. Met z'n dertienen hadden ze op acht matjes geslapen. Twee man hadden steeds de wacht gehouden, vooral om ervoor te waken dat de kachel uit zou gaan; de andere elf sliepen in een halvemaan rond de kachel. Het was meer dan lepeltje-lepeltje geweest; ze lagen niet zozeer naast als wel op elkaar. Alleen aan de onderkant had Vik zijn slaapzak een klein stukje opengeritst, omdat hij met zijn voeten zo dicht bij de kachel lag dat ze gingen zweten. Draaien was onmogelijk; je lag zoals je lag, en af en toe werd je wakker omdat het oncomfortabel werd, of omdat er iemand toch probeerde te draaien.

Het was iets waar gewone mensen zich geen voorstelling van kunnen maken, dacht Vik. Zij zouden zich afvragen waarom iemand zich hier in godsnaam toe zet, welk plezier je eraan kunt beleven. Vik had dat zichzelf ook weleens afgevraagd, maar het simpele antwoord had een beetje een pindakaaseffect: hij vond het gewoon lekker.

Tijdens de wacht van afgelopen nacht had hij er nog eens over nagedacht. Hij had buiten gezeten met een grote mok thee, starend naar de lucht; omdat het nog steeds sneeuwde waren er geen sterren of noorderlicht te zien. Hij wisselde de jerrycan met brandstof voor de kachel omdat het tikkende geluid verraadde dat hij bijna leeg was en dacht aan Twan, die hij sinds zijn bruiloft niet meer gesproken had. Hij had ook niet echt het gevoel dat dat nodig was. Hij dacht aan hem en dat was genoeg. Ze wisten van elkaar dat het goed was, dat als ze elkaar zouden zien, ze verder konden gaan waar ze waren gebleven. Alsof tijd voor hen alleen bestond op het moment dat ze elkaar zagen.

Twan en hij hadden samen deel uitgemaakt van een verkenningsteam dat meedeed aan de Boeselager-wedstrijden: een internationale verkenningswedstrijd die één keer in de twee jaar werd gehouden. Van een hele brigade, ruim duizend man, waren zij samen met nog achttien anderen uitgekozen om deel uit te maken van de groep. Uiteindelijk hadden ze het ook beiden tot het wedstrijdteam van tien man gebracht. Twan met gemak; hij was fysiek sterker dan Vik en minder eigenwijs. Vik haalde het op het nippertje. Zijn grote bek had hem bijna een plek in het team gekost. Twan was de zwijger en Vik de prater. Samen waren ze een ideale combinatie en in die periode waren ze bijna onafscheidelijk geweest.

Ooit had Vik geloofd dat ze, na de val van de Berlijnse Muur in 1989, een ander leger waren geworden. Ze vochten niet meer voor de oorlog, maar voor de vrede, humanitaire taken die niemand kon of wilde uitvoeren. Toen in Srebrenica bleek dat de VN slagkracht misten en het een bijna impotente organisatie met een kinderlijke naïviteit bleek te zijn, besloot de NAVO om de democratische kastanjes uit het vuur te gaan halen. De missies kregen een andere toon; er werd nu serieus gevochten voor de vrede. Hoe harder ervoor werd gevochten, des te geloofwaardiger was het ideaal voor Vik geworden.

Terwijl Vik nog op de militaire academie zat, ging Twan naar Bosnië om de vrede af te dwingen. Vik was in zekere zin jaloers geweest, bang dat de conflicten uit de wereld zouden zijn tegen de tijd dat hij afgestudeerd was. Maar het bleek allemaal mee te vallen met de vrede en Vik mocht als pelotoncommandant naar Cyprus. Een eenvoudige missie weliswaar, dus er zou niet geschoten worden; ze bewaakten een bufferzone. Om de neutraliteit van de VN te benadrukken bestond zijn peloton ineens uit Argentijnen,

Hongaren, Oostenrijkers, Britten en Nederlanders. Heel spannend was het allemaal niet, maar er gebeurde altijd wel iets en alles was er echt: de wapens, de mijnen, de opdrachten. Hij genoot ervan om weg te zijn, om met de mannen op pad te zijn in primitieve omstandigheden. Het was een goede leerschool voor Afghanistan geweest, en het had zijn idealen aangewakkerd.

Voor Afghanistan was hij naïef geweest. Net als Aristoteles had hij gedacht dat het doel van oorlog vrede was – een ideaal dat in Uruzgan gesneuveld was. Het doel van oorlog was oorlog, wist hij sindsdien. Het was een vorm van darwinisme: de sterken verslaan de zwakken, waardoor de soort sterker wordt. Door het overwinnen van de zwakken herstellen we de balans. Oorlog is een soort voorbehoedsmiddel – even instinctief als voortplanting.

Dat was ook iets wat Vik in Afghanistan al snel duidelijk was geworden: het eerste wat in een oorlog sneuvelt is niet de waarheid; het is de leugen die niet langer stand kan houden, omdat er geen tijd en ruimte meer voor is. In de oorlog wordt eindelijk pijnlijk duidelijk dat er niet gevochten wordt voor de beloofde idealen of de geveinsde vooruitgang, maar dan is het voor de soldaten inmiddels te laat. De waarheid die overblijft gaat verder dan vriendschap. Een groep mensen die voor elkaar vecht, elkaar niet in de steek laat, blind op elkaar vertrouwt, wetend dat de ander op je let, er voor je is. Een groep waarin niemand zeurt over moeheid, pijn of verdriet. Mannen die tegen elkaar aan slapen als het koud is omdat het ze helpt te overleven, die elkaar wakker maken omdat ze een vriend nodig hebben en soms, als het heel even kan, samen huilen. Maar die boven alles, in elke situatie, hoe absurd of bizar die ook was, kunnen lachen om het laatste beetje menselijkheid dat er nog te vinden valt. Dat was waarom Vik het leger na Afghanistan niet had willen verlaten. Je liet je maten niet in de steek. Daarom zat hij nu ook hier in Noorwegen met zijn mannen, daarom wilde hij morgen de Andsfjellet op.

Vik bestudeerde zijn kaart. Hemelsbreed was het een tochtje

van niks: vier misschien vijf kilometer, maar het was onmogelijk om in een rechte lijn te lopen. Ze moesten traverseren, geleidelijk naar de top lopen, zoals wielrenners in eenentwintig bochten uiteindelijk de top van de Alpe d'Huez bereiken.

Het was gestopt met sneeuwen, maar in de laatste uren van de nacht was er nog zeker een halve meter sneeuw gevallen. Vik had het klimaat en het weer hier niet willen onderschatten, maar nog nooit had hij meegemaakt dat er in zo'n korte tijd zoveel sneeuw was gevallen. Volgens Sverre viel het allemaal wel mee; dit was normaal. Morgen of overmorgen werd er pas echt sneeuw verwacht, zei hij, vandaag niet. Vandaag zou het ideaal weer zijn voor de tocht omhoog. Ze zouden om de bospunt heen lopen en dan op deze hoogte blijven tot Nyvatnet, een dichtgevroren meer zo'n honderd meter onder de top. Daarvandaan zouden ze echt beginnen met traverseren tot aan de top, waar ze zich opnieuw op de nacht zouden voorbereiden.

'Majoor, met wie slaapt u vannacht in een tent?' vroeg Tony, die achter hem liep.

'Geen idee, ik sta officieel niet in een groep ingedeeld, dus heb ik geen buddy.'

'Als u wilt kunt u met mij in een tent, ik heb ook nog niemand.'

'Ik heb geen bezwaar. Komt er nog een derde man bij?' Vik nam een slok uit de veldfles om zijn nek en stak die toen richting Tony om hem ook een slok aan te bieden. 'Het zijn driepersoonstenten, toch?' Toen Tony zijn aanbod afsloeg, propte Vik wat sneeuw door de dop om de fles gevuld te houden.

'Klopt, maar de anderen zijn allemaal al drietallen. Eigenlijk hebt u weinig keus, wij zijn de enige overgeblevenen.'

'Prima, maar dan moeten we wel even keihard aan de bak als we alles voor het donker af willen hebben.'

Tony knikte bevestigend. Ze hadden geen grote afstand gelopen, ook niet echt lang, maar een van de belangrijke lessen hier was om ook vooral rekening te houden met de komst van de duisternis. Bovendien was een tent opzetten hier iets heel anders dan in Nederland.

Eenmaal aangekomen gaf Tony Vik een sneeuwschep aan, en samen begonnen ze op de plek waar de tent moest komen te staan de sneeuw weg te graven en een zo hoog mogelijke muur van sneeuw op te werpen. Pas toen ze zelf niet meer boven de muur uit konden kijken waren ze tevreden en begonnen ze de iglotent op te zetten. In de voortent, in de ruimte voor het slaapgedeelte, groeven ze over de hele breedte van de tentopening een gat van een centimeter of vijftig diep: een koudeval, zodat de koude lucht in de tent niet op de grond waar ze sliepen zou blijven hangen. Daarachter maakten ze een plateau waar ze hun kooktoestel op konden plaatsen. Naast het kooktoestel zetten ze een kaars die de hele nacht moest blijven branden. Om beurten zouden ze kaarswacht hebben. De kaars was als het ware een alarm; als die zou doven, betekende het dat er te weinig zuurstof in de tent aanwezig was en dreigde er verstikkingsgevaar. Aan het uiteinde van de koudeval groeven ze het gat iets dieper, zodat hun rugzakken daar stevig konden staan. De brokken harde sneeuw die dit opleverde waren ideaal voor het koken van water en dus werden ze voorlopig bewaard.

Tony keek naar de tent en naar de lucht. In de sneeuw weerkaatste het licht van de laagstaande zon. 'We gaan het zwaar krijgen vannacht.'

'Omdat we een uur op en een uur af moeten draaien?'

'Ook, maar vooral omdat het zo helder is en het dus koud gaat worden. Ruimte is hier geen luxe.'

Vik keek op de kleine sleutelhangerthermometer die aan de rits van zijn jas hing. Het was zevenendertig graden onder nul. Nu hadden ze er nog geen last van, ze waren nog warm van het werken, maar dat zou straks zeker veranderen. 'Ik denk dat we de tent anders in moeten richten. Als we mijn winterslaapzak nu eens in de jouwe steken, dan houden we een zomerslaapzak over, die je tijdens de wacht om je heen kunt slaan.'

Zonder antwoord te geven schoof Tony de toegangsflap van de tent opzij, bukte en kroop via de koudeval naar binnen om de winterzak van Vik in zijn slaapzak te proppen.

'Het past, maar niet echt fantastisch. Het heeft wel iets weg van twee truien met dezelfde maat die je over elkaar heen aan hebt getrokken.'

'Als je erin ligt zal het ook wel wat krap zijn, maar dat maakt niet uit. Als het past en het werkt is het goed, dat is toch het enige wat telt?'

Vik was ondertussen bezig de leidingen van het kooktoestel te verwarmen. Terwijl hij wachtte tot de rode olie uitgebrand was, propte hij wat van de sneeuwbrokken in een pannetje en pakte uit zijn eigen en uit Tony's tas de rantsoenen.

'*Candlelight dinner* voor twee vanavond. Wil je de menukaart zien of ga je gewoon voor het menu van de dag?'

'Dagmenu,' antwoordde hij kort, 'graag met poeroet.' Poeroet was binnen de eenheid een begrip. Het was een combinatie van chocolademelk, veel suiker, creamer en twee zakjes koffie. 'Als er geen cacao meer in mijn rantsoen zit, dan vindt u nog wel wat in mijn OPS-vest, bij mijn snackpack.'

'Moet ik gelijk even nieuwe snackpacks maken voor morgen?' vroeg Vik. 'Het mijne is bijna op.'

'Het mijne niet, maar als we die nu gewoon leegeten, als een soort voorafje?'

'Als ik niet beter zou weten zou ik bijna denken dat je verliefd op me bent', grapte Vik terug.

'Het is ook lastig, majoor, al die mooie mannen hier, zo eenzaam boven op een berg.'

'Je laat me blozen. Vanavond mag je Vik tegen me zeggen, maar morgen weet ik van niks en is dit allemaal nooit gebeurd. Tenminste, dan ontken ik alles.'

'Dan heb ik altijd mijn herinnering aan deze nacht nog, majoor.'

Tony knipoogde, waardoor Vik hard moest lachen.

Aan hun ene hand droegen ze de dikke Noorse want, aan de andere een dunnere wollen handschoen waarmee ze eenvoudiger de noten, rozijnen, brokjes chocolade en stukjes muesli uit het snackpack konden vissen. Zodra ze een hap hadden genomen verdween de hand in hun jaszak, om koudeletsel te voorkomen. Ze staarden naar het kooktoestel en de zakken spaghetti die klaarlagen.

'Wat gaat u hierna doen?' wilde Tony weten.

'Na Noorwegen?'

'Ja, de commando-overdracht is toch niet al te lang na deze oefening?'

Vik haalde zijn schouders op. 'Ik ga lesgeven aan collega-officieren in Rijswijk.'

'Vindt u dat leuk?'

'Ik denk het wel. Maar het is eigenlijk voor het eerst dat ik iets ga doen wat niet operationeel is of een directe link heeft met het operationele.' Vik staarde in de blauwe vlam van het kooktoestel en tilde even het deksel van de pan op. 'Het wordt voor het eerst dat ik ergens ga werken waar geen kerels, geen manschappen rondlopen.'

'Bent u bang dat u dat zult gaan missen?'

Vik voelde dat Tony hem aankeek, maar hij wilde – of beter: durfde – niet terug te kijken. 'Bang? Nee, bang ben ik er niet voor. Ik weet alleen dat ik dit ga missen,' zei hij.

Zwijgend aten ze hun pasta. Ongemerkt schoven ze, vanwege de kou die langzaam als een slang die op zoek is naar zijn prooi de tent in sloop, dichter tegen elkaar aan.

11

Vik schudde zachtjes zijn penis op en neer en trok de voorhuid naar voren om de laatste druppeltjes pis eruit te knijpen. Hij ritste zijn broek dicht, trok zijn wanten weer aan en bleef even buiten staan. De lucht had een groene gloed; hij zag stralen groen licht die door het duister omlaag leken te breken, zoals de ondergaande herfstzon zijn stralen door de bomen in een bos kan laten schijnen. Om vervolgens te vervormen tot een nevel die in flarden door de lucht danste en dan ineens weer verdween, alsof hij nooit had bestaan. Het noorderlicht had iets mystieks, bijna spookachtigs, vond Vik, die nog even bleef wachten of het terug zou komen. De komende dagen verwachtten ze opnieuw sneeuw en dus was de kans dat hij het nog een keer zou zien klein. Toen het licht niet terugkwam, besloot hij Tony wakker te maken voor zijn shift.

Terwijl Tony zich aankleedde, schonk Vik een mok thee voor hem in.

'U hebt me lang laten liggen,' zei Tony terwijl hij op zijn horloge keek.

'Ik werd afgeleid, ik stond buiten naar de aurora borealis te kijken.'

'Wáár keek u naar?'

Vik lachte. 'Het noorderlicht. Dat is de Latijnse benaming.'

'Is het er nog?'

'Nee, sorry.'

Vik knikte, duwde zijn benen zo diep mogelijk de slaapzak in en trok de rits dicht. Hij moest straks nog één keer wachtlopen en had nog twee uur slaap. Hij liep het programma van morgen in zijn hoofd door, hoorde dat Tony het kooktoestel weer op druk bracht en viel in slaap.

'Ook een stuk worst?' vroeg Tony, die met een groot Noors jagersmes een stuk van een grote salami sneed. 'Hij is lekker vet.'

Vik hield de groene rantsoenzak omhoog en kauwde op zijn cornflakes. '*Sunshine cornflakes with cantaloupe*, past mooi bij het weer.' Vik wees met zijn lepel naar de felle zon die de top een goudgeel randje gaf. Veel hoger dan dit zou de zon niet komen te staan, wist hij inmiddels. Alsof de zon hier twijfelde, niet wist of hij op wilde komen of onder wilde gaan.

'Vet is hier goed voor je, u hebt het nodig,' zei Tony. 'Zullen we zo ook even een buddy check doen?'

'Na het eten, oké?'

'Ik kan me daar zo over verbazen, over die traagheid van die anderen.' De hap die Tony zojuist had genomen was zo te horen warm. Met zijn ellebogen op zijn knieën geleund keek over zijn rantsoen naar de rest. 'Wij zitten met z'n tweeën al aan het ontbijt, alles opgeruimd, en zij moeten hun hele tent nog afbreken.'

Vik schoof zijn bril op zijn neus. 'Ik snap wat je bedoelt.'

'U bent tenminste praktisch, van het type haast je als je tijd hebt, dan heb je tijd als je haast hebt. Daar houd ik wel van.'

'*God morgen!*' Vik en Tony keken verbaasd opzij. Omdat Sverres honden nog in de BiVi lagen hadden ze hem niet horen aankomen. Als automatisch bood Vik hem zijn theemok aan. '*Takk.*' Beleefd wees Sverre het aanbod af. 'Ik heb de hulp van een van jullie beiden nodig voor de lawineles.'

'Wat moet er gebeuren?' wilde Vik weten.

'Ik heb een tunnel gegraven waar een van jullie in moet gaan liggen.' Sverre wees naar de overhangende verticale sneeuwmuur van een meter of vier hoog. 'De anderen moeten dan gaan prikken in de sneeuw om je te vinden. Ik wil dat ze weten hoe het voelt als hun stok een lichaam raakt.'

Tony en Vik keken elkaar aan. 'Ik ben wel nieuwsgierig,' zei Vik.'

'Gaat u maar, ik heb het onlangs al gedaan.'

Sverre keek Vik aan. 'Als je zo met me meegaat, dan laat ik je zien wat de bedoeling is.' Hij wendde zijn blik naar Tony. 'Kun jij ervoor zorgen dat iedereen over twintig minuten daar boven op die top staat?' Tony knikte, terwijl Vik opstond, zijn sneeuwschoenen aantrok en zijn rugzak omhing.

'Negentig procent van alle lawines wordt veroorzaakt door mensen.' Sverre vertelde het zonder om te kijken, alsof het vanzelfsprekend was dat hij dit nu aan Vik zou vertellen. Alsof hij op deze manier de les die hij zo zou gaan geven nog een keer hardop doornam met Vik. 'Als je een route uitzet in de bergen, is het altijd belangrijk om eerst de risico's van die route te bestuderen. Lawines zijn voorspelbaar, maar alleen als je goed let op de signalen, als je niet onbezonnen bent. Onbezonnen en domme mensen raken verstrikt in lawines. Maar de meeste domme mensen zijn onbezonnen, dus is het eigenlijk een beetje dubbelop.'

Sverre keek niet om; hij wachtte niet op een antwoord van Vik en verwachtte dat waarschijnlijk ook niet. 'Het belangrijkste is dat je het terrein goed kent, dat je het vooraf goed bestudeerd hebt, dat je de sneeuw onder je voeten voelt en ernaar luistert terwijl je eroverheen loopt. Stukken met een hellingspercentage van meer dan dertig zijn gevaarlijk. Als de begroeiing ontbreekt, kan dat een indicatie zijn dat er al eerder lawines zijn geweest. Spelonken en kloven kunnen tactisch gezien wel de juiste plek zijn om je door te verplaatsen, maar hier kun je ze beter vermijden.'

Vik sjokte achter Sverre aan. Hij dacht even aan de eerste les die hij als verkenner had geleerd over tactisch en ongezien verplaatsen. *Das Panzer fahrt wo das Wasser fließt.* Hij had geleerd om de diepe terreindelen te benutten, en hier leerden ze hem juist die te vermijden.

'Naar de sneeuw luisteren is belangrijk. Soms, als je eroverheen loopt, hoor je van die zompige, holle geluiden. Dat is de echo van luchtgaten onder de sneeuw, een teken dat de sneeuwlaag instabiel is. Het is nog erger als je een scheurend geluid hoort; dat geeft aan dat er in de diepere sneeuwlaag al scheuren zitten. Als je dat geluid hoort, dan sta je op het punt om te ontdekken wat het is om in een lawine te zitten. Je komt dan in een *rollercoaster ride* terecht die je nooit zult vergeten, of – waarschijnlijker – die je je nooit zult herinneren.'

Sverre stopte voor een smalle tunnel die hij had gegraven en wees naar binnen. 'Het enige wat je hoeft te doen is hier naar binnen kruipen en stil liggen.'

Vik keek naar binnen. De tunnel was een meter of vier diep en bood net genoeg ruimte om er op zijn knieën en ellebogen in te kruipen. De tunnel was zo gegraven dat het einde ervan onder een heuvelpunt zo'n vier meter hoger lag. Hij vroeg zich af hoeveel kilo sneeuw hij op die manier boven zijn hoofd had, en wat de kans was dat hij het na zou kunnen vertellen als de tunnel instortte. Hij dacht aan de tunnels die hij ooit zelf op het strand groef; zelden waren ze stevig genoeg geweest om zijn gewicht te houden en nu zou er een hele eenheid op linie over hem heen lopen. Vik knikte om aan te geven dat hij Sverre had begrepen.

'Ik ga naar de jongens. De skistokken die we gebruiken zijn telescopisch en die zullen ze leren gebruiken om een *search* te doen na een lawine. Jij bent het slachtoffer dat ze moeten vinden.' Terwijl Sverre uitlegde hoe het zoeken van mensen na een lawine gedaan moest worden, bleef Vik het gat in staren. 'Heb je nog vragen?' vroeg Sverre na een korte stilte. Vik schudde van nee en maakte zich klaar om het gat in te kruipen.

'Wacht even.' Vik keek vanaf zijn knieën omhoog en zag hoe Sverre met een apparaatje het signaal testte van de blauwe hardplastic blokjes die ze in hun jas en broek droegen om in geval van een echte lawine makkelijker gevonden te kunnen worden. Hij knikte en toen hij zag dat Tony met de groep bijna boven was zei hij: 'Het is oké, je kunt gaan.'

Voorzichtig schoof Vik de tunnel in. Met elke centimeter die hij vorderde had hij het gevoel dat die nauwer werd en dat zijn hoofd warmer werd. Hij had geen moeite met kleine ruimtes, maar hier onder de sneeuw was het anders. Zoals je in een schelp de zee kunt horen ruisen, zo hoorde hij hier hoe de sneeuw werkte; het holle knerpen gaf hem het gevoel dat de sneeuw als een soort koude lavastroom boven zijn hoofd kroop.

Aan het einde van de tunnel krulde hij zichzelf op, zijn linkerarm over zijn hoofd en zijn gezicht naar beneden om zichzelf te beschermen tegen de punten van de stokken die hem straks zouden prikken. Vik sloot zijn ogen. Even dacht hij terug aan het Oosterpark. Hij voelde zich net zo hulpeloos als toen. Als de tunnel in zou storten wist hij nog wat boven en onder was, maar in een echte lawine leek hem dat uitgesloten; de kracht van de sneeuw zou je botten breken en je de mogelijkheid tot ademen ontnemen en je verstikken.

Vik voelde dat zijn hart sneller begon te kloppen. De koude lucht liet een snijdende pijn achter in zijn longen. Het knerpende geluid leek luider te worden; misschien waren het de jongens die dichterbij kwamen, misschien was het alleen schijn, zoals een horloge harder lijkt te tikken als je erop gaat letten. Hij voelde met zijn hand aan de wanden van de gang om, in een soort aangename roes, vast te stellen dat ze niet dichterbij kwamen. Godver, ik moet pissen, dacht hij.

De eerste skistok raakte Vik in zijn nek. Kort daarna voelde hij een tweede op zijn dijbeen landen. De eerste prik was zacht, zoals je met een vinger op iemands lichaam duwt, kort daarna gevolgd door een harde, felle, puntige stoot, alsof ze boven dachten dat ze gewoon op iets hards gestuit waren waar ze doorheen moesten prikken. Direct erna volgden meer aftastende prikken, als van een blinde die zich een beeld probeert te vormen van je gezicht. Vik had de gang niet mogen verlaten voordat alle mannen gevoeld hadden wat het was. Een kwartier lang werd hij zo afgetast, vijfhonderd prikken net onder zijn ribbenkast.

12

De zon was verdwenen, de top van de Andsfjellet was omgeven met grauwe, dikke wolken en er stond een gure wind. Iets in Vik zei hem dat hij blij moest zijn dat ze niet langer op de top zouden blijven. Om hem heen zag hij dat iedereen zijn bril had opgezet om zijn ogen te beschermen tegen de wind, de kou en de sneeuw die elk moment zou kunnen gaan vallen. De meesten hadden ook niet meer de Noorse winterpet op, maar hadden hun balaklava opgezet – of beter gezegd: aangetrokken, aangezien je hele hoofd erin verdween. Vik propte wat sneeuw in zijn veldfles om zijn drinkwater aan te vullen. Hij stak de fles weer onder zijn jas en ritste hem dicht.

Hij zag dat de groep langzaam in beweging kwam. Kaartlezen was inmiddels nagenoeg onmogelijk geworden; de omliggende toppen waren niet meer zichtbaar en het bos was een vage groene vlek in een waas van grijs. Ze hoefden niet ver meer, maar op deze manier zouden ze er weleens erg lang over kunnen doen voordat ze bij Merratjørna waren. Vlagen wind bliezen fijne wolken poedersneeuw voor zich uit; de sneeuw bleef kleven aan uitstulpsels als rotsen, waardoor er heuvels werden gevormd zoals in de woestijn duinen ontstaan. Vik zag dat het touw waarmee hij aan zijn voorganger vastzat, loskwam van de grond. Langzaam begon hij te lopen. Hij vroeg zich af of hij het wel warm zou krijgen als het tempo noodgedwongen zo laag zou liggen.

Vlak na hun vertrek was het begonnen te sneeuwen, eerst rustig, van die grote, dwarrelende vlokken waar je als kind op hoopt met de kerst. Maar algauw was het harder gaan sneeuwen en was de wind ook aangetrokken. Vik kon degene die voor hem liep nog net zien; degene die daarvoor liep was al niet veel meer dan een schim geworden. Onder deze omstandigheden was het niet moeilijk om dingen te zien die er niet waren; een beer op zijn achterpoten zou vrij gemakkelijk voor een echt monster, een verschrikkelijke sneeuwman aangezien kunnen worden, dacht hij terwijl ze in het bos aankwamen.

'Korte stop!' werd er van voren gebruld en naar achteren doorgegeven, maar er werd geen cirkel gevormd. In plaats daarvan zag hij JW naar achteren komen en bij hem halt houden.

'Dit gaat niet goed zo.'

'Want?'

JW keek omhoog. 'Het wordt erger en erger, en ik zie vooraan niet meer waar ik naartoe loop. Zelfs met een kompas is het geen doen op dit moment.'

'Waar zitten we nu?' vroeg Vik, die zijn kleine privé-GPS uit zijn zak trok en naar de kaart keek die JW openvouwde. Hij brak een dun takje van de kale berk naast hen af om op de kaart hun positie aan te kunnen wijzen.

'Ik stel voor dat we pal zuid doorsteken; dan komen we bij dat riviertje en kunnen we dat blijven volgen tot aan Merratjørna.' Ook Vik had een takje afgebroken, waarmee hij aanwees wat hij bedoelde.

'Het kan zijn dat het riviertje niet opvalt,' zei JW. 'Ik bedoel, het is maar een smal riviertje; als het dichtgevroren is en bedekt met sneeuw zou je er zo overheen kunnen lopen. Denk je niet?'

'Op zich wel, maar het moet ook opvallen, doordat de afstand tussen de begroeiing groter is op die plek. Mochten we het toch missen, dan is er nog niks aan de hand, omdat we dan vanzelf op die meertjes daar uitkomen. Snipptjørna, of hoe heet dat?'

JW knikte, stak de kaart weg en liep met zijn hand langs het touw weer naar voren, waarna hij binnen enkele passen aan Viks zicht onttrokken was. Ze bevonden zich in een complete whiteout. Vik voelde dat de sneeuw zich vastzette in de punten van zijn snor en klitten vormde, ijsklonten die vastvroren aan zijn lippen als hij ze natmaakte. Als hij zijn lippen naar binnen krulde om het ijs los te trekken, voelde het alsof hij een pleister die al een week op zijn knie had gezeten probeerde te verwijderen.

Ze stopten vaker dan ze vooraf ingeschat hadden. Het tempo lag laag en zelfs op hun sneeuwschoenen zakten ze diep weg in de sneeuw. Het Merratjørna-meer lag volgens zijn GPS niet veel verder dan een meter of tweehonderd van ze af. Aan zijn kuiten voelde hij ook dat de helling minder steil aan het worden was – een goede indicatie dat het plateau waar ze hun sneeuwholen moesten gaan bouwen hier ergens zou beginnen.

Nog een nacht zouden ze op de berg doorbrengen, om morgen af te dalen tot aan de Barduelva. Ze hadden dan nog een dag om hun spullen in te leveren en dan zouden ze terugvliegen. Een gedachte waar hij tot vandaag eigenlijk nauwelijks bij had stilgestaan en die er nu voor zorgde dat hij af en toe afwezig leek. Elke stap die hij nu zette was er een die hem dichter bracht bij alles wat hij deze twee weken had ontlopen.

De verse sneeuw aan de rand van het plateau maakte het makkelijk om holen te graven. Met twee personen zouden ze een sneeuwhol delen. De holen waren in een halve cirkel gegraven rondom de plek waar ze vuur moesten gaan maken, zodat de warmte van het vuur ook het hol enigszins zou verwarmen, al was de isolatie door de sneeuw waarschijnlijk al meer dan genoeg.

Het was intussen gestopt met sneeuwen, wat het makkelijker maakte om hout te zoeken voor een vuur. Ze hadden veel hout nodig, genoeg voor de hele nacht, maar dat leek hier niet het probleem. Het vuur aansteken, dát zou de uitdaging worden. Vik pelde de schors van de berken omdat er veel olie in zat en hij dus eenvoudig zou branden. Op de schors smeerde hij bolletjes hars die hij van de naaldbomen, die hier wel stonden, had gehaald om zo het vuur aan te krijgen. Verder verzamelde hij takken van klein naar groot; klein was om het aan te krijgen en groot was pas voor het moment dat het vuur daadwerkelijk brandde. Uit zijn wapen-onderhoudsspullen haalde hij een pluk staalwol en hij legde die onder de dunne takken en de schors. Een iets dikkere en droge tak zou hij insmeren met schoensmeer en die tak zou hij aansteken en als een soort van gigantische lucifer gebruiken om de staalwol in de brand te laten vliegen. Als alles goed lag, zou het vuur binnen enkele momenten branden en was het alleen nog maar zaak om het de hele nacht brandend te houden.

'Lukt het, majoor?' Vik keek opzij. Op enkele meters van hem vandaan lagen twee van zijn kerels die bij een andere groep hoorden in hun slaapzakken. Ze porden met een stok in een klein vuurtje voor de ingang van hun onderkomen.

'Prima, *boys*, zijn jullie al klaar?'

'Al een tijdje. Wij waren als eerste groep vertrokken en hadden dus ook het minste last van die sneeuwstorm.'

Vik legde de houtstapel op de grond en hurkte naast het sneeuwhol terwijl hij nieuwsgierig naar binnen keek. Op de linkerwand hadden ze een glad vlak gemaakt van ongeveer vijftig bij vijftig centimeter. Vlak daarvoor stond een kleine driepoot, met daarop een beamer die niet heel veel groter was dan de iPhone die ermee verbonden was.

'Waren jullie bang dat jullie het niet warm zouden krijgen?' Vik wees naar de beelden die op het vlakke stuk geprojecteerd werden, terwijl de jongens in de lach schoten. 'Hadden jullie geen kwaliteitsfilm kunnen kiezen?'

'Dit is mooier, majoor. Dit is geen nep, maar gewoon de beelden die we gemaakt hebben na het laatste feest bij de geneeskundige compagnie.' Nu pas herkende Vik de legeringskamers op de beelden en de gezichten van de mannen – zíjn mannen. 'Maar we hebben ook gewone porno, hoor. Wie is eigenlijk uw favoriete actrice, want met twee gieg op mijn geheugenkaart staat ze er vast tussen.'

'Jenna, – Jenna Haze,' antwoordde Vik zonder aarzelen. 'Lange benen, mooie kont, en tieten die niet groter zijn dan een handje vol. Ik houd niet van grote tieten.'

'Kijk, de majoor is een liefhebber.'

'Zeker, ik leer weleens wat van jullie. Maar porno kijken met jullie? Sorry, ik ben van een andere generatie en porno kijk ik het liefst alleen.' Vik pakte zijn hout op en liep weg met een glimlach op zijn gezicht.

Hij dacht weer aan Twan. Samen met hem had hij in een tentje gelegen, zoals die twee mannen in hun sneeuwhol, op de Noord-Duitse laagvlaktes. Ze hadden geen mobiele telefoons en dus praatten ze over mooie vrouwen, of beter: lekkere, geile wijven. Ze hadden een sok die je tijdens het rukken over je lul schoof, een snoksok, en dat was het.

13

Vik keek om zich heen. Voor hem lag het wak waar hij zo in moest springen. Het was een vreemde gedachte om een wak in te springen terwijl je het kon zien liggen en er zo omheen zou kunnen lopen zonder nat te worden, maar hij wist dat hij het zonder aarzelen zou doen. Het was iets dat de kern van hun werk vormde: dingen doen die tegen je natuur ingaan. Zo had hij ook ooit zijn *para-wing* gehaald; vijf keer was hij op een paar honderd meter hoogte onder de vleugel van een sportvliegtuigje geklommen en had hij zich, zonder enige echt logische aanleiding of reden, uit het vliegtuig laten vallen. Op diezelfde manier zou hij nu ook in dit rechthoekig uitgezaagde wak van ongeveer twee bij drie meter springen, om er aan de ander kant uit te kruipen en dan zo snel mogelijk droge spullen aan te trekken.

Vik zou als eerste gaan, om het voorbeeld te geven aan zijn mannen. Terwijl je bij de mannen aan hun luidruchtigheid kon merken dat ze zenuwachtig waren, was Vik juist opvallend stil. Niet wat je doet zegt iets over de spanning die je voelt, maar de mate waarin dat afwijkt van je normale gedrag, bedacht hij. Afwijkingen vertellen je in veel gevallen dat er iets aan de hand is: de plotselinge afwezigheid van kinderen in Afghanistan, een knobbeltje in je borst dat er ineens is, of het langzaam maar zeker steeds opvallender stilzwijgen tussen geliefden.

Vik concentreerde zich op zijn omgeving. Er stond een militaire ambulance klaar om in te grijpen. Aan de rand van de rivier was een tent opgezet waar de damp vanaf kwam. Daar kon je weer opgewarmd worden. Ze hadden hun droge spullen klaar moeten leggen om zo kort mogelijk aan de kou blootgesteld te worden. Zelf stond hij klaar met twee touwen die onder zijn oksels door aan zijn middel waren bevestigd en aan twee quads met spikebanden. Een aan de voorkant van het wak en een aan de achterkant: als je onder het ijs zou schieten konden ze je er altijd onderuit halen.

Naast het wak stond Sverre. Vik vroeg zich af hoe vaak hij hier al had gestaan op dit brede stuk van de Andselv, zo breed dat het eerder het gevoel opriep dat je op een meer stond dan op een stuk van de rivier. Hoe vaak was hij zelf al in het kader van lessen of eigen training in het water gesprongen? Zou het hem ook weleens in het echt zijn overkomen, had hij dus volledig onvoorbereid het ijs onder zijn voeten voelen breken en was hij te laat geweest om te voorkomen dat hij het water in zou zakken? Judy en Sorak lagen half slapend naast hem; als hun baasje wegliep namen ze niet de moeite hun kop van hun voorpoten te tillen of hun ogen verder dan half te openen. Ze waren hier al zo vaak geweest dat ze precies wisten hoe lang het allemaal zou gaan duren, leek het.

Het was drieëndertig graden onder nul; de zon scheen en weerspiegelde op de sneeuwlaag op het ijs. Als het twee graden kouder geweest was, of er had wind gestaan, hadden ze niet mogen wakduiken: te koud.

De kou was ook wat de meesten de meeste zorgen baarde, niet de kou van buiten maar de kou van het water. Het had Vik verbaasd. 'Water dat niet bevroren is kan niet kouder zijn dan nul graden,' had hij gezegd, maar alsof ze hem niet hadden begrepen bleven ze bang voor het moment dat hun lichaam in het koude water zou vallen.

Op de plek waar de rivier smaller werd zag Vik aan weerszijden een pad eindigen, een van de paden die hij ook op de kaart had gezien. Winterbruggen waren hier vrij gewoon. Het ijs werd hier na het invallen van de winter dik genoeg om auto's te kunnen dragen, en daar maakte de bevolking handig gebruik van. Vik had in het wak gekeken om te zien hoe dik het ijs nu eigenlijk was, maar door de kou had het water een diep donkerblauwe, bijna zwarte kleur en kon je de onderste rand niet eens zien. De brokken die op de kant lagen gaven slechts een indicatie, omdat ze waren gebroken om ze uit het water te kunnen halen.

Hoe langer hij hier stond te wachten, des te sterker het verlangen om het wak, dat als een soort donkere deur voor hem lag, in te stappen. Het had iets onvermijdelijks gekregen. De touwen onder zijn oksels, de blikken van de eenheid die op hem waren gericht: hij kon niet meer terug, zelfs niet als hij zou willen, en dus wilde hij vooruit, met elke seconde wilde hij meer vooruit. Het deed hem denken aan het laatste bezoek dat hij zijn oma bracht, die bijna een jaar geleden was overleden.

'Als morgen de vakantie afgelopen is,' had ze gezegd terwijl ze Vik aankeek en zijn hand had vastgehouden, 'dan is het voorbij.' Even zocht Vik de ogen van haar dochter, zijn moeder, om erin af te lezen of zij hetzelfde gehoord had als hij. De ogen van zijn moeder waren groot geweest, vol angst, tot oma opeens zei: 'Dan gaat iedereen weer naar school of aan het werk en komt er geen bezoek meer.'

Ze had het gezegd om haar dochter gerust te stellen, niet voor Vik. Hun blikken hadden elkaar gekruist en haar ogen hadden geen wrok tegen de dood vertoond, hem ondertussen misschien wel als een soort vriend omarmd. Toen ze het ziekenhuis hadden verlaten had zijn moeder nog gevraagd naar de woorden van oma, wat Vik dacht dat ze had bedoeld. Dat was eigenlijk niet meer nodig geweest, want oma was enkele minuten na hun vertrek in slaap gevallen en niet meer wakker geworden. Om tien voor één was ze door de deur gestapt waar ze al die tijd naar had gekeken.

Argeloos stapte hij naar voren en voelde hoe eerst zijn rechtervoet het koude water brak. Toen zijn nek het water raakte sloot hij zijn ogen en mond. Hij voelde hoe hij, als een dobber die omlaag wordt getrokken, helemaal onder water verdween.

'Het is een kant van mij die je nooit had mogen zien.' Lot was in tranen uitgebarsten, haar gezicht was wit als dat van een geisha, terwijl haar ogen en neus rood waren van de tranen en het snot. 'Je had dit niet mogen weten, ik wil het niet.'

'We kunnen het toch niet meer ongedaan maken?' antwoordde Vik verbaasd. 'We kunnen toch niet meer niet weten wat we inmiddels weten?'

'Doe niet zo stom, Vik, wat moet ik hier nu mee, hoe kun je me ooit vergeven voor wat ik je aangedaan heb?'

'We kunnen het toch niet ongedaan maken.'

'Nou doe je het weer. Het had gewoon niet mogen gebeuren, maar je gaf me geen andere keuze.'

'Je hebt altijd een keuze. Zeggen dat je die niet hebt is externe attributie, de schuld van je eigen gedrag bij een ander neerleggen.'

'Je begrijpt het niet, Vik.'

'Ik begrijp het verdomme donders goed, maar ik weiger hierin mee te gaan. Jij slaat mij omdat je verdrietig bent. Dat ik ergens schuld heb aan jouw verdriet is één ding, maar dat maakt mij toch niet verantwoordelijk voor het feit dat je mijn spullen sloopt en op me in begint te slaan? Doe even normaal, zeg!'

'Wat denk je dat het mij doet, Vik, wat denk je dat het met míj doet? Ik heb maanden in angst geleefd, ik ben bang geweest dat je niet levend uit Afghanistan zou komen. De kinderen huilden om je. Je vertelt me van een gevecht waar je voor je leven vreesde, waar je veertig minuten lang elke seconde dacht dat je dood zou gaan, en dan zeg je dat je daar geil van werd.'

'Nou, dat is wel heel erg kort door de bocht, zoals je het nu vertelt.'

'Het is toch zeker zo? Je hebt me toch ook verteld dat je je na het gevecht aftrok onder de douche, dat verzin ik toch niet?'

'Nee, maar masturberen lijkt me geen verboden handeling. Ja, voor de taliban misschien, maar voor hen maakt het niet echt uit of ik dat nu wel of niet doe, want zij zagen me sowieso al als een ongelovige hond. Daar wist je tenminste van wat je aan ze had.'

'Lul, je weet best waar ik het over heb!'

'Moeten we het nu weer hebben over die ene vraag? Moeten we het nu weer hebben over de vraag of ik met Marieke, mijn KMA-liefde van lang voor ik jou leerde kennen, naar bed had kúnnen gaan op het moment na dat gevecht, daar in Afghanistan?'

'Ja, Vik, dat zit me dwars, ik heb daar last van, het doet me pijn. Het geeft me het gevoel dat ik niet genoeg voor je ben. En na al die keren dat je vreemd bent gegaan na de uitzending...'

'Ten eerste speelde dat vreemdgaan nog niet toen je de vraag stelde.'

'Wat wil je daarmee zeggen?

'Dat je lult, dat je misbruik maakt van het feit dat we afgesproken hadden alles eerlijk te bespreken. Ik word gek van dit soort dingen. Je zegt dat je eerlijkheid het belangrijkst vindt, maar eigenlijk zijn er een heleboel onderwerpen waarvan je zegt dat ik er beter over had kunnen liegen.'

'Eerlijkheid ís ook het belangrijkste in een relatie, Vik, dat weet jij ook. Dat vond jij vroeger, voor Afghanistan, ook.'

'Wat levert die eerlijkheid ons dan op, Lot? Zeg het me, want ik zie het niet. Wat is eerlijkheid waard als de waarheid meer pijn doet dan de leugen? Maar als jij zo graag waarheden wilt, dan zou ik zeggen: begin jij eens.'

'Wat wil je daarmee zeggen?'

'Niets. Als je dat nu nog niet weet, dan heeft het geen enkele zin om het erover te hebben.'

'Ik haat dit, ik haat deze ruzies, Vik. Vroeger hadden we nooit ruzie.'

'Vroeger hadden we nooit ruzie... Ik dacht dat het feit dat we die nu wel hebben iets zei over ons, Lot, over het feit dat we elkaar zo vertrouwen dat we denken dat we zelfs dat samen aankunnen. Dacht je nou echt dat ik in de veronderstelling leefde dat je alleen maar leuk was, dat je geen negatieve kanten had? Ik vind het juist mooi. Doordat ik ook weet wat je donkere kanten zijn ken ik je beter dan ooit tevoren, ben je voor mij completer geworden.'

'Dat doet er niet toe. Het gaat om wat ik ervan vind.'

'Ah, fijn. Is er nog iemand hier die ook geïnteresseerd is in wat ík vind? Anders hou ik verder gewoon mijn bek.'

'Hoe denk je dat het voelt, Vik, hoe denk je dat het voor mij voelt om te horen dat jij met een andere vrouw het bed had kunnen delen terwijl ik op je zit te wachten?'

'Gaan we het daar nu weer over hebben?'

'Hoor je wel wat ze zegt?'

Edwin nam voor het eerst de moeite een opmerking te plaatsen, terwijl hij de dop op zijn vulpen draaide en zijn ronde brilletje rechtzette.

'Ah, ik was al bang dat je hier alleen zat om een boek te schrijven, maar je bent daadwerkelijk ook bereid om nog wat voor je geld te doen. Bravo.'

'Ik vraag het je nogmaals, Vik: kijk naar Lot en vertel me eens of je hoort wat ze zegt.'

'Sorry, ik had sterk de indruk dat het een retorische vraag was. Dat je me eigenlijk vertelde dat ik het niet heb gehoord, dat ik Lot niet had begrepen.'

'Het gaat haar om het gevoel, Vik, de angst dat je haar zult verlaten, dat ze je kwijt is. Begrijp je dat?'

'Hoe vaak hebben we het hier nu over gehad?'

'Vaak. Dus dat zegt misschien iets over hoe diep dat gevoel zit bij Lot.'

'Hoe vaak heb ik ernaar geluisterd, Edwin? Zeg me: hoe vaak heb ik er sorry voor gezegd, hoe vaak heb ik me geschaamd voor het feit dat ik eerlijk ben geweest in mijn antwoord?'

'Vaak. Maar daar gaat het niet om. Vrouwen willen praten over hun gevoel.'

'Ja, tot in het oneindige. Kun je mij vertellen wanneer we genoeg over gevoel hebben gepraat en we over kunnen gaan tot werken aan een oplossing? Want ik zie deze gesprekken nou niet echt aan een oplossing bijdragen.'

'Eerst het gevoel, Vik.'

'Flikker toch op, man, weet je hoe ze dit bij schaken noemen? Eeuwig schaak. Iedere zet wordt de koning schaak gezet zonder dat je dat als tegenstander kunt verhinderen. Niemand wint, het wordt een remise – een remise die vooral gebruikt wordt om jezelf uit een lastige situatie te redden.'

'Je bent niet redelijk, Vik...'

'Hou toch eens op met je ge-Vik. We zitten hier met z'n drieën op een fantasieloos Overtoom-systeemkantoor, en ik begrijp heus wel wanneer je het tegen mij hebt en wanneer niet. Ik ben godverdomme niet achterlijk!'

Edwin draaide de dop weer van zijn vulpen en maakte wat aantekeningen. 'Op deze manier ga je aan het gevoel van Lot voorbij.'

'Laat me niet lachen! Hoe vaak moet ik dan nog sorry zeggen? Want mijn antwoord en wat er gebeurd is kan ik niet meer veranderen, hoor.'

'Dat weet ik niet.'

'Ik ook niet, maar ik weet wel dat als het ergens naar stront stinkt, dat het verstandig is om uit te zoeken waar de shit ligt. En als je dat weet, dan is het de hoogste tijd om je handen vuil te maken en de zooi op te ruimen.'

'Mannen denken praktisch, vrouwen willen het over gevoel hebben.'

'Ja, ik hoor je wel, maar praten over dat gevoel helpt ons nog niet echt. Dus ik stel nu gewoon eens de mannelijke aanpak voor.'

'Vik, we komen nergens als dat gevoel niet is weggenomen.'

'Doe normaal, man, denk je nu echt dat ik alleen maar in oplossingen denk? Dat ik geen gevoel in mijn donder heb? Jullie zijn hier allemaal gek geworden. Zullen we het even over míjn gevoel hebben? Ik heb me godverdomme maanden schuldig gevoeld voor een antwoord op een hypothetische vraag: als Marieke na dat gevecht in Afghanistan was geweest, zou je dan seks met haar hebben gehad? Ik voelde me schuldig omdat ik Lot er pijn mee had gedaan, omdat de eigenlijke vraag was of ze wel genoeg voor mij betekent. Ik heb het mezelf kwalijk genomen, ja, ondanks het feit dat het biologisch verklaarbaar is dat je na een levensbedreigende situatie een sterke aandrang tot voortplanting voelt. Ik verzin het niet, hoor, het zal wel logica zijn, en dus telt dat niet, als gevoel, zeker?'

'Jawel, maar...'

'Maar? Maar dat is zeker anders dan het gevoel van Lot? Ik zal je godverdomme vertellen wat er anders is. Waar is hier het medeleven met mijn gevoel voor de niet-hypothetische situatie, voor het fucking feit dat ik bang was om niet meer levend thuis te komen, voor het feit dat ik dacht aan Lot, Fleur en Daan, of ik ze ooit nog zou zien? Of is het probleem dat jullie je in dat gevoel niet in kunnen leven, dat jullie je dat niet voor kunnen stellen en je daarom maar kiest voor gevoel dat je wel begrijpt, gevoel dat je wél kent? Flikker toch op, stelletje aanstellers.'

'Wat bedoel je met dat laatste?'

'Dat jij precies weet wat Lot voelt, maar je geen idee hebt wat het is om het gevoel te hebben dat ik zojuist beschreef. Je leeft met Lot mee omdat je precies weet hoe het is als je eigen vrouw vreemdgaat – dat is toch de reden dat jij ook vrijgezel bent tegenwoordig? Nou, het enige gevoel dat ik bij deze gesprekken nog heb is dat ik mijn tijd hier zit te verdoen.'

14

Als de lucht uit een duikfles voelde Vik de grote bellen die in zijn kleding een weg naar boven zochten langs zijn wangen en oren rollen. Met een krachtige beenslag drukte hij zijn hoofd weer boven het water. Zijn handen gleden langs de skistokken omlaag tot aan de teller, de ronde schijfjes onder aan de stokken die moesten voorkomen dat ze te diep in de sneeuw zouden zakken. Zijn armen bracht hij naar voren, richting het harde ijs, waar de stokken dienst zouden gaan doen als prikkers waarmee hij zich uit het water zou kunnen trekken. Hij voelde dat zijn lichaam warm werd gehouden door het water, terwijl zijn lippen en zijn wangen bijna direct begonnen te gloeien van de kou.

Langs de kant stonden zijn mannen. Zijn blik kruiste die van hen. Er werden grappen gemaakt die Vik vertelde dat ze respect voor hem hadden. De touwen hingen nog altijd slap onder zijn oksels. Sverre leek Vik te inspecteren, zocht oogcontact met hem en keek hem even doordringend en confronterend aan. Hij stond op exact dezelfde plek als voordat Vik het wak in sprong, in tegenstelling tot Sorak en Judy, die instinctief naar de rand waren komen lopen.

Vik pinde zijn skistokken een voor een in het ijs en trok zich beetje bij beetje uit het water. Hij voelde hoe de kou van het ijs door zijn lichaam begon te stromen, hoe zijn spieren stram en stijf werden als lava die afkoelt en stolt. Zodra hij één knie op het ijs had, gooide hij de touwen los. Vik zag dat Sorak en Judy hem nog even nakeken voor ze weer op hun plek gingen liggen toen hij wegrende naar de plek waar zijn droge spullen lagen. Twee soldaten renden zoals afgesproken met hem mee, om alleen als het nodig was eventueel in te grijpen. Hij vouwde het tentzeil waar zijn droge spullen onder lagen open, trok zijn kisten uit, ging erop staan en pakte de handdoek die vooraan lag, niet alleen om zich mee af te drogen, maar ook om te voorkomen dat er water op zijn droge kleren zou druipen. Daarachter lag direct het ondergoed, rechts ernaast zijn jas, daarop zijn muts, zijn trui, broek en daarbovenop zijn sokken. Alles neergelegd in de volgorde waarin hij ze aan zou trekken. De natte kleren zou hij achter zich laten vallen op een vuilniszak, waar hij ze later in zou stoppen.

Vik sloeg de handdoek om zijn hoofd en droogde grondig zijn haren, zoals zijn moeder dat vroeger na het douchen deed. Hij had er altijd een hekel aan gehad; zelf sloeg hij het liefst eerst de handdoek om zich heen, om zo even te blijven staan en dan eerst zijn rug en buik af te drogen, maar hier golden andere regels.

'De majoor is ook bij koud weer nog kanonschutter,' grapte Robbie, wijzend naar zijn geslachtsdeel, dat Vik hard wrijvend met de ruwe handdoek warm probeerde te wrijven. Zijn benen waren rood van het wrijven en het bloed dat zijn lichaam erdoorheen pompte om ze op temperatuur te houden. Hij vouwde de handdoek dubbel en liet hem op het zeil vallen om erop te kunnen staan en trok het lange visnetondergoed aan. Voor hem zag hij een van de andere mannen rennen, zijn haren waren droog – een verstandige keuze, maar Vik had bewust gekozen om kopje-onder te gaan. Hij had zich voorgesteld dat je altijd onverwachts door het ijs zakt en dat je daarom waarschijnlijk te traag reageert om je hoofd boven water te kunnen houden. Hij wilde weten, voelen, wat het met hem deed. Terwijl hij zijn sokken aantrok, keek hij naar het wak, naar hoe de de volgende mannen erin sprongen; hij hoorde hun verbazing over hoe het water aanvoelde en het gevloek als ze eruit kwamen.

'Ik zal straks wel even met jou meerennen, Robbie,' antwoordde Vik nu hij zijn broek en trui aanhad en zijn muts opzette. 'Dan kan ik zien of jij bij deze kou ook nog steeds een goede minimischutter bent.'

'De tong van de majoor is in ieder geval niet vastgevroren, Rob,' lachte de andere soldaat. Viks ogen twinkelden. 'Je hoeft je geen zorgen te maken over het water. Dat is nul graden; daarom voelt het onder water warm aan. Het ergste moment is als je eruit komt, als je natte kleding vastvriest aan de poriën van je lichaam.' Hij trok zijn jas en een paar droge kisten aan. Robbie gaf hem een mok thee aan. 'Alsof ze je lichaam in gezogen worden, zoals water in een suikerklontje dat je tegen het oppervlak van de thee aan houdt.' Vik ging op zijn rugzak zitten, trok zijn wanten weer aan en voelde hoe de hete thee hem opwarmde. Vanaf zijn rugzak genoot hij van het uitzicht op de Andselv. Hij zag dat de zon nog net het topje raakte.

Het was voorbij. Morgen kon hij Lot niet meer ontwijken. Hij dacht aan het water, aan het moment dat hij was opgestaan bij de therapie en weg was gelopen. Veertig kilometer had hij naar huis gelopen, omdat hij niet meer met Lot in één auto wilde zitten. Maar morgen kon hij niet meer om haar heen. Vik keek langs zijn mannen naar het zwart van het wak, sloot zijn ogen en rilde.

Achteraf zouden ze zeggen dat het water warm aanvoelde, dat het moment dat ze eruit kwamen en je natte kleding bijna direct vastvroor aan je lichaam het ergst was, dat ze toen de kou hadden voelen branden, dat het voelde alsof duizenden vingers je vastpakten en je door het ijs omlaag probeerden te trekken, dat ze zich toen voelden als een biefstuk in een gehaktmolen.

DEEL IV – KAZERNE

1

Drie nieuwe voicemailberichten, las Vik op het scherm van zijn telefoon. Hij ging rechtop op zijn bed zitten. Zijn ogen voelden dik. Automatisch keek hij op zijn horloge. Het was een paar minuten over één. De hitte van buiten kwam via het raam en het platte dak naar binnen. De grote ventilator zorgde ervoor dat het nog enigszins uit te houden was op de legeringskamer.

Met zijn rechterduim toetste Vik het nummer van de voicemail in op zijn telefoon en hij bracht het naar zijn oor. Hij was opgestaan en keek uit het raam naar beneden. Het was warm voor de tijd van het jaar. In het zwembad van het huis dat naast de kazerne stond speelden een paar kinderen met water; ze genoten van het mooie lenteweer.

'U hebt drie nieuwe berichten,' klonk de stem van de voicemail. Vik wachtte. 'Eerste nieuwe bericht. Bericht vandaag ontvangen om...' Vik liep ongeduldig heen en weer voor het raam, zoals tijgers in een dierentuin langs de tralies van hun kooi kunnen lopen.

'Vik? Met Lot, ik weet dat je er bent, dus zou je me even terug willen bellen?' Lots stem klonk onzeker, maar toch streng. Voordat de stem van de voicemail hem vertelde wat hij allemaal kon doen met het bericht drukte Vik een 2 om het bericht te wissen, waardoor hij automatisch doorschakelde naar het volgende nieuwe bericht.

'Vik, dit gaat zo niet langer, ik kan dit niet meer, ik wil het zo niet meer, we moeten echt praten.'

Het telefoontje was nog geen kwartier na het vorige gepleegd. Vik had het niet gehoord, waarschijnlijk omdat hij in slaap was gevallen. Hij liep de kleine badkamer in, draaide de kraan open en zette zijn mond aan het stromende water. Na een paar slokken genomen te hebben, wastte hij zijn gezicht met koud water. Hij steunde op de wastafel en keek zichzelf aan in de spiegel. Ruim een week was hij nu terug uit Noorwegen en net als na de uitzending was hij vaak moe.

Zonder op het derde bericht te wachten drukte Vik de telefoon uit en ging opnieuw op het bed zitten. Zijn fiets stond tegen zijn bureau. Gisteravond had hij hem helemaal in orde gemaakt: een mooi nieuw wit stuurlint, de schoongemaakte ketting en tandwielen blonken als gepoetst zilver. Door de manier waarop de zon door zijn raam op het zwarte carbon viel, leek het te glimmen als een olievlek. Hij pakte zijn fiets vast bij de schakelgreep en het zadel en tilde het achterwiel omhoog. Terwijl hij behendig met zijn voet het rechterpedaal liet ronddraaien, bewoog hij de schakelgreep naar binnen, waardoor de ketting over de achtertandwielen begon te ratelen. Als hij niet schakelde, liep het wiel geruisloos door. 'Echte schoonheid is niet zichtbaar of hoorbaar,' fluisterde hij tegen zijn fiets. 'Je moet weten dat die er is, erin geloven.' Tevreden keek hij naar de ronddraaiende spaken en liet het achterwiel toen voorzichtig op de blauwzwarte vloerbedekking zakken.

'Tien jaar huwelijk kun je niet, zoals pubers die verkering uitmaken, over de telefoon beëindigen.' Vik sprak tegen zijn fiets; er was niemand in de kamer. Zijn fiets klaagde niet en stelde geen moeilijke vragen. Die was geduldig en begripvol, zelfs als hij er te weinig aandacht aan besteedde. Misschien hield hij wel meer van zijn fiets dan van wie ook, dacht hij heel even. Hij wist dat het niet waar was. Hij haalde een wielertenue uit de eenvoudige blankhouten kast en gooide dat op zijn bed. Hij gespte de riem van zijn uniform los en kleedde zich uit; zijn blouse smeet hij over de leuning van zijn bureaustoel. Met alleen zijn sokken nog aan stond hij naast het bureau, waar hij de twee roze enveloppen met het handschrift van zijn dochter erop pakte. De brieven had ze stiekem in zijn tas gestoken voor hij naar de kazerne vertrok. Hij hoefde ze er niet meer uit te halen. Drie keer had Vik ze nu gelezen, drie keer was het hem te veel geworden en had hij erom gehuild:

Lieve Papa

In de envelop zit een blauw half hard.
Dat is een liefdes hard mama heeft er ook een.
Dat is als je ons mist kijk je er naar.
Als je weer thuis bent kun je hem tegen het hard van mama houden.
Ik zal je heel erg missen en mama en Daan ook.

xxxxxxxxxxxxxxxxxxxxx
Je muppet en mama, Daan

Rondom de tekst had Fleur hartjes geplakt en huilende smileys getekend, en er stond een pijltje naar de plek waar het papier duidelijk nat was geworden. 'Van mijn traanen omdat ik van je houw,' stond erbij.

'Godverdomme!' Kwaad greep Vik zijn laptop.

2

Al enige tijd nam Vik niet meer de moeite om de porno uit de geschiedenis te wissen, waardoor hij niet echt moeite hoefde te doen om die te vinden. Hij keek nog maar één filmpje, altijd dezelfde pornoster; hij wilde trouw zijn, niet meer vreemdgaan en dus koos hij altijd dezelfde. Kon masturberen eigenlijk wel als vreemdgaan gezien worden? Zo ja, kon hij dat zichzelf dan kwalijk nemen? Als je alleen was, dan masturbeerde je, dat waren de regels, en regels moesten nu eenmaal nageleefd worden.

Met een T-shirt dat hij naast zijn bed vond, veegde hij zijn buik schoon. Daarna stapte hij onder de douche. Het warme water dat door zijn haren stroomde liet hem ontspannen, waardoor zijn erectie weer enigszins aanzwol alvorens helemaal te verdwijnen. Vik pakte het scheermes dat in het zeepbakje lag en begon zijn benen te scheren; ook zijn okselhaar en het kleine plukje borsthaar dat hij had schoor hij af. Toen hij klaar was, stapte hij onder de douche vandaan en liep zonder zich af te drogen de kamer in. Het water liet op de sombere systeemvloerbedekking een nauwelijks zichtbaar spoor achter. Uit zijn plunjezak, die op de kast lag, trok hij een legergroene ruwe handdoek en wreef zich droog.

Toen hij klaar was smeerde hij zijn kruis in met vaseline. Uit zijn toilettas haalde hij een flacon sportbalsem en hij kneep een plasje olie uit over zijn hand. De geur van eucalyptus prikkelde zijn slijmvliezen. Die verhulde de geur van oude pis die uit de douche kwam, en heel even deed het hem de eenzaamheid van de legeringskamer vergeten. Tussen de systeemvloerbedekking, de fantasieloze houten kast en het dito bureau waren de twee lege bierflesjes op een laag rond tafeltje het enige wat gezelligheid opriep. Niet naast elkaar, wat deed vermoeden dat één iemand beide flesjes had leeggedronken – nee, tegenover elkaar, schuin tegenover elkaar. Beide flesjes op een centimeter of drie van de rand.

Het was zoals Larie hem afgelopen zondag had verteld, toen hij net was ontslagen uit de kliniek. 'Een asbak en een geopende bierfles, meer vriendschappen had ik een tijdlang niet, niemand wist het, niemand hoefde het ook te weten. Het was mijn geheim, een geheim zo goed bewaard en groot dat ik het zelf ook eigenlijk niet wist, niet toe durfde te geven, en toen ik het wel wist durfde ik het niet te zien.' Larie keek omlaag. Juist op dat moment werden hun borden met een vriendelijke glimlach de tafel op geschoven. 'Twee keer salade met gegrilde kip en mango.'

Vik had zijn lege bierflesje omhooggehouden. 'Mogen we daar nog twee van deze biertjes bij?' Behendig, zonder verder tot last te zijn, had het blonde meisje de twee lege flesjes tussen haar duim en wijsvinger aangepakt en was teruggelopen naar de bar.

'Ik houd niet van zwarte olijven. Niet om de smaak, maar ze geven me het gevoel dat ik op testikels zit te kauwen.' Zonder van zijn bord op te kijken had Larie met zijn vork de zwarte olijven uit zijn salade gevist en ze naar de rand van zijn bord gerold. Vik had er niet op gelet, maar nu Larie het tegen hem had gezegd keek hij toe hoe de olijven op de rechterbovenrand van het bord belandden. Zes telde hij er. 'Ik geef ze ook nooit weg, want als ik iemand anders erop zie kauwen wordt het alleen maar erger,' Larie zat voorovergebogen: zijn linkerarm lag languit op de tafel, alsof hij wilde voorkomen dat Vik de olijven van zijn bord zou pakken.

'Heb je weleens groene olijven geprobeerd?' wilde Vik weten.

Larie schudde zijn hoofd. 'Kijk je weleens naar *Vinger aan de pols?*'

'Keek, bedoel je? Dat programma bestaat toch al jaren niet meer.'

'Gisteren heb ik het nog gekeken.' Larie legde zijn vork neer en drukte met zijn duim het schijfje citroen in het flesje Sol-bier en nam een slok.

Verbaasd keek Vik op. 'O, wie presenteert het nu dan?'

'Geen idee, maar dat doet er toch ook niet toe?'

Larie had gelijk: het deed er inderdaad niet toe. Hij kaartte het alleen aan omdat het ontspannen gespreksstof bood, om zo de vraag hoe het in de kliniek was en hoe het nu met hem ging zo lang mogelijk uit te kunnen stellen. Vik keek Larie aan om aan te geven dat hij verder moest gaan.

'Als ik die medische programma's zit te kijken krijg ik op de een of andere manier altijd jeuk op die plek waar ze aan het opereren zijn: mijn knie, mijn buik, arm, oog of wat dan ook. Van zwarte olijven krijg ik ook op diezelfde manier een soort van kramp aan mijn ballen.'

'En die krijg je dus ook als je ziet dat iemand anders ze eet?'

Vik was met Larie gaan eten om te weten hoe het met hem ging, of hij zich inderdaad beter voelde nu ze hem beter hadden verklaard, maar hij had nog geen goed moment of ingang gevonden om erover te beginnen. Hoe begin je ook over een onderwerp waar je het eigenlijk liever niet over wilt hebben?

Hij zag er goed uit, een paar kilo lichter, en met een blik in zijn ogen van een kwajongen die op het punt stond om kattenkwaad uit te halen. Misschien was het zo wel beter. De ontspannen manier waarop olijven werden vergeleken met testikels gaf tenslotte toch ook aan dat je in weer in staat was om te relativeren, om de humor van dingen in te zien. 'Ken je het boek *Zwemmen met droog haar?*'

Larie schudde zijn hoofd. 'Nee, hoezo?'

'Ik moest eraan denken door wat je zojuist over die olijven zei, maar ook door de symbolische betekenis van het boek, dat gaat over hoe ver je moet gaan om je medemens te helpen, of we dingen voor ze doen uit liefde of uit medelijden. Het gaat over de soms misschien wel te grote verschillen tussen twee culturen, maar ook over dat plotselinge revoluties veel hoop geven, maar daadwerkelijke verandering vaak uitblijft. Een beetje zoals in Afghanistan: dat de mensen eerst blij en later teleurgesteld waren toen de Russen waren verdreven. Dat ze opnieuw hoop hadden toen de taliban waren verdreven, maar nu weten ze dat ook de komst van een democratie weinig verandering heeft gebracht.'

'Ik snap even niet wat het verband is met de kramp die ik krijg als ik olijven eet of mensen olijven zie eten,' antwoordde Larie, terwijl hij verbaasd lachte.

'De komt door de eerste zin van het boek,' vervolgde Vik. 'Het was zoiets als: "Hij kon er niet tegen om vrouwen bananen te zien eten en zij at er minstens twintig op een dag." Ik vraag me af of je ook pijn aan je lul krijgt als iemand zijn tanden in het topje van een banaan zet. Of is dat afhankelijk van of een man of een vrouw erin bijt?'

'Bij vrouwen vind ik het ronduit geil. Mannen moeten er met hun tengels van afblijven.' Weifelend keek hij Vik aan. 'Voor de rest praat je in raadsels. Bedoel je te zeggen dat we voor niets naar Afghanistan zijn gegaan?' Larie krabde aan de nieuwe *tribal* tatoeage op zijn arm.

'Misschien.' In de stilte die viel staarde Vik naar zijn bord.

'Daar maak ik me niet druk over.' Larie veegde zijn mond af aan het servet. 'We zijn er geweest, we hebben gedaan wat we konden, wat er van ons verwacht werd, en het is goed zo.' Vik zag dat Larie zijn ogen samenkneep tot een serieuze blik. 'Toch?'

Vik liet zich onderuitzakken in zijn stoel, keek om richting de bediening en stak twee vingers de lucht in. Zwijgend liet hij de laatste slok over de bodem van zijn flesje ronddraaien. Hij dacht na, hoopte dat Larie zelf de stiltes in zou vullen, zoals mensen wel vaker doen als een antwoord te lang op zich laat wachten. 'Ik begrijp de vraag wel, dat we voor niets naar Afghanistan zijn gegaan. Ik ben het ook wel met je eens. We waren op de goede weg, maar toen trokken we zomaar de stekker eruit. Nu de taliban weten dat we het niet meer kunnen betalen, dat ook Amerika over een paar jaar de stekker eruit zal trekken, hebben ze eigenlijk gewonnen, en hebben we alles voor niks gedaan. Omdat wij er dan weg zijn, zijn ook de camera's weg, en dus hoeft niemand te vertellen dat er mensen voor niets gesneuveld of gewond zijn geraakt. Over een paar jaar zijn de meeste mensen het vergeten en hebben ze liever niet dat wij het erover hebben. Zo gaat dat nu eenmaal met veteranen.'

Laries telefoon trilde op de houten tafel. Met zijn rechterhand kantelde hij het schermpje om het te kunnen lezen. 'Goed nieuws,' lachte hij.

Op de hoek van de straat hoorde Vik dat een brommer in zijn vrij een aantal keren flink gas gaf. Hij stond op en zette de flesjes in de hoek van de badkamer tegen de andere aan. Tien flesjes, twee voor elke dag die hij ondertussen hier zat.

3

'Ga je nu nog fietsen?' Vik had zijn racefiets vast bij het stuur, het voorwiel in de lucht, terwijl hij het achterwiel beheerst de treden van de stenen trap af liet rollen. Op de weg omlaag passeerde Tobias, een collega die ook op de kazerne sliep. 'Over een uurtje begint het al donker te worden.'

Vik haalde zijn schouders op. 'Dat is dan toch een uurtje.'

'Zullen we als je terug bent een biertje doen in de bar?'

'Is goed, man.' Vik liep verder de trap af. Het klikmechanisme onder zijn schoenen klonk als hoge hakken op een parketvloer. Voor hij het gebouw uit stapte voelde hij in zijn wielershirt of hij zijn pasje bij zich had om bij terugkomst de poort te openen, drukte hij zijn oordopjes in en zette zijn iPhone aan. Toen stapte hij op zijn fiets.

Via Naaldwijk reed hij naar Monster; vlak voor het strand draaide hij rechtsaf door de duinen. Hij reed nu bijna pal richting het noorden, op een fietspad dat hij tot Kijkduin zou volgen, om dan via Den Haag terug te rijden richting Rijswijk.

Er waren weinig dingen die hij nog goed kon ruiken, maar de zilte zeelucht, een geur die versterkt werd door het zweet dat langs zijn lippen gleed, drong zonder moeite bij Vik binnen. Hij duwde zijn zonnebril strakker op zijn neus. De zandduinen, de gloed van de ondergaande zon. Hij zette aan, *en danseuse*, terwijl alles om hem heen oranje werd.

Rond de tijd dat de zon onderging in Afghanistan had Vik vaak een plek gekozen waar hij ervan kon genieten. Zittend in het zachte woestijnstof met koffie en een opgewarmd rantsoen. Zijn ogen samenknijpend en gewoon starend in het niets. Soms alleen, maar vaak zaten ze met een groepje, alsof het een zomerdag op een terras was. Zonder haast voerden ze gesprekken over thuis, de missie of gewoon de dingen die ze zagen. Gesprekken die ineens verstoord konden worden door een van de mannen die zijn strakke shirt gevuld had met sokken en langsparadeerde met een verleidelijke blik alsof het rokjesdag was. Of door het plan om iets te gaan doen. Een bokspartij, waar de tegenstanders als professionals een kring van juichende mannen betraden voor enkele rondes vol rake klappen die het gejuich deden aanzwellen, of gevechten tussen *camelspiders,* schorpioenen of slangen, tot een poolparty met vijftig man in een opblaaszwembad van nog geen twee meter doorsnede. Als ze op veldbedjes in de woestijn moesten overnachten had Vik een enkele keer voorgelezen uit een boek dat hij voor die patrouille in zijn tas had gestopt. De mannen die geen wacht hadden lagen met een sigaret tussen hun lippen te luisteren in hun slaapzakken.

'Fiets je veel?' Tobias hing met zijn ellebogen op de bar en pakte een handje nootjes, die hij achter zijn roodbruine baard zijn mond in drukte.

'Ik probeer weer een beetje in vorm te komen.' In een hoekje van de bar werd er naar een voetbalwedstrijd gekeken, aan een statafeltje stonden een paar officieren bitterballen weg te spoelen met bier en goedkope wijn, maar verder was de bar, op Tobias en Vik zelf na, verlaten. 'Dus probeer ik iedere dag wat te trainen.'

'Heb je een specifiek doel?'

'Geen idee. In vorm zijn op het militair kampioenschap misschien.' Even liet Vik een stilte vallen en nam hij een slok uit het vaasje bier. 'Het is ook gewoon lekker om de wind door je haren te voelen en je hoofd leeg te maken.'

4

'Hé Vik!' Vanuit een olijfgroene fourwheeldrive klonk de stem van Leon. 'Stap in, dan parkeer ik de auto in de garage en lopen we de stad in.'

Vanaf het stationsplein reden ze over de rotonde. De goudgele draak blonk in de zon.

'Hoe gaat je studie?' wilde Vik weten. Leon was sinds kort geen militair meer en had een studie bedrijfsmaatschappelijk werk opgepakt.

'Goed, maar het is wel weer even wennen om huiswerk te moeten maken en soms blijf ik moeite houden met mijn concentratie.' Leon liet zijn raam zakken om het kaartje uit de automaat te halen. 'Heb je het gehoord van Larie?' Doordat hij het parkeerkaartje tussen zijn lippen had geklemd klonk Leon wat nasaal. Vik keek hem aan: hij zag er goed uit, ontspannen vooral, maar toch, een burger zag hij niet in Leon. 'Hij wordt vader.'

'Ja, ik was bij hem toen zijn vriendin sms'te. Ze had zo'n test gekocht en had niet kunnen wachten tot Larie weer thuis was.'

Soepel met één hand sturend draaide Leon de jeep in een parkeerplaats op de vijfde verdieping. 'Kun je even mijn sigaren uit het handschoenenkastje pakken?' vroeg hij voor het uitstappen. Vik knikte. Samen slenterden ze naar de lift, die defect bleek te zijn, waardoor ze geen andere keuze hadden dan de trap te nemen.

'Jij burger,' mompelde Vik.

'Ik had eigenlijk geen keus,' antwoordde Leon, 'maar een schrale troost is dat ik nu wel recht heb op een invaliditeitspensioen.'

Ze waren de parkeergarage uit gelopen en als automatisch had

Vik de omgeving in zich opgenomen. De straat werd verlicht door grote, klassiek ogende lampen die een flauw gelig licht wierpen op de rode steentjes waarover ze liepen. Leon liep nu weer normaal; als je niet zou weten wat hij aan zijn been mankeerde zou het je misschien ook niet opvallen; dan had je je hooguit geërgerd aan de manier waarop hij de trap af was gelopen. Acht keer vijf treden lang had Vik gezien hoe Leon eerst zijn linkerbeen een trede lager plaatste om vervolgens het rechter ernaast te zetten. Hij kon nog steeds niet traplopen zoals normale mensen; dat zou hij ook nooit meer kunnen. Zijn linkerknie kon hij niet ver genoeg buigen om door te kunnen stappen en dus liep hij trap zoals een kind dat het net had geleerd.

'Hoe is het met je zoontje?' Vik keek naar de rechthoekige bril die Leon droeg. Hij vroeg zich af of hij die de vorige keer ook al had, of hij er iets over zou zeggen. Omdat hij het niet zeker wist, zweeg hij erover.

Leon stak een sigaar aan. 'Het gaat goed met hem. Met zijn moeder heb ik nog wel wat problemen. Ze valt me lastig en kan dingen niet relativeren of plaatsen.'

'Hoe bedoel je? Raar trouwens. Zij is toch bij jou weggegaan tijdens de uitzending?'

'Ja, maar ze heeft nogal wat moeite met mijn nieuwe vriendin.'

'Het is een gave, Leon. Vrouwen zijn in staat om overal problemen van te maken zonder dat er een logische reden is.'

Zwijgend liepen ze via de Schapenmarkt de markt op. Links van hen lag het stadhuis, achter het stadhuis lag de Scheidingstraat. De markt was leeg, de terrasjes waren verlaten. Misschien mocht je op een dinsdag ook niet meer verwachten. Den Bosch was geen Amsterdam, geen New York, geen stad die nooit sliep. Misschien met carnaval, maar dat was ook niet meer dan één week per jaar. Via de markt liepen ze de Kerkstraat in.

'Wat wil je eigenlijk eten?'

'Wriezjee met tjerga,' antwoordde Vik lachend, 'rijst met kip.'

'Hoe is het bij jou thuis eigenlijk?'

'Geen idee, ik kom daar nooit meer,' antwoordde Vik nonchalant. 'Ik moet nog even pinnen.'

Aan het einde van de Kerkstraat, tegenover de Sint-Jan, pinde Vik honderd euro, waarna ze terugliepen naar de Korte Putstraat en Roelfs, een eetcafé, binnengingen. Het was er donker. De vale houten vloer en het donker gelakte hout van de grote trap, tafels en stoelen gaven het café een doorleefde uitstraling.

'Hebt u nog een tafeltje voor twee personen?' vroeg Vik.

De barman keek even rond of hij nog een leeg tafeltje zag. 'U had niet gereserveerd? Misschien is er boven nog een tafeltje vrij, daar is in ieder geval niets gereserveerd.'

Vik liep met twee treden tegelijk de trap op en liet zijn blik over de balkonachtige verdieping glijden. Recht tegenover hem zag hij een vrij tafeltje en dus wenkte hij Leon.

'Ik ben afgelopen week gebeld door de commissie,' zei Vik toen ze eenmaal zaten. 'Ze hebben de aanvraag niet goedgekeurd, ze gaan je geen dapperheidsonderscheiding toekennen.'

'En dat moet jij me vertellen?'

'Ja, officieel weet je natuurlijk niet eens dat de onderscheiding voor je is aangevraagd. In de reglementen staat dat het niet mag worden besproken met degene die moet worden gedecoreerd.'

'Maar ik ben zelf voor de commissie geweest, ze hebben mij ook gehoord.'

'Weet ik, maar dat is ook niet gebruikelijk. Dat weet jij ook.'

'Ja, maar het feit dat ze het deden, zei wel iets over de kans dat ze hem gingen toekennen. Ze zeiden dat ze, als ze het niet bijna zeker wisten dat ik hem ging krijgen, dat nooit zouden doen.' Vik staarde naar de muur. Hij wachtte tot Leon verder zou gaan met zijn betoog, met het verhaal waar hij al die tijd zo sterk bij betrokken was geweest.

'Ik had ze ook gezegd dat ik, juist omdat ik ook zelf gehoord ben, van hen wilde horen wat de uitslag was. Gaan ze mij hierover nog bellen?' wilde hij weten.

Vik schudde zijn hoofd. 'Nee.'

'Stelletje hufters. Ik word zo moe van dat soort lamlendige lafaards. Ze hebben niet eens de ballen om het mij zelf te vertellen.'

'Het is niet de procedure,' onderbrak Vik hem. 'Aangezien normaal gesproken degene die wordt voorgedragen niet op de hoogte is, nemen zij dus ook nooit contact op met die persoon.'

'Maar ik bén op de hoogte, ze hebben mij gehoord!'

'Ik weet het, Leon, maar zij houden vast aan de procedure.'

Leon zuchtte. 'Hebben ze je verteld waarom de onderscheiding niet wordt toegewezen?' Hij was voorover gaan zitten en keek Vik vragend aan.

'Ik heb ernaar gevraagd.'

'En?'

'Niks, ik kreeg een uitleg van hoe de commissie in elkaar zit, uit wat voor mensen hij bestaat en hoe ze te werk gaan. Dat ze uitermate zorgvuldig zijn en dat ik daarvan mag uitgaan. Zo'n uitleg waar je niets aan hebt, waar je niets mee kunt, die eigenlijk vooral zegt wat voor impotentie op sommige plekken van onze organisatie te vinden is. Toen de man klaar was met de uitleg, zei ik tegen hem dat ik niet geïnteresseerd was in de samenstelling en werkwijze van de commissie, maar in de reden waarom de onderscheiding niet was toegekend.'

'En toen?'

Vik smeerde een stukje brood met aioli en bood het Leon aan; hij smeerde een tweede en nam een hap. 'Toen legde hij nogmaals uit wat hij me daarvoor ook al had verteld. Gek word je van dat soort mensen. Ik vroeg hem hoe ik dit dan aan jou uit moest gaan leggen, maar aangezien procedureel jij dit normaal gesproken niet weet, begreep hij mijn probleem niet. Buiten dat: het is ook een procedure die niet uitlegt waarom een onderscheiding wel of niet wordt toegekend.'

'Wie zitten er in die commissie dan?'

'Dat heb ik niet onthouden, ik heb niks met dat soort verhalen. In ieder geval iemand van Personeel en Organisatie, iemand met ervaring, en een brigadegeneraal.'

'Dan wil ik wel een gok doen welke; ik heb sterk het gevoel dat het onze generaal is. Die heb ik wel een paar keer op zijn teentjes getrapt, en nu pakt hij me terug.'

'Als dat geval is, dan heb je dubbel pech, want ook ik stond weleens op zijn teentjes.' Vik lachte cynisch en tikte met de hals van zijn bierfles tegen die van Leon om te proosten. Het bleef even stil.

'Ergens heb ik het gevoel dat je Draaginsigne Gewonden meer in de weg zit.'

'Waarom?'

'Gewoon een gevoel, op basis van de opmerkingen die zijn geplaatst. Die man legde me uit dat je voor de actie waarvoor de dapperheidsonderscheiding is aangevraagd ook al een DIG is uitgereikt.'

'Begrijp ik nou goed wat je zegt?'

Vik liet een korte stilte vallen en keek Leon strak aan, waarna hij rustig en beheerst zei: 'Dat denk ik wel, ja.'

'Stelletje klootzakken, alsof ik om die DIG heb gevraagd! Alsof ik bewust gewond geraakt ben, alsof ik het lekker vond om daar met mijn poten in de kreukels te liggen creperen van de pijn, alsof het een prestatie is om gewond te raken, en ik die DIG nodig heb om me die dag te herinneren. Iedere morgen als ik opsta heb ik pijn aan mijn poot, ieder weekend als ik ga kijken op het voetbalveld bij mijn oude team weet ik dat ik niet meer zal kunnen voetballen. Ik herinner het me als ik wil rennen met mijn zoontje of mijn uniform doelloos in de kast zie hangen. Die speld hebben ze op mijn borst geprikt, die ik daarvoor trots aanbood. *Vulnere nec vici,* gewond maar niet verslagen.'

Vik legde zijn ellebogen op tafel en schoof naar voren. Zijn blik kruiste die van Leon alsof ze hun gedachten uitwisselden. Dit was het moment waarvan Vik had geweten dat het zou gaan komen toen hij had besloten om het Leon te vertellen. Kom maar, dacht hij, brand maar los.

'Het is een godvergeten kruis dat ik op mijn schouders draag, en waar Defensie me iedere dag weer aan vast lijkt te spijkeren. Als het ze uitkomt mag, of nee, móét ik mijn verhaal vertellen. Trots zijn, maar als jij iets van hen vraagt, kan niemand je helpen, sta je alleen in de kou en zoek je het maar uit, want onze mannen zijn sterk en gezond. De gewonden laten we uiteindelijk alsnog achter, veilig thuis, en daar mag je niet over zeiken. Maar ik wil vechten, het is geen blijk van waardering, Vik, het is een stigma, een kwaadaardig gezwel dat zich als kanker van je borst naar je hoofd en uiteindelijk je hart verspreidt.'

Vik slikte. De woorden van Leon waren geen verrassing voor hem. Hij had ze verwacht, voorspeld zelfs. Hij had naast Leon willen gaan zitten en een arm om hem heen willen slaan, maar hij deed het niet. Hij kon het niet. Misschien omdat hij bang was dat Leon zou merken dat ze dezelfde woede deelden.

5

Wachtend voor het verkeerslicht keek Vik nog één keer op het briefje met de plaatsnamen die hij moest aanhouden en stopte het toen weer in de achterzak van zijn shirt. Toen het licht op groen sprong drukte hij zijn rechterbeen omlaag om snelheid te maken. Op gevoel zocht zijn linkervoet het pedaal, dat met een korte droge klik liet horen dat hij één geworden was met zijn fiets. Zodra hij de Nieuwe Maas onder zich zag liggen, keek hij naar links, waar het rode staal van de Willemsbrug het Noordereiland met de Maasboulevard verbond. Hier, bij het witte gebouw met de schuine voorgevel, begon de skyline van Rotterdam. Een rijtje van bescheiden wolkenkrabbers bracht je op de plek waar hij nu reed, de Erasmusbrug. Vik keek tegen de zon in die over het water dwarrelde en zag een zwart-gele watertaxi voorbij de Euromast in de richting van Heijplaat varen. Daarachter, buiten zijn zicht, lagen de Botlek en de Maasvlakte.

De meeste mensen die hij kende zagen dit gebied als troosteloze industrie, zoals ze Rotterdam als een harteloze stad zagen. Dagelijks herinnerde Zadkine de Rotterdammers, als de protheses naast het bed van een kreupele, aan hun invaliditeit . De oorlog, het bombardement had de ziel van Rotterdam geraakt, waardoor de stad volgens buitenstaanders sfeer en authenticiteit miste en nog steeds gebukt ging onder fantoompijn.

'Lot?' Geïrriteerd als door een wekker die hem op een vrije zaterdagmorgen uit zijn slaap haalde, nam Vik zijn telefoon op. 'Lot, ik weet eigenlijk niet wat ik nou erger vind: het feit dat je liever had gehad dat ik tussen zes planken uit Afghanistan was teruggekomen of de subtiele, maar pijnlijke toevoeging dan zo...'

'Vik, luister naar me.'

'Dan zo? Lot.' Woest, zonder de verbinding te verbreken, smeet Vik zijn telefoon over de reling van de brug.

Misschien had hij niet op moeten nemen, zoals hij vorige week ook niet naar huis had moeten gaan. Op verzoek van Lot was hij blijven slapen – niet voor haar, maar voor Fleur en Daan, die iedere ochtend wakker waren geworden in de hoop dat papa thuis zou zijn. Hij was naast Lot in hun bed gaan liggen. Hij zag ook niet in waarom hij dat niet zou doen; eenzaamheid en verdriet zijn al erg genoeg. Vik had gevoeld hoe de hand van Lot de zijne zocht, hoe haar vingers langs die van hem gleden en bij zijn ringvinger leken te stagneren. Ze vond zijn ring niet meer; hun ringen lagen op de houten rand rond het bed. Liefdevol lagen ze half over elkaar heen, alsof ze steun zochten bij elkaar, en zich niet realiseerden wat Vik allang wist.

Lot had zich op haar rug gedraaid. Vik voelde dat ze voorzichtig zijn hand meetrok en zich probeerde te ontspannen. Het was alsof ze hem ervan wilde overtuigen dat ze samen nog een kans hadden. Vik liet zijn hand over haar navel omlaagglijden en probeerde aan haar slip te voelen welke lingerie ze voor hem had aangetrokken. Hij wist het niet; te lang had hij niet meer naar haar omgekeken, had hij de seks met haar ontweken.

De strijd die de afgelopen maanden steeds dieper hun relatie was binnengedrongen had hem gekwetst, zoals hij ook haar ongetwijfeld gekwetst had. Ze had steeds weer met hem willen praten over onderwerpen waar Vik niet over wilde praten, met niemand. Onderwerpen die hij had geprobeerd weg te stoppen op een plek in zijn hoofd die wat hem betreft door acute alzheimer geraakt mocht worden. Langzaam maar zeker was het hem gaan frustreren, had hij zijn geduld verloren en was hij haar lelijk gaan vinden om die vragen, vies zelfs. Soms betrapte hij zichzelf erop dat hij haar niet meer zag, maar alleen het rauwe, niet-nadenkende vlees dat aan de binnenkant zat, een pratend object uit Hagens *Körperwelten*.

Waarom kunnen we niet meer met elkaar praten, maar nog wel met elkaar vrijen, had Vik gedacht, terwijl hij zich, tegen beter weten in, probeerde te verzetten tegen Lots avances. Zij wil het, gonsde het door zijn hoofd; zij wil het, dus mag het. Hoeveel mensen zochten geen troost in fysiek contact? Was dat niet wat Ruth bij hem had gezocht, wat hij zelf had gezocht? Hoe intiemer het contact, des te meer troost het zou bieden. In ieder geval tot het moment dat je je realiseerde dat ook troost een leugen is.

Vik liet zijn hand langs het smalle streepje schaamhaar omlaagglijden, alsof het doel van schaamhaar was om de weg te wijzen. Lot woelde zachtjes met haar handen door zijn haren; ze probeerde hem te zoenen, maar Vik ontweek haar. Hij wilde haar niet zoenen, net zomin als hij haar borsten wilde aanraken. Het waren stille betogen die moesten voorkomen dat nu vrijen betekende dat er toch nog hoop was. Hoop was een illusie die alles wat hij na Afghanistan had gedaan kapot had gemaakt. Vik draaide zijn lichaam op dat van haar. Hij voelde hoe haar bekkenbeenderen hard in die van hem drukten. In een paar maanden tijd had ze door stress en verdriet meer gewicht verloren dan in jaren van sporten en gezond eten.

Verdrietig sloot hij zijn ogen. In gedachten zag hij de nu donkere kamer voor zich. De foto's van Fleur en Daan, de luxe Montis-logestoel, het kleine schilderijtje van de Franse schilder Denis, maar vooral de herinneringen. Herinneringen die je niet hoefde te delen, die je, ook als je uit elkaar ging, beiden mocht houden, maar die op de een of andere manier toch kapot leken te zijn. Herinneringen die hem langzaam maar zeker de keel leken dicht te knijpen. Hij veegde een traan weg die over zijn wang rolde. Hij dacht aan Ruth en Kim, aan hoe Lot voor zijn vertrek naar Noorwegen tijdens het neuken hem ineens een foto van Kim op haar mobieltje had laten zien.

‘Lot, kom op! Het betekent niets.’

‘Aan wie denk je nu, Vik, aan mij? Kun je het nog wel als je aan mij denkt, of heb ik afgedaan?’

‘Zo is het niet, Lot. Ik weet het niet, ik kan het niet uitleggen.’

‘Je hoeft het niet uit te leggen!’ had ze huilend geschreeuwd. Kwaad had ze haar Mickey Mouse-pyjama omhooggetrokken. ‘Mijn tieten kunnen niet meer tippen aan de strakke stevige tieten van zo’n dom wicht. Een méísje, Vik. Jezus, man, je neukt met een meisje!’

Vik had gezwegen, terwijl Lot nog steeds met haar shirt omhoog rechtop in bed zat.

‘Kijk dan, Vik. Kijk hoe mijn tieten hangen, leeggezogen, afgekloven en platgeslagen. Theezakjes zijn het, Vik! Theezakjes.’

Terneergeslagen had Vik naar Lots ‘theezakjes’ gestaard. Mensen hier waren perfectie en de mogelijkheid om die na te streven gaan verwarren met schoonheid.

‘Jouw borsten zijn de mooiste borsten die ik ken,’ had hij gezegd.

‘Lul niet zo stom, klootzak! Kijk naar mijn tieten, kijk ernaar en durf dat nog eens te zeggen.’

Vik had Lot recht in haar ogen gekeken. ‘Jouw borsten zijn de mooiste die ik ken, Lot, nooit zal ik mooiere borsten vasthouden dan de jouwe, dat is onmogelijk. Natuurlijk staan de borsten van Kim nog trots overeind en voelen ze stevig aan als je erin knijpt, maar ze vertellen geen verhaal, Lot. Ze hebben geen ervaring. Weet je wat ik zie als ik naar jouw borsten kijk?’ Zonder op een antwoord te wachten ging Vik verder. ‘Ik zie twee borsten die zich hebben opgeofferd voor het mooiste wat we hebben, Fleur en Daan. Ze hebben me laten lachen op de momenten dat ze als de kinderen begonnen te huilen als automatische reactie melk begonnen te geven. Als we vreeën liet je me stiekem proeven: de warme zoete smaak van moedermelk. Geloof jij echt dat haar borsten kunnen tippen aan die van jou?’

'Gelul, Vik, allemaal gelul. Ik trap er niet in, hoor je me? Ik trap er godverdomme niet in.'

Vik had toegekeken hoe haar felheid, kwaadheid en agressie langzaam plaats hadden gemaakt voor zacht snikken. Uren had Vik, voor zijn gevoel zonder adem te halen, gekeken naar het verdriet van Lot. Een paar keer had hij zijn lippen bewogen, maar zonder geluid, alsof ze beseften dat waarheid en leugens een en hetzelfde waren geworden en zwijgen het enige was wat nog hoop bood.

'Ik had liever dat je tussen zes planken uit Afghanistan was gekomen dan zó.'

Misschien was dat ook wel het probleem van Rotterdam: dat de stad door het bombardement niet begrepen werd door andere steden. De oorlog was voor Rotterdam een andere ervaring.

Vik zag hoe de watertaxi de inham bij de oude RDM-loodsen in voer. De onderzeebootloods waar de taxi aan zou meren was een café-restaurantje; hij had er een keer koffiegedronken met Ruth, die hij sinds ze had verteld dat ze zwanger was niet meer had durven te bellen. Aan de muur hingen grote zwart-witfoto's van de fabriekshal zoals die vroeger was. Op enkele foto's had hij de Fennek zien staan. De RDM ontwikkelde ooit samen met KMW, een groot Duits bedrijf, het verkenningsvoertuig voor het Nederlandse en Duitse leger.

'Kijk,' had hij tegen Ruth gezegd, 'mijn leaseauto. Hier rijd ik ook in op mijn werk.' Ruth was naast hem komen staan om te kijken naar de foto van een onbespoten zilveren carrosserie op een lopende band.

Vik dacht aan de woorden van Isaak Babel: 'Oorlog is de stormachtige prelude tot het geluk.' Als dat zo is, waarom was deze stad dan niet gelukkig? Was het omdat ze niet trots mocht zijn op wat ze na de oorlog was geworden? Dat andere steden haar niet begrepen omdat ze niet gebombardeerd waren en dus de waarheid niet begrepen, of op z'n best ontkenden? Of is het omdat de oorlog geen voorwaarde voor het geluk is, maar het geluk zelf? De puurheid en naaktheid van een oorlog ontdoet ons van alle etiquette. In de oorlog kunnen we ons geen rollen of luxe permitteren en zijn we wie echt zijn: held, lafaard, vluchteling, soldaat, collaborateur, slachtoffer, martelaar, verrader of toeschouwer. Gewoon toeschouwer, dat waren de meesten. Opportunist uit eigenbelang, omdat mensen uiteindelijk altijd instinctief uit eigenbelang willen handelen. Niet meer de schijn van goed zijn hoog te hoeven houden maakte het leven eenvoudiger en dus gelukkiger. Het eerste wat in een oorlog duidelijk werd was de waarheid, en die kon je achteraf beter verzwijgen.

6

De fiets gleed over het asfalt. Viks regelmatige ademhaling leek synchroon te lopen met het soepel ratelende geluid van de ketting. Hij had net Papendrecht achter zich gelaten en fietste nu over de dijk richting Gorinchem. Toen hij Delft uit reed, langs de Delftse Schie, had hij de wind in zijn zij gehad, maar nu stond die, net als de zon, in zijn rug. Mensen denken altijd maar dat de zon opkomt in het oosten en ondergaat in het westen, maar dat is niet waar, maalde het in Viks hoofd; dat gold maar voor twee dagen in het jaar. De eerste keer is op de dag dat de lente begint, en de tweede als de herfst begint. In de zomer komt de zon op in het noordoosten en gaat hij onder in het noordwesten; in de winter was het precies andersom. Het was zo'n stom weetje dat hij, net als de wet van Buys Ballot, altijd had onthouden.

Ontspannen tuurde Vik over de Merwede. 's Zomers had hij er vlak bij zijn school regelmatig in gezwommen. In de winters sprong hij met een aantal jongens uit de klas op de ijsschotsen. Soms ging het mis en donderden ze in het water of dreef een schots een andere koers dan ze in hadden geschat, waardoor ze er soms pas honderden meters verder af konden springen. Regelmatig waren ze te laat gekomen en één keer was er zelfs lichte paniek toen hij samen met een andere jongen volledig afdreef en vanuit de veilige inham daadwerkelijk de rivier op dreef. Pas buiten de waterpoort aan de andere kant van Gorinchem wisten ze van de schots af te springen; ze hadden elkaar aangekeken. De sprong was een gok geweest, maar niet springen leek geen optie. Ze hadden een kilometer of twee terug moeten lopen en de docent, meneer

Smulders, over wie werd gefluisterd dat hij officier bij de commando's was geweest en Russisch sprak, was zo woest geweest dat hij Kooij en Vik de gang op had getrapt en in hun bijzijn met hun ouders had gebeld.

Vik glimlachte toen hij eraan terugdacht. Ergens miste hij die tijd nog het meest. Als je op school zit wil je ervanaf, maar vrijer dan in die tijd was hij eigenlijk nooit meer geweest. Misschien leek Poentjak er in zekere zin nog wel het meest op: gewoon alleen met de jongens, niet al te veel bemoeienis van de hogere officieren op Kamp Holland.

Vik passeerde de betonfabriek aan de Waaldijk in Vuren. De stapels beton waren verpakt in felgeel plastic, waar met zwarte letters YTONG op stond. Het beton dat nog niet in plastic was gewikkeld had dezelfde grauwgrijze kleur als de muren van de Nederlandse kampen. In het oude pand ertegenover zat een designmeubelzaak. DE KIEVIT las hij in grote rode letters op het pand, dat, nu hij goed keek, voor meer dan de helft uit moderne aanbouw bestond. Het creëerde een contrast zoals je dat in Parijs zag bij het Louvre, maar hier stonden geen vrijstaande gebouwen; toch was het alsof ze op een vreemde manier aan elkaar gesmeed waren. Net als in Parijs vond hij de samensmelting van extreme contrasten wel wat hebben. Het beeld van de moderne legervoertuigen in het primitieve Uruzgan had waarschijnlijk een soortgelijk contrast opgeleverd, maar omdat hij daar zelf deel uitmaakte van datzelfde contrast zag hij het niet. Zoals je vaak pas ziet wat er op een foto waar jij op staat nog meer gebeurt als je de foto zelf ziet.

Nog een kilometer of dertig en dan ben ik er, dacht Vik. Zijn blik gleed langs de lange rijen gestapeld beton om te kijken of hij de brug al zou kunnen zien. De vorige, oude, metalen brug had hem altijd een beetje aan een kooi doen denken, een legbatterij voor auto's die veel te dicht langs elkaar heen gleden op het midden van de weg. De nieuwe brug was strak en hoog. Door de hoogte kon je hem kilometers van tevoren al zien liggen. Nooit recht voor je, maar grappig genoeg altijd vanuit een bepaalde hoek.

Vik draaide de brug op. Hij passeerde een oud stalen kruis dat bij wijze van monument, een herinnering aan de oude brug die hier ooit had gelegen, langs het fietspad was geplaatst. Bruggen waren geen bergen, maar toch zette hij aan alsof het om een serieuze beklimming ging. Zijn fiets slingerde wild tussen zijn benen heen en weer, terwijl hij nauwelijks meer dan twee meter voor zich uit naar de grond keek. In het midden van de brug kneep hij tevreden in zijn remmen. 'Ziezo,' hijgde hij terwijl hij zijn fiets naast zich tegen de reling parkeerde en op zijn horloge keek.

Kwart over acht, maar honger had hij vreemd genoeg niet. Niet veel mensen zullen het met me eens zijn, dacht hij, maar misschien is de Waal wel de mooiste rivier van Nederland. Hij zag hoe de ondergaande zon het water een oranje gloed gaf. De kleine, door de wind gevormde golven leken soms net vlammen van een dovend vuur, dat nog wat laatste stuiptrekkingen laat zien als je erin blaast.

Uit de zakken van zijn wielershirt trok Vik een banaan en een jasje dat hij meegenomen had tegen de kou. Hij legde de banaan voorzichtig op de reling terwijl hij het jasje aantrok. Hij ging op de reling zitten en maakte met zijn nagel een klein sneetje in de schil van de banaan om hem open te maken. Hij had het de bonoboapen in de dierentuin zien doen en had zo ontdekt dat bananen op die manier altijd makkelijk te openen zijn. Achter hem klonk af en toe het geruis van een passerende auto; onder hem hoorde hij de rivier tegen de pijlers van de brug aan klotsen. Nu de zon was ondergegaan had het water langzaam maar zeker een donkere zwarte kleur gekregen, zwart als de toermalijnen oorbellen die zijn oma vroeger droeg.

Hij haalde enkele malen gehaast adem, voor hij zijn longen helemaal volzoog en zijn ogen sloot.

Dr. Allen had his back to her, but there was something about his stance which tugged at the corner of her mind.

It was when he turned around.

“Hi, Dr. Walton…”

The words died in his throat, whereas Ingrid felt as if the world had dropped out from beneath her feet. She stood there stunned, like a deer trapped in a set of headlights, as she stared into those light cerulean eyes which had the darkest rims around them so that they seemed to make the blue of his irises pop.

It was the eyes which had attracted her to him in the first place. The only difference was that his dark hair had grown out. It had been buzz cut the last time, but he hadn’t spiked it as he’d threatened to do all those months ago. That had prompted a discussion on cheesy pickup lines, which had then deteriorated into her sleeping with him.

He’d also aged a bit—but then war could do that to a person. Still it was him. Clint. The soldier who had taken her virginity. The man she’d *lived* a little with.

The man who still haunted her dreams.

Dear Reader,

Thank you for picking up a copy of PREGNANT WITH THE SOLDIER'S SON.

One of the first things I learned as a writer was to 'write what you know.' Which I do find funny, because I'm not in the medical profession at all. But I know a lot of people who are, and I love research.

This book has a bit of what I know in it. The hero and heroine's son is written based on my own experience with my middle child, who in 2006 almost didn't make it. I didn't have the same traumatic birth experience as Ingrid, but my son and Ingrid's son both had the same rough start in life. I remember clearly sitting in a wheelchair and the paediatric surgeon telling me, 'He's very sick. Prepare yourself.'

Spending a month in the PCCU was one of the most stressful times of my life, but it gave me new respect for the doctors and nurses who face this every single day. I'll never forget the smile on that surgeon's face a year later, when he saw my son playing with trains at his check-up. His job is so full of heartache, but his smile told me there are great rewards for practising in this field of medicine.

Now my son is a healthy, active and imaginative eight-year-old, and I look at pictures of him as a newborn and send up thanks that he's here today, scattering blocks and comic books all over my house. Except for when I step on them. Blocks hurt!

I hope you enjoy PREGNANT WITH THE SOLDIER'S SON. I love hearing from readers, so please drop by my website, www.amyruttan.com, or give me a shout on Twitter @ruttanamy.

With warmest wishes

Amy Ruttan

PREGNANT WITH THE SOLDIER'S SON

BY
AMY RUTTAN

First published in Great Britain 2014
by Mills & Boon, an imprint of Harlequin (UK) Limited,
Large Print edition 2015
Eton House, 18-24 Paradise Road,
Richmond, Surrey, TW9 1SR

ISBN: 978-0-263-25455-6

Harlequin (UK) Limited's policy is to use papers that are natural, renewable and recyclable products and made from wood grown in sustainable forests. The logging and manufacturing processes conform to the legal environmental regulations of the country of origin.

Printed and bound in Great Britain
by CPI Antony Rowe, Chippenham, Wiltshire

Born and raised on the outskirts of Toronto, Ontario, **Amy Ruttan** fled the big city to settle down with the country boy of her dreams. When she's not furiously typing away at her computer she's mom to three wonderful children, who have given her another job as a taxi driver.

A voracious reader, she was given her first romance novel by her grandmother, who shared her penchant for a hot romance. From that moment Amy was hooked by the magical worlds, handsome heroes and sigh-worthy romances contained in the pages, and she knew what she wanted to be when she grew up.

Life got in the way, but after the birth of her second child she decided to pursue her dream of becoming a romance author.

Amy loves to hear from readers. It makes her day, in fact. You can find out more about Amy at her website: www.amyruttan.com

Recent titles by the same author:

MELTING THE ICE QUEEN'S HEART
SAFE IN HIS HANDS

These books are also available in eBook format from www.millsandboon.co.uk

DEDICATION

This book is dedicated to one of
my special guys, Aidan. Buddy,
I thank God every day you're here with me.
I love you with all my heart.

PROLOGUE

"WOULD YOU GET a load of *that* guy!"

"Who?" Ingrid asked as she scanned the darkened bar where she and her closest surgical best friends were celebrating her recent promotion.

"*That* guy. Down at the end," Philomena said, following her words with a whistle, a cat sound and a clawlike swish of her manicured hand. "I bet he could get me to purr all night long."

Ingrid turned in her seat to see who her friend was referring to, and when her gaze fell on the aforementioned male who made the respectable oncologist Dr. Philomena Reminsky turn feline, Ingrid almost choked on the cherry in her cosmopolitan.

Tall, muscular and clad in army fatigues, the soldier sitting at the far end of the bar seemed to have every hot-blooded female in a twenty-foot radius panting after him. His hair was buzzed short, but she could tell from the slash of his eyebrows that his hair was ebony. He would probably be even dreamier with longer locks. Still, the buzz cut suited him.

There was an aloof, brooding quality to him.

Something that told the outside world not to mess with him, yet called to the female species like a siren call.

There had to be at least ten other soldiers in the bar, but he kept to himself, his eyes fixed on the television in the corner, oblivious to what was going on around him.

Either oblivious or unconcerned.

Ingrid loved the tall, dark and silent types. Something to do with her love of heroes like Mr. Rochester, Mr. Thornton and Mr. Darcy.

As if knowing she was assessing him, he tore his gaze from the television screen and looked at her. Even from just six feet away she could see his eyes were crystal blue. So light and intense they seemed to pull her in.

Heat bloomed in her cheeks and she turned away quickly.

What am I doing?

This wasn't her style. She didn't flirt with strangers in a bar. She was too much of an introvert for that. The only people she could open up and talk to really were other surgeons, nurses or her patients.

Career was what Ingrid focused on. Not men.

That's why I'm still a virgin.

Well, she may still be a virgin, but at least she was finally an attending at Rapid City Health Sciences Center.

One goal accomplished.

It was why she was at this country-and-western bar with her coworkers. To celebrate her promotion. Not to flirt with men.

Why not?

Because she had no interest in a relationship. Marriage and commitment were not things she'd ever get entangled in.

"Well, it seems a lucky lady has caught Beefcake's attention," Philomena whispered in her ear.

Ingrid stole a glance out of the corner of her eye and saw that the beefcake in question was staring at her. He smiled, a crooked smile that was *so* sexy it made her heart skip a beat and her insides turn a bit gushy.

Could be the alcohol.

Ingrid glanced away again; she knew she was blushing.

"What's wrong?" Philomena asked. "He's coming over. Talk to him."

"I can't," Ingrid whispered. "What do I say?"

"Finish your drink and say hi. Maybe he'll buy you another." Philomena moved to leave, but Ingrid grabbed her arm.

"No, don't leave me. I'm not good with men."

Philomena just grinned as she detached Ingrid's clawlike grip from her forearm. "You'll be fine. Live a little."

Right. Live a little.

Except that's not how she had been raised. Her father, if he was dead, which he wasn't, would be spinning in his grave to know what she was contemplating.

He'd taught her never to take risks. To play it safe and lead a respectable and worthwhile life. Not that he thought being an orthopedic surgeon was as worthwhile as being a cardiothoracic surgeon or a neurosurgeon, but that was neither here nor there. And one risk she never wanted to take was falling in love.

Who says you have to fall in love?

Which was true.

Love at first sight was a fairy tale. One she didn't believe in. Love was for fools.

Oh, great. She was dithering. She usually dithered and stammered when she was around hot men, but that was usually out loud. Now it was happening subconsciously too.

Ingrid hurriedly gulped down her drink, the alcohol burning her throat. She tried not to choke when she sensed a large body behind her. The scent of cologne and something spicy she couldn't quite put her finger on overcame her senses.

"Is this seat taken?"

Ingrid looked up and the gorgeous, broody soldier from across the bar was standing right beside her.

Don't stammer!

"No, go ahead." Ingrid hoped there was no hitch in her voice to let him know she was a bit nervous. In fact, the whole room began to spin. She wasn't sure if it was the vodka or him.

She hoped it was him.

He sat down next to her. "Can I order you another one?"

"Sure, I'd like that." She didn't have to work in

the morning, but this was also the most she'd ever drunk in one sitting.

Live a little.

Oh, God. She'd never lived a little, and somewhere, deep down inside, the part of her that her father had raised was screaming at her to run, but it was faint compared to the rest of her, which wanted to take a chance and live a little.

Damn.

Good thing her father wasn't here because he'd be reminding her how her mother had been a free spirit and that reckless behavior was the reason she'd left them.

Don't freak out and don't think about that.

"Barkeep, I'll have another beer and the lady here will have a..."

"Cosmo," Ingrid blurted out.

The bartender nodded and started to prepare their drinks.

Ingrid began to fiddle with the damp paper napkin in front of her, totally at a loss for anything to say. The opposite sex wasn't her forte. She always got so weird and awkward around them.

As was evident by the fact she could barely look

him straight in the eye, and she could feel a blush over her entire body, not just her cheeks.

"I'm Clint. What's your name?"

"Philomena." Ingrid's stomach twisted for lying to him. It was obvious he would be shipping out soon and where could their relationship go? She had no time for relationships.

She didn't want a relationship.

Her stomach knotted again, and she really hoped it was guilt over lying which was getting to her and not the alcohol. With the way her usual dealings with men went, she might begin ralphing on him at any moment.

He cocked an eyebrow. "Philomena? That's an interesting name."

"I know, but I like it."

He grinned. "I like it too. It suits you."

Ingrid bit her lip. *Oh, buddy, you don't know the half of it.*

"Are you here with your comrades?" she asked, nodding toward the pool tables.

"Comrades? This isn't Russia."

Ingrid relaxed a bit at his joke. "Friends, then."

"Something like that," he said. "They dragged

me out. Told me to relax a little before we ship out tomorrow night."

"Where to?"

Clint grinned and thanked the bartender as he slid their drinks in front of them. "That's classified."

"Really?"

"Well, the exact location and purpose, yes. I'm headed overseas for a year."

"A year. Well, I wish you all the best."

He chuckled. "That's it? Just 'I wish you all the best.'"

Ingrid blushed again; she could feel it right from the roots of her hair to the tips of her toes. "What else am I supposed to say to you?"

"It's not so much the saying as the action."

"Action?" Ingrid asked, confused.

"How about a kiss?"

Heat bloomed in her cheeks. "Pardon?"

"You know, for good luck before deployment."

"That is the cheesiest pick-up line I've ever heard." Ingrid laughed. "Seriously, that's...bad."

"Oh, so men try to pick you up all the time."

"Well, I have been a victim of worse attempts."

"Go on. Tell me the worst pick-up line you've ever heard."

Ingrid's gaze narrowed. "I'm not sure if I should tell you, you could use it as ammunition on some unsuspecting female."

"I cross my heart I won't." And as if to prove a point, he did just that. "Now, tell me."

"Just call me milk, I'll do your body good!"

He burst out laughing. "Okay, that's terrible."

Ingrid shrugged. "See, I told you. I hear some of the worst pick-up lines."

Clint grinned. "Well, you can't blame a guy for trying."

"Trying what?"

He leaned in closer, his blue irises rimmed with the darkest shade of blue, making the color even more mesmerizing. "For trying to steal a kiss from a beautiful, sexy woman like you."

Her breath caught in her throat. "Oh."

"I'm sorry. I couldn't resist." There was a sparkle in his eye, one of devilment.

"Hey, at least you were honest and you didn't try to pick me up with that milk line." Ingrid finished the rest of her drink. "To be honest, I thought about granting you that boon." She could almost hear her rational side screaming, while the rest of her was shouting for joy.

Now it was definitely the liquor talking.

Maybe it wasn't booze. Maybe it was all her inhibitions just letting go.

"Really?" Clint asked. "I am intrigued."

Steeling up as much courage as she could muster, she reached forward, grabbed him by the scruff of his shirt and pulled him into a kiss. What she wasn't expecting was the electricity. The heat and desire she was experiencing now. It set her reeling and her body began to melt into a warm pile of goo as the kiss deepened and turned into something raw and powerful. His tongue pushed past her lips and tangled with hers, and she heard him moan as his arms came around her body. He was so strong.

The few previous times she'd kissed men had been nice, but this was something different.

This was something dangerous.

The moment her lips touched his, it sent him off-kilter a bit.

He wasn't prepared for the shock. He wasn't

ready to have his blood ignite like his veins had been drenched in gasoline.

Forward women weren't his thing. If a woman moved too fast, he pulled away.

He liked to be in control. He liked to take his time and seduce.

Sex to him was something more than just a quick roll in the hay.

So when she grabbed him and pulled him into that scorching kiss, he should've pushed her away. He should've resisted, but he couldn't make himself do it.

He was shipping out tomorrow, and he had no plans to seek out company tonight. He hadn't even planned to leave the base, until his buddies had made him.

All he wanted to do was enjoy a beer and not think about how his mother had cried last week when she'd heard about his deployment. Or how he was going to miss his niece's first birthday. Or beer, how he'd miss good old American beer, which was why he'd finally agreed to come to the bar.

He had come for beer. At least he could indulge in that one last time.

Then he'd felt someone's gaze on him and foolishly he'd looked. The sight of her had taken his breath away. Even in the dim lighting of the bar he could see her hair shone like gold.

There was an air of confidence about her but also something else, a barrier that held the world at bay. If he had more time, he very much wanted to break that wall down.

In her, Clint had seen a challenge, and before he'd been able to stop himself, he'd moved over to her. Drawn to her like a moth to a flame, and when he'd been ensnared, when he'd seen those blue-gray eyes, he'd hit on her. Something had compelled him to. Idiot that he was.

Never in a million years had he expected her to kiss him, and though he should pull away, he couldn't. He was drowning in her sweetness, her softness compelling him to claim her, to hold her in his arms and protect her forever.

He wanted her badly.

She broke the connection first, dropping her head so her forehead brushed his chin and he drank in the intoxicating scent of her hair. The scent of something clean and floral.

Feminine.

It made him want her all the more and he let his hands travel down her back, her body trembling under his touch.

"I'm sorry," she said, her voice breathless.

"There's nothing to be sorry about."

When Ingrid looked again and met his gaze there was something in his eyes, a twinkle that gave Ingrid the distinct impression that she was prey in his predatory gaze, but not in a threatening way. It was in a way that made her body burn like a white-hot flame.

Ingrid wanted him. Desired him.

Maybe he wasn't the only one giving off the vibe of predator. She knew, without a doubt, she had a bit of the hungry eyes going on.

Live.

There had been so many times she'd come close to having sex. She had wanted to, but she'd always chickened out, the one difference now being that she'd never been so turned on before. Never, because she'd never let them through her walls. Walls that were there for a reason. This time was different. Once she crossed that threshold there was no turning back.

She wouldn't. There were no plans to marry in her future. No plans for children. Her own miserable childhood and her own parents' unhappiness had steered her off that path. She wasn't saving herself for anyone, but she didn't want to die a virgin.

When she was old and gray, she didn't want to look back and have regrets in her life. She wanted to look back and see that she'd taken a chance, that she'd lived.

Whatever the consequences were, she could own this moment. She could control this moment and never regret it. One night of passion and she wouldn't get hurt.

No promises had to be made. No fear of shattered hearts and abandonment.

Steeling her courage, she grabbed his hand. "Come on."

He cocked an eyebrow but came with her as she led him toward the exit. "Where are we going?"

"To the hotel attached to this bar." And that's where she led him. Through the double doors and into the hotel lobby.

Clint pulled her back, holding her close. "Whoa, are you sure?"

"Positive." And to drive her point home she pressed him against the wall and kissed him again, releasing every last hang-up and doubt out of her system.

She wanted him.

Badly.

His hands moved over her back until they cupped her butt, gripping her as he brought their bodies even closer together with the hard ridge of his erection against her stomach as a moan rumbled in his chest.

When they came up for air, she felt a bit dazed and out of breath.

Did she really just make out with a stranger outside a country-and-western bar?

Hell, yeah, and it was so good.

"Should I get us a room?" Her voice shook a bit.

Did I really just ask that?

"No need. I'm staying here before I head back to the base for deployment. It's my last hurrah."

"Then lead the way."

Clint led her down the hall they'd been making out in. His room was at the very end.

Her pulse thundered in her ears. Usually at this point her common sense would take over and she'd bolt, but her common sense must have scarpered because she was ready for this.

So ready.

The door opened and Clint flicked on the lights as she stepped over the threshold. When the door shut and he locked it, she pulled him back against the wall, her lips finding his.

This time there was no need to stop and talk about where they were going to go and what they were going to do.

They were alone. This was going to happen.

He hoisted her up and her legs instinctively wrapped around his waist. He walked toward the bed, carrying her, his head buried in her neck.

"You have protection?" Ingrid asked, as his lips traveled down her neck.

"Always."

"Good."

And as he pressed her down on the bed Ingrid reveled in the moment. Her moment of rebellion, of living dangerously.

It was only one stolen moment that she'd always remember.

Tomorrow he'd be gone, on his way to deployment, and she'd be an ortho attending at Rapid City Health Sciences Center.

Tonight, though, she was his.

Tonight she'd live. If but just for a moment.

CHAPTER ONE

Seven months later

"PAGING DR. WALTON. Dr. Walton, please head to the emergency room, stat."

Ingrid let out a sigh, not because she'd been paged but because she was hungry. The baby was kicking furiously, and there was a great chicken-salad sandwich with a big old dill pickle just two inches away from her mouth.

She was also dead tired, but that was to be expected. She was turning into a house apparently. A giant mountain of a woman who was forced to perform surgeries like a puppet on a string—*dance, puppet, dance.*

She glanced over at Dr. Maureen Hotchkiss, who'd just wandered into the ortho lounge and who sat down like she had no bones left in her body.

"Hey, Maureen, fancy going to the E.R. for

a big, fat old pregnant lady?" She tried batting her eyelashes, but that never really got her anywhere.

"Sorry," Maureen said. "I have to go check on my cast for a kid with a greenstick fracture of the upper ulna in a moment, and there's no way in heck you're big. Neither are you fat. It makes me sick."

"You're blind."

Maureen snorted. "No way. You're hormonal and delusional. Go on, I'm sure it won't be that bad. I'll watch your sandwich."

"Don't touch my sandwich or you're dead meat."

Maureen winked. "No promises."

Ingrid chuckled and with a sigh of regret set her sandwich down. She stood up with relative ease. Her pregnant belly wasn't a big issue now, but she imagined in a couple more months she wouldn't be moving through the hospital's hallways very fast.

Though she'd try her damnedest to keep up with the best of them. Right now she had control, but in a couple of months, well, she didn't like to think about it.

She stretched and then headed toward the E.R.,

which thankfully wasn't a long walk. When she got there, there wasn't too much activity and no one in the nearby beds looked like they needed an ortho consult.

"Who paged me?" Ingrid asked the charge nurse, Linda.

"Oh, Dr. Allen paged you. He's in room 26B."

"And it had to be me?" Ingrid gave her best pouty face. "What about Phil?"

Linda's glasses slid to the end of her nose as she looked at her. "Dr. Reminsky is on vacation and she's not an ortho attending."

Right. Oncologist and the all-inclusive Caribbean vacation that she and Philomena had been talking about taking when Ingrid was promoted. The one she had had to cancel because of her new circumstances. *Don't* live a little was Ingrid's new philosophy. She swore she'd never be so reckless again in her life.

She sighed. "Right. I'd forgotten she left this afternoon for that. Thanks, Linda."

Linda gave her a sympathetic smile and turned back to her paperwork.

She'd never met Dr. Allen before. He was new, and she hoped that he was a decent guy to work with, since she seemed to get all the trauma pages. Ingrid shuffled down the hall and knocked on the room 26B's door before opening it. "Hi, there, did someone page ortho?"

Dr. Allen had his back to her, but there was something about his stance that tugged at the corner of her mind.

It was when he turned around. "Hi, Dr. Walton..." The words died in his throat, whereas Ingrid felt like the world had dropped out from beneath her feet. She stood there stunned, like a deer trapped in a set of headlights, as she stared into those light cerulean eyes that had the darkest rims around them so they seemed to make the blue of his irises pop.

It was his eyes that had attracted her to him in the first place. The only difference now was that his dark hair had grown out from the buzz cut of all those months ago.

He'd also aged a bit, but then again war could do that to a person. Still, it was him. Clint. The soldier who had taken her virginity, the man she'd *lived* a little with.

The man who still haunted her dreams.

And for one brief flicker she could still recall

the feel of his hands on her body, his lips on her skin. Those strong, large hands on her throat and in her hair as she moved on top of him, his deep voice in her ear, telling her what to do, encouraging her.

Suddenly it became very hot in the exam room and she knew her cheeks were flushing. She pulled at her collar and tried to dispel from her mind the memories of his naked body tangled with hers.

Though it was hard to do. So hard.

Dr. Allen cleared his throat. "Dr. Walton?" he finally managed to ask.

She couldn't blame him for being shocked. She'd used a fake name the first and last time they'd met.

"Yes, sorry." She dragged her gaze away from him and focused on the patient. Her cheeks were heating with a rush of blood and she knew he was still staring at her. "What seems to be the problem?" she asked, finally finding her voice.

"Dislocated shoulder. The patient, Mr. McGowan, is a bit of a golf fanatic and he insisted on having an ortho specialist reset his shoulder. I didn't know…" He trailed off and coughed. "We can get another ortho attending down here if reduction—"

"I can reset the shoulder," she snapped. It was her pregnancy messing with her job again. Once her belly had started to show, other surgeons didn't think she had it in her to reset bones and dislocated joints. Well, she could still do all of that. She'd show them. In all the hot mess her life had become, one thing she could control was her knowledge, her job. She could manipulate a joint with the best of them.

She moved toward the patient, who was on very strong analgesics and was barely looking at her. She examined the arm. "It doesn't look too bad. I think a simple reduction will be all it takes. Will you stand on the other side of him, Dr. Allen, and make sure he doesn't fidget."

"Of course, Dr. Walton."

Carefully manipulating the man's arm, she bent it, flexing it, and with the ease of having done this particular procedure many times popped the joint back into place. Even though the patient was on painkillers, he still cried out.

Ingrid grabbed a sling and secured Mr. McGowan's arm in it. "He'll need an X-ray of the arm and chest, just to make sure nothing has broken or punctured from popping it back into place." Their gazes locked again for one tense moment before she turned her back to him and started writing a script for the patient. "Have the X-rays sent up to ortho for my attention."

"Of course."

She glanced at him and smiled, but just briefly. It was very awkward to see him and not talk about the elephant in the room. "I'll write up my discharge instructions when I have the X-rays."

Ingrid opened the door to the trauma room and got out of there as fast as she was humanly able to move.

Run. Just run.

Only she wasn't much of a runner anymore.

She needed to get away. She didn't want there to be a scene in the hallway of the E.R.

Hadn't she dealt with enough humiliation?

The questions, the looks as her belly grew?

Everyone knew she was pregnant thanks to a one-night stand. She'd just never thought that the one-night stand would show up as the new trauma attending.

The hair on the back of her neck stood on end

when she heard the door she'd just shut open quickly and the heavy footsteps of a male gait close in behind her. His hand gripped her elbow and he began to steer her toward a consult room.

"We need to talk," he whispered in her ear. The mere act of his hot breath fanning against her neck made her shiver with anticipation.

"I'm actually quite busy at the moment, Dr. Allen."

"I think you can make some time for me." He escorted her into the consult room, rooms that were used to deliver bad or serious news, and shut the door, pulling the blind down.

Ingrid stood her ground. She wanted to cross her arms, but her belly was in the way. One of the downsides to being only five feet five and having a short torso, the belly took up a lot of room.

Dr. Allen blocked the doorway, and his face was just blank as he stared at her. Ingrid felt like she was in the middle of some Western movie and this was some kind of high noon showdown. She was tempted to shout out "Draw," but resisted her silliness.

"You've let your hair grow," she said, breaking

the unbearable tension that had descended between them.

He cocked his head to one side. "You've changed a lot too…"

"Ingrid."

They'd used protection, but the condom, on her first time ever with a man, had broken.

Stupid Murphy and his freaking laws had been out to get her that night.

Now she was pregnant, alone and scared. Scared she couldn't give this baby all he or she needed. Terrified of not knowing what the future held.

"I thought it was Philomena?" There was a sarcastic edge to his voice.

"I lied."

"So I gathered," he said. Clint's gaze raked her body from head to toe, finally resting on her rounded belly.

Ingrid fought the urge to cover her belly but instead held her ground.

She was tired of being ashamed of her glaring mistake. She braced herself for a slew of questions.

"I'm not used to people lying to me."

Ingrid was stunned. That's what he was ticked about?

"I didn't know people are always compelled to tell you the truth. Are you telling me all your trauma patients are totally up front with you?"

"What do my patients have to do with anything?"

"I don't know, Dr. Allen. You brought it up."

"I was talking about the name, Ingrid. Why did you lie to me about your name?"

"It was a one-night stand. What does it matter?"

"It matters to me," Clint snapped.

"I wasn't looking for a relationship that night. It didn't matter what I called myself. Now, if my misnomer is all you want to discuss, I'll be on my way. I have X-rays to examine." She turned to leave, but he grabbed her arm.

"Will you kindly let go of me?"

"We're not done here." His eyes were dark, his lips pressed together in a thin line.

Ingrid shrugged out of his grasp. "Oh, I think we are. Unless you have something else to ask me?" She waited, but he didn't say anything. "I thought not."

When she turned to leave again, he didn't grab her but stepped in front of the door.

"Is it mine?"

She wanted to slap him, but reined in her irrational hormonal-induced anger.

"What a foolish question," she said in a deadpan voice.

Clint crossed his arms. "I don't think so since you lied about your name."

"Since I lost my virginity to you that night, yes. It's yours. I can't lie or fake that."

Clint cursed under his breath and scrubbed a hand over his face. "How far along are you?"

"Seven months."

"I thought you were on birth control?"

"No, but don't you recall that night at all? I think you forget the condom you used was a bit 'faulty.'" She made quote signs with her fingers, trying to ram it in how she felt about the whole debacle. "Don't you remember what happened when you discovered that?"

Clint let out a string of curses under his breath. "Yeah, I think I mentally blocked that part out."

"I tried to as well, until the stick turned blue."

Clint dragged his hand through his hair, making it stand on end. "Why didn't you tell me?"

"Tell you what?" she asked, her frustration rising. "Oh, no, I think I might get pregnant in a month."

"About the pregnancy. You could've told me when you found out." Clint began to pace. "I had the right to know."

"Right, and how was I supposed to do that when I didn't even know your last name or what base you were stationed at? Was I supposed to contact the nearest army base and say, 'Yeah, I'd like to talk to the hot guy named Clint with the blue, blue eyes who had sex about a month ago with a short blonde woman and who is shipping out for an extensive tour of duty somewhere overseas.' I bet there's only one of you who fits that description. If I'd had a way to contact you, I would've."

Clint obviously didn't have much of a sense of humor, because he still looked a bit dazed. "Of course."

She'd been the same when that pregnancy test had come up positive. Kids had never been part of the plan, but she couldn't get rid of the child.

That would have been taking the easy way out. Besides, like her father had taught her, she didn't run away from her mistakes.

Of course, now she wanted her baby more than anything, but her life, which had been so organized and efficient before, had been turned topsy-turvy. When she was home alone in her cluttered room, staring at the piles of baby stuff overtaking her clean, orderly existence, she was terrified. Motherhood was an unknown and beyond her control.

Ingrid sighed. "Look, I could've gotten rid of the baby, but I wanted it. I still want it and I plan to raise the baby on my own. I don't expect anything from you."

"Like hell." Clint's stance relaxed and his expression softened, the prominent frown lines disappearing. "I'll help the best I can. I owe you that much."

"Well, thank you, Dr. Allen."

"Clint."

She sighed. "Clint, but you really don't have to."

"I have to," he said earnestly. "It's the right thing to do."

"You're under no obligation. I'm giving you an out."

"No."

Though he was an unnecessary complication in her already chaotic life, she was secretly relieved and a little deep-down voice said that maybe she wouldn't have to do this alone.

It's the hormones. I don't need him. I don't need anyone.

She wanted to push him away, it would be easier, but Ingrid knew he had every legal right to his child. There was no way she'd be able to deny him access and, honestly, she didn't want that. She'd grown up in a broken home, her father refusing to answer any questions about her mother or even telling Ingrid how to find her.

"She left us for another man, Ingrid. She doesn't deserve you."

The tone, the hate in her father's voice still sent shivers down her spine. She had grown up without a maternal figure in her life, but since her mother had never come back or tried to make contact, Ingrid was inclined to believe her father that she had been unwanted. Denying or not telling her baby who or where their father was wasn't an option for Ingrid. This was not how she wanted to raise a family, ever.

Of course she'd never wanted a family. There was no way she'd risk her heart, only to be abandoned later on.

For most of her life, Ingrid had learned that life never ran smoothly and you had to swim to keep up.

Fate had decided to throw her a curveball in the form of defective birth-control and a hot one-night stand, and she would accept the consequences and do the best she could by her child. If the child's father wanted to be involved in the child's life, she wasn't going to deny him.

"Thank you. I appreciate that. Most men wouldn't."

Clint nodded. "I know they wouldn't, but that's not me."

"Well, I wouldn't know that. We barely know each other."

He grinned, finally relaxing. "I know, but I thought about you often when I was overseas."

"I don't know if that should flatter me or kind of freak me out."

Clint laughed. "Be flattered. You made an impression on me. I wanted to get to know you a bit better, but you left before I woke up."

Ingrid blushed. "I know. I'm sorry, but I was embarrassed. As I said, you were my first and I just couldn't face you in the morning. When I found out I was pregnant, though, I was kicking myself for not trying to get any more information from you."

"I bet." His pager buzzed and he glanced down at it. "Mr. McGowan is back from Radiology and the X-rays are ready. I'd better go."

"And I'd better check those films out so you can get him discharged." She reached into the pocket of her lab coat and handed him her business card. "Here's my info. Call me and we'll figure some stuff out."

He didn't look at the card, just stuffed it into his pocket. "I will."

"Sure." Ingrid turned and walked away. By his reaction she really doubted he would get in touch with her. Why should he? It had been a one-night stand.

He may have said that he wanted to help, but she didn't know him. She didn't trust him and she was pretty sure he didn't trust her either.

No promises had been made.

And that was fine by her.

Clint watched her walk down the hallway, her blond hair pulled back into a braided bun. From behind you couldn't even tell she was pregnant. From the back she looked like that beautiful woman in the bar who'd seduced him on his last night before he'd been shipped overseas. One he'd thought about every night when he'd been imprisoned. That stolen moment in time had been what had helped him stay sane.

He'd never, ever expected to see her again.

She's having my baby.

Only was she? She'd lied about her name. Yeah, he may have been her first, but had he been her last? What if there had been another man after him?

You saw her face when she saw you. The condom broke. It's yours.

Though he didn't want to believe he was a father, something in his gut told him that the baby was his. Though he'd get a paternity test when the baby was born to make sure.

You're a jerk.

He cursed under his breath. He used to be honorable, trusting. What the hell had happened to him?

Clint leaned against the doorjamb as the thought began to sink in. He was going to be a father. It frightened him.

How could he be a good father when he wasn't even sure where his own life was headed at the moment? When he'd come back early from his tour of duty in the Afghanistan, he'd been honorably discharged with post-traumatic stress disorder. Once he'd stabilized after a couple of months, he'd taken this job at Rapid City Health Sciences Center as a trauma surgeon.

At one time he'd loved medicine. Now not so much. Not after the horrors of war. But other than being a soldier there was nothing he was skilled at. Nothing he could do, and he needed the money if he wanted to make his dream come true, which was getting the old dilapidated cattle ranch he'd bought just before he'd left up and running again.

He'd only planned on staying until it was paid off and he had enough money to get his quota of cattle ready.

Now with this baby, that dream seemed impossible.

I can't be a father.

If the paternity test proved he was indeed the father, he was going to do the right thing by Ingrid. He was going to help her out; at least financially he wasn't going to leave her in the lurch.

He'd never do that. He had been raised properly. Clint wasn't sure about the rest, about being involved in the child's life and about being close to Ingrid again.

Emotionally he wasn't there for that.

He was numb inside.

Dead.

Just a walking ghost of himself.

Or at least he thought so.

What he hadn't expected had been the rush of intense emotions that had struck him the moment he'd seen her again. All those memories of their night together had flooded him, like he was being swept away in a strong current. Each touch, each caress was ingrained in his mind and burned in his flesh.

It was those memories of their night together

that he'd clung to during endless hours of working in surgery in the middle of a war zone.

Clint closed his eyes and took some deep breaths to keep the horror of his time overseas at bay. The last thing he needed was for another flashback to overtake him.

He was new here and he didn't want to be thought of as a liability.

When his pulse returned to normal he looked up and caught a last glimpse of Ingrid at the end of the hallway before she turned down another corridor.

Clint turned back to head into his patient's room and write up a script for analgesics, but he couldn't help but look back to where she'd disappeared.

He couldn't believe that he'd ended up at the same hospital as her.

Ingrid had been his nameless salvation. He wondered how much worse his mental state would've been had he not had that respite in the storm.

"Dr. Clint Allen to the E.R., please. Dr. Clint Allen to the E.R."

Clint shook his head, chasing away those dark thoughts. Although a child hadn't been part of his plans, especially one with a woman he barely knew, he was going to do right by Ingrid and support her financially as much as he could.

As for being an involved father?

What kind of father figure could he be to a child, as messed up as he was?

CHAPTER TWO

INGRID STRETCHED HER back. A knot was forming between her shoulder blades. It'd been a long shift, but thankfully it was almost over. She hated the night shift, especially now, but it was her turn on rotation and she had to do her duty.

To prove to the chief of surgery, Dr. Ward, and the board that she was worthy still of her promotion. Even though the first thing she'd done after said promotion had been to get pregnant.

She'd hid it for as long as she could, but when she had suffered for so long from extreme morning sickness and had needed to go on medication, she'd had to tell Dr. Ward that his new ortho attending was pregnant.

Dr. Ward hadn't been overly pleased, but he hadn't been able to fire her. That would've been a human resources nightmare, but she wasn't going to ride on that easy train. That wasn't her. So instead she worked just as hard as she had before she'd got pregnant, to prove to everyone she was in control. That she was capable of being a good surgeon still, that he and the board of directors at the hospital wouldn't regret their decision.

So even though she put on a brave face and seemed strong, she couldn't wait to go home and take a nice long, hot shower and climb into bed. Though she highly doubted sleep would come easily to her. Even feeling extremely exhausted, she knew her mind would be focused on one individual.

Dr. Clint Allen.

She hadn't seen him since near the beginning of her shift, after she'd discharged Mr. McGowan. After the discharge the E.R. had been flooded with trauma cases from a large accident on the interstate and Clint had disappeared into the thick of it.

As she had. A shattered femur had required her utmost attention and she'd spent the last several hours in surgery, trying to repair the damage from the twisted metal and carnage from the highway.

So much damage caused in a split second.

A twinge of pain knotted in her shoulder again

and Ingrid winced, bracing her back. Oh, yes, she was looking forward to getting back home.

When she looked up she caught sight of a woman watching her, something familiar jogged at the corner of her mind. She took a step forward to get a better look but someone stepped between them, and when she looked again, the woman who had been watching her was gone.

Ingrid shrugged it off. It was probably just a worried loved one, wondering how a patient from the accident was doing, and she probably thought the pregnant surgeon would be easier to pin down and ask questions of than another surgeon.

She'd probably found someone closer and was talking to them.

Which was good, because Ingrid was too tired to form coherent words at the moment.

"You looked exhausted. I think you should maybe sit down or call it a night." The words were whispered in her ear as a man leaned over.

Ingrid glanced at him and saw Clint standing next to her, his dark hair under a scrub cap as he wrote notes in a file attached to a clipboard.

"Dr. Allen," Ingrid greeted him.

"Seriously, you look tired." There was concern in those blue eyes.

"I am, but my shift isn't over for another couple of hours."

He frowned. "Do you want me to speak to the chief of surgery?"

"No, I don't want you to speak to Dr. Ward," Ingrid snapped. That was the last thing she wanted anyone to do. "I can work the last two hours of my shift. I'm not an invalid."

"I never said you were an invalid, but you're pregnant and tired."

Ingrid was going to tell him to mind his own damn business, but the moment she looked up she could see the surgical nurses, residents and whoever else was in earshot were staring at the two of them with looks of confusion.

The last thing she wanted was the rumor mill to start.

It was bad enough everyone knew that she'd got knocked up because of a one-night stand, but the last thing she wanted them to know was that Dr. Allen had been the one to do it.

She glared at those who were still brave enough

to stare, one of those cold, calculating looks she was apparently so well-known for.

Most pregnant women had fits of tears. Her emotional trigger was anger and when it happened she turned into a bit of a dragon.

Ingrid needed to regain control over this situation, and fast.

"Dr. Allen, may I have a word with you? Privately." She turned on her heel and headed to an empty scrub room. When the scrub-room door closed behind him she crossed her arms over her belly and set the gaze of fury on Clint.

He took a step back, but mirth twitched at his lips. "There's good reason why they call you Ingrid the Harridan."

"Who calls me that?"

"The interns," Clint said offhandedly. "Of course, you set bones for a living. I wouldn't expect anything less from such a young ortho attending as you. You have to be tough."

Ingrid rolled her eyes and eased her stance. "Yes, so you know why I asked you to come in here."

"This sounds like an official summons."

"It is."

Clint furrowed his brow and shook his head. "Well, I can't say that I do."

"Getting pregnant right after one accepts an attending position is really bad form. Especially when one got pregnant during a one-night stand. I don't want any special treatment, Dr. Allen. I also don't want the other staff members to know my business."

"Oh, I get it. The new trauma surgeon is showing a little bit too much interest in the ortho attending's pregnancy."

"Exactly."

"Especially since we've just 'met.'"

"You've got it."

"I'm sorry for acting unprofessionally, Dr. Walton. It won't happen again, but from one physician to another, you need your rest. The last thing you want to do is have your blood pressure climb."

"I'm well aware of that, Dr. Allen, but I have to prove to the chief that I'm worthy of the attending position I earned roughly eight months ago."

"You're quite a stubborn and determined woman, aren't you?" he asked, his eyes narrowing. "You can't control everything."

"I'll take that as a compliment." She made to

push past him, but he stuck out his arm, bracing the door shut and blocking the way. "If you don't mind, Dr. Allen…"

"I do, actually. As a surgeon, yes, take my statement as a compliment. I give you props for that. But as an expectant mother, your stubbornness and ignoring your body's cues can be detrimental to your baby."

A blush crept up Ingrid's neck and blossomed into her cheeks. He was chastising her, though he had no right to since for the first seven months of this pregnancy she'd been doing this on her own, but, then, she'd said he could be involved and apparently he was taking that seriously.

Of course she noticed he hadn't said "our baby" but "your baby," and that ticked her off.

"You still don't think this baby is yours, do you?"

Clint cocked his head. "Give me one reason why I should believe you haven't had another lover since me."

Other. Lover?

Her cheeks heated with anger and embarrassment.

"Do you want a paternity test?" she finally managed to ask.

"I do."

Ingrid nodded. "You'll have one, but you were my first and only."

His eyes darkened as his gaze riveted her to the spot. There was an intensity to it that made her blood heat with longing.

She looked away and cleared her throat.

"I know how to take care of myself. I'm a physician as well. I know trauma guys and meatballers like you don't think much of orthopedic surgeons, but I know how to take care of myself."

"Look, Ingrid, I don't mean to lecture you—"

"Of course you do." Ingrid sighed and rubbed the back of her neck, which had started to ache, and her head was beginning to throb. "It was bad enough that even in this modern day and age I've had to live with the stigma of this unexpected pregnancy. Being a doctor to boot doesn't help with all the 'Didn't you use protection?' comments. I just don't want the gossipmongers at the hospital suspecting something. I don't want them to know."

"They're bound to find out soon enough. You shouldn't take all the blame for that faulty birth-control. I didn't expect the condom to break."

"Neither did I." Ingrid sighed. "It was my fault just as much as yours."

"I know." Clint smiled.

"You should've resisted me."

Clint snorted. "Right, I'm going to resist a very persistent, hot blonde from taking advantage of me before I went on deployment." The teasing stopped and he tensed. She wondered what was wrong and when she looked at him, for the first time since they'd bumped into each other again she could see the changes in him.

He'd lost weight and in the dark hair was a bit of gray. The dark circles under his eyes could be from the long shifts, but the stress lines and the way his jaw was clenched spoke of something deeper. A thin scar crossed his cheek under the stubble.

The soldier she'd had that one night-stand with was gone. This Clint was altered and she couldn't help but wonder what had been responsible for it. Then she recalled he'd been leaving for a long tour of duty, and wouldn't normally be back this quick and discharged this fast.

Something had happened.

"Is something wrong?" she asked.

Clint shook his head. "No, there's nothing wrong. Why would you ask me that?"

Ingrid shrugged. "You seemed to tense up."

"There's nothing wrong with me, Dr. Walton. I'm fine." Only it was the way he'd said "I'm fine," as if he was forcing himself to say it, that made Ingrid think he was lying.

Well, even if he was, she didn't have time to bandy words with him any longer. She had a job to do.

"I should get back to work." Ingrid tried to sidestep him but he moved his arm from blocking her path and took a step toward her. Just that simple movement in her direction made Ingrid's heart beat just a bit faster. He tipped her chin so she was forced to look up at him.

Even though he'd changed, he was as sexy as ever. She'd forgotten just how sexy he was.

Before, when she'd thought back to that one night, she'd almost wondered if she'd over-romanticized him. Boy, had she been wrong. Even stone-cold sober, he made her feel weak at the knees.

It's the pregnancy hormones. Yes, that had to be it. Now they were making her swoon.

"Please, Clint," she whispered. "Don't."

Only he didn't move away when she asked him and she was worried he was going to kiss her, And how could she resist him?

Right now she couldn't, because right now there were so many emotions plaguing her mind she was on the verge of losing control and that was not acceptable. That was not how she had been raised.

"*Stop crying. You can't control what happened. Crying is a sign of weakness. Your mother was emotional and it was because she couldn't control her emotions that she left us. Do you want to be like that?*"

Ingrid shuddered and shook her father's words from her mind. "Please, Clint. Don't."

Clint backed away. "I'm just worried about you, Ingrid. I can't help it. I'm a doctor."

Ingrid smiled and sighed. "Don't worry. Just let me get along as I have been."

Clint nodded. "Fair enough, but only if you promise me that you'll take care of yourself and go home a bit early."

"Fine," Ingrid said grudgingly.

He grinned, pleased with himself. "Could Ingrid the Harridan actually be stepping down and taking another person's advice?"

"You're skating on thin ice, my friend." She chuckled and moved past him. "Watch your back, Dr. Allen."

His eyes were glittering in the dim light of the scrub room as she walked back into the hallway. Her back gave another twinge, and even though her feet were hidden in her shoes, she could feel them swelling.

The last thing she wanted to appear was weak, but going home a couple of hours early wasn't going to ruin her reputation. She pulled off her scrub cap and tossed it in a nearby laundry bag. As much as it pained her to think it, she was going to have to take it easier.

Whether she liked it or not.

Clint had made sure that Ingrid had left that evening. If she'd stayed, he would've picked her up and carried her out of the hospital, but he knew that would've just angered her even more.

Not that he cared in the slightest.

Being in the army and serving overseas in a war zone, Clint was used to doing as he pleased. Of course, then everyone would know he was the father and he wasn't sure if he was ready to take on that responsibility. He also knew she didn't want people to know. He respected and understood her reasons for keeping it quiet.

He'd spent the night in an on-call room, because he didn't fancy driving all the way back out to his ranch. Tonight, for some reason, he didn't want to be alone.

With a heavy sigh he sank down on a cot in the dark on-call room. He scrubbed his hand over his face and then lay down. Light from the streetlamps outside filtered through the half-open slats of the blind, casting long shadows across the ceiling. His eyes grew heavy and it was hard to stay awake.

Though he tried.

He tried desperately.

Sleep was when the nightmares returned. Though his body slept physically, he never felt rested when he woke up.

The room was silent for the most part. All he could hear was the hum of traffic from the I-90. It was summer and he tried to picture the cars, RVs and campers rolling across the black tarmac toward the west into Wyoming, or north toward Montana.

Then his pulse thundered in his ears as the steady ebb and flow of traffic and city noises turned to the roar of choppers and explosions.

Sweat broke across his brow. The panic was beginning to set in. There was no way he could stop it or control it. He was drowning and couldn't surface to breathe.

Then the screaming started and he could feel the muzzle of an automatic weapon at his temple.

A flash of light made him jump from the bed, ready to fight.

"Oh, I'm sorry. I didn't realize there was anyone in here."

Out of the foggy recesses of his brain, he remembered where he was. He wasn't back on the front, trying to put together pieces of soldiers like he was doing some kind of horrific and demented jigsaw puzzle. He was still a surgeon, but he was at Rapid City Health Sciences Center.

"Clint, is that you? Are you okay?"

Clint snapped his head up and saw Ingrid standing in the doorway. She was still in her scrubs. There was concern etched across her face.

"What're you doing here? You're supposed to be at home, resting. I walked you out." He'd seen her leave. He'd made sure she'd left.

"Just because you walked me out, it doesn't mean anything. You're not my boss."

Clint tsked under his breath and closed the gap between then and scooped her up in his arms.

Ingrid screeched. "What the hell do you think you're doing?"

Clint didn't answer her. He knew exactly what he was doing as he left the on-call room and began to march down the hall toward the exit.

"Clint, are you crazy? You're half-naked," she whispered.

Damn.

Clint stopped for a moment and glanced around. A few nurses and orderlies had stopped what they were doing to stare openmouthed. Ingrid moaned and buried her face in his neck. He could see the bloom of color in her cheeks.

Well, the cat was out of the bag and word would spread through the hospital like wildfire about who the father of Dr. Walton's baby was.

CHAPTER THREE

HOW LONG HAD they been standing in the hallway? Correction, she wasn't standing at all. She was firmly in the arms of Clint and pressed against his bare, muscular chest. Being so close to him again made her forget for a moment that now everyone would know without a shadow of a doubt who the father of her baby was.

Why else would the hot new trauma doctor be carrying around the pregnant ortho attending he'd just met?

Oh, God. Had she just thought of him as hot again?

Yep, because right now in his arms, her stupid hormones were leaping and bounding, making her crave him like he was a chocolate sundae or a big bowl of chips. Or both mixed together.

And then she realized his chest and back were covered with scars. "Oh, my God," she whispered.

"It's okay," he murmured, understanding what

she was looking at. He was obviously embarrassed by it, so Ingrid decided to change the subject.

"You're half-naked and as much as I appreciate your very ripped physique, could you please put me down and we'll find somewhere private to talk."

Clint chuckled. "You think I'm ripped?"

"Come on. I'm serious, put me down. Now." She squirmed, trying to force the issue. She needed to put some distance between them.

Clint set her down and she could hear the snickers of their audience. Ingrid kept her head down and hustled back into the on-call room, pacing until Clint followed her in and shut the door.

"So much for our secret," he said.

"You think?" Her shoulder tingled from where she'd been pressed up against his body. "What did you think you were doing?"

"No, no. I'm not the one answering questions. You need to tell me why you're back when you should be at home, resting."

"My patient developed an infection in her leg. I have to monitor it."

Clint cocked an eyebrow. "You're an orthopedic surgeon—can't the general surgeon on duty monitor your patient?"

"It's my patient."

"And that's a baby you're carrying. You should be home, getting rest."

Damn. There was no arguing that the moment he'd said "home" and "rest," a wave of exhaustion hit her. The room began to spin and she lifted her hand to her head to stave off a wave of dizziness that was threatening to overtake her.

"You need to sit down." She felt Clint's hand on her shoulder as he forced her to sit down on the cot.

"Thanks," Ingrid murmured. "I'm not this careless. I know I need to rest more."

"I know. You're a surgeon, an attending. You told me. You have drive and that's a hard thing to let go of."

Ingrid nodded. "It is."

She glanced over at Clint and couldn't help but smile. There was a flutter in her belly and it wasn't the baby kicking. It was the same feeling she'd got when she'd seen him seven months ago in that bar. Even though she'd been under the influence of Philomena's urging and a couple of cosmos, she was still able to recall the way he'd made her body hunger.

Those deep blue eyes, which could be so intense and dark with passion. Each caress from his strong hands, the way his fingers had trailed down her spine, her legs wrapped around his waist, his lips against her neck as they'd moved as one made her want it again.

Over and over.

She shook her head, trying to expel those memories from her mind, but she doubted that would ever happen. They were permanently etched in her mind. When she looked down at the baby she was carrying, she'd be forever reminded of their time together.

Now he was a colleague and she didn't want to date someone at work. She didn't want there to be any more gossip than there already was.

She wasn't going to raise a child in a loveless marriage. One that would drive him away and cause him to abandon her child, like her mother had done to her.

Other than an explosive physical connection with Clint, she didn't know him. He was a stranger.

"I'd better go." Ingrid wanted to put distance between the two of them. She ran her fingers through her hair, trying to distract him from the blush that burned her cheeks.

"That's a good idea."

Ingrid stood, but as she did so her belly tightened and a horrible cramp struck her. She cried out and doubled over as she sat back down on the mattress. It was hard to catch her breath, everything felt pressurized, like she was going to explode.

"Ingrid, are you okay?"

"Braxton…Hicks…contraction." The words came out in a staccato succession as she tried to breathe. She closed her eyes and tried to work her way through it, but she couldn't remember her breathing technique. It was too hard to focus and she was so uncomfortable.

Oh. God. If this was just a practice contraction, how was she going to get through the real thing?

It terrified her.

This was unknown.

Yes, she was a doctor and understood how the human body worked, but she was a human. A woman. One who was alone.

I don't want to be alone. And her weakness made her mad at herself.

"Just breathe." Clint's voice was calming as she worked her way through more contraction. When they had passed she glanced at up at him and noticed the dark circles under his eyes. He looked haggard. Even worse than when she'd seen him before.

"Are you okay now?" he asked, rubbing her shoulders.

"I'm good, but you're looking pretty tired yourself." She reached out and touched his face.

"Well, I was sleeping until someone came barging in and turned on the lights."

"Sorry." Ingrid stood with Clint. "I honestly didn't think anyone was in here. I'll go home. What're you doing?"

Clint pulled on his shirt. "Going home with you."

"Pardon?"

"The only way I'm going to make sure you'll stay at home is if I take you there myself."

"You don't have to do that."

Clint chuckled. "It's not a case of me being a nice guy. It's a case of having to get you there so that I know you're safely tucked into bed. Give me your keys, I'll drive."

Ingrid rolled her eyes. "And if you're going to drive me in my car, how do you plan to get back here?"

"Taxi. I think I can splurge on a cab." Clint held out his hand. "Now, hand over your keys."

"I don't think so."

"Don't make me pick you up and carry you out of here."

"You wouldn't dare!"

Clint grinned in a way that made Ingrid think she shouldn't push him. "Wouldn't I?"

She rolled her eyes and handed him her keys. He was a persistent guy, she'd give him that, but of course she wouldn't expect anything less from a trauma attending and former soldier.

This time when they walked out of the on-call room, she wasn't in his arms, but the eyes of everyone were still on them. She kept her head held high as if she had nothing to hide, but could still feel their curious gazes boring into the back of her neck.

She could only imagine what was going to be passing through the halls tomorrow. When she looked over at Clint, he seemed perturbed. This was hard on him too. It was obvious.

He didn't really want to escort her out, he probably felt obligated to.

Their walk to her car and the subsequent car ride to the town house was silent. When they pulled into the driveway she could see some lights on in the house.

Crap.

Which of her roommates were up?

All of them worked in the medical field. Theresa and Melanie were paramedics and Rachel was a general surgeon at the hospital. Also, all three of them had happened to be there the night she'd hooked up with the mysterious stranger. All of them would recognize Clint.

She pulled out her cell phone to let Clint call a taxi, but the battery wasn't charged.

Damn.

Ingrid had to let him inside to use the phone. There was no way of getting around it; she just hoped whoever had left the lights on was not up.

Clint followed her up the few steps.

"You can see the dinosaur on top of the hill."

Ingrid glanced over her shoulder and saw the

brontosaurus from Dinosaur Park. She'd never really paid much attention to it before.

"Yeah, you can."

Clint cocked an eyebrow. "You seem nervous."

"Do I?"

Clint pointed at the light shining through the kitchen window. "You got all tense and weird the moment you saw the lights were on."

"My roommates, they were with me that night."

"Ah, and they'll recognize me."

Ingrid nodded.

"Do you want me to find a pay phone?"

Yes, but that wasn't fair to him.

"No, that's stupid. Come in." She opened the door and let Clint in.

And it was. She wasn't going to make him hike at two in the morning to find a phone just to save face. Besides, Rachel was going to hear the gossip and pass it on to Melanie and Theresa.

"The phone is in the kitchen." She took off her coat and hung it on the hook by the door and then set her purse down on the table in the entranceway.

Ingrid rubbed her temples. "I think I'm getting a headache. Too much info to process."

"Talk to your obstetrician tomorrow about the headaches. It could be a sign of high blood pressure."

"Noted. Thanks for bringing me home."

"No problem."

"As I said, the phone is in the kitchen, you can call a cab from there.

"I'll get to it. Right now we have to get you to bed."

That delightful blush rose in her cheeks again. He loved that about her. The night they'd made love there had been a delightful pink blush to her face the whole time.

"P-pardon?"

"Bed. You need to get into bed and I'm going to make sure you get there."

Her eyes widened. "You're not coming upstairs."

"I am, even if I have to carry you."

Ingrid let out a disgruntled huff and he followed her up the stairs. When she opened the door to her room and flicked on the light he took a step back.

"You're a slob!" Clint chuckled under his breath. There were piles of clothes, books and papers stacked up on the desk. Her double bed wasn't made.

She was so put together and clean cut at the hospital, he liked this side of her.

The blush returned as Ingrid sat down on her mussed-up bed. "No, I'm not usually. I only have limited space for things."

"I'm taking my life in my own hands, walking into this war zone."

"Then don't. I'm in bed. You're free to go."

"No, not yet. I'm tucking you in."

"Oh, come on."

Clint crossed his arms. "I'm not leaving yet."

"Fine."

Clint navigated his way over to the bed and as she settled back against the pillows, he pulled her duvet up over her, being careful not to touch her belly. He wasn't sure if he was ready to feel the baby yet.

He didn't want to get too close. Especially if it wasn't his.

It's yours. You know it.

"There, are you happy?"

Clint smiled and turned off the light. Then he

returned back to the bed and sat down on the end of it. “I’ll be happy when you’re asleep.”

“I can’t sleep with someone watching me,” she murmured in the darkness.”

“Do you want me to tell you a story?” He was only half teasing.

“You’re a real funny guy, aren’t you?” Clint heard the yawn in the darkness.

“I can be.”

Ingrid yawned again. “So why aren’t you sleeping?”

“Because I don’t sleep at strangers’ houses.”

“You know that’s not what I mean.”

“I know.” Clint let out a sigh. “I guess I’m still getting used to this new schedule since my discharge.”

“What was it like?”

Clint froze. That was the last thing he wanted to think about, let alone talk about. “Terrible.” He was hoping that would be enough to silence the matter, but he didn’t know Ingrid.

“I gathered that.”

“I don’t like talking about it.”

“Is that why you’re not sleeping?” There was concern in her voice through the darkness.

"Partly, but right now I'm not sleeping because you're not."

It was Ingrid's turn to chuckle. "Fine."

Clint stood up and headed over to an overstuffed armchair. He removed a pile of books and sat down, kicking off his sneakers and stretching his legs out onto the bed. It wasn't long before he heard the distinct sound of Ingrid sleeping.

Her room was very cramped. He didn't like cramped spaces. This was why his own bedroom at his ranch was a loft, no walls and a very high ceiling with a skylight. He liked to be able to see the sky while he slept. When he lay his head back all he saw was ceiling. A white stuccoed ceiling that was a lot closer than he would like it to be.

As he glanced around the room he saw a change table crammed in the corner and piles of things. Ingrid's room was so small. This was no place to raise a baby.

God, he'd made a mess of her life, hadn't he? Just like his life was a mess.

Clint rubbed his eyes and tried not to stare up at the ceiling, because if he kept thinking about how confining this room was, he'd have a panic attack.

His own eyelids were getting heavy. He was absolutely exhausted and he knew that he should get up before he fell asleep, only his eyes wouldn't let him.

He was too exhausted.

There was no way he'd be getting back to the hospital.

At least this time when he slept it would be from sheer exhaustion and maybe, just maybe, it would keep the nightmares at bay.

At least he hoped so.

CHAPTER FOUR

CLINT WOKE WITH a start from the nightmare threatening to bloom. It took him a moment to get his bearings in the dark and then he remembered where he was and who he was with. It was then his fight-or-flight response kicked in. Thankfully, it was the flight aspect.

I have to get out of here.

Clint moved his feet off the bed slowly. There was a small moan from Ingrid as she stirred in her sleep, but her breathing was even, deep and steady.

It was the sound of restful slumber.

He envied her.

It'd been a long time since he'd had a full night's sleep uninterrupted by terror, by reliving his torture when he'd been captured.

Thankfully, his capture had been short-lived. Just not long enough to keep the horror of it all away.

Clint moved toward the door and looked back at Ingrid curled up on her side, one leg flung over a body pillow, her arms tucked under her head.

The face of an angel.

It had been that face that had got him through his worst moments. When he'd been working on soldiers, often without the aid of anesthetic, Clint had learned fast to drown out the sounds around him, and to do that he'd focused on Ingrid's face and their night together.

He remembered every iota of that moment.

The feel of her skin, the scent of her perfume and the moment he took her innocence from her. Her gasp of pain, the dig of her nails in his flesh and the taste of salt on his tongue when he kissed those silent tears away.

"Why didn't you tell me?"

"Do you regret being my first?" Ingrid asked.

"No, if you told me I would've eased you into it."

"I thought you might stop. Please don't regret it. I'm glad it was you."

Clint hadn't answered her, because that night he hadn't regretted it all. He'd planned, come hell or high water, upon his return from service to track Ingrid down and make her his.

Before he'd been captured, before he'd endured all the horror, he'd pictured a life between the two of them. Even when he'd been locked away in the darkness of an insurgent cell, he'd pictured that fantasy life they would share. Children, living on the ranch he'd bought before he'd left for his tour of duty. The perfection of it all.

He'd learned during his captivity that life was far from perfect and things could be broken or shattered in an instant.

That dreams were just that, intangible flights of the mind.

But when he'd got out, he'd given up on it. Not the ranch but finding Ingrid. He felt dead inside. He had nothing to give anyone.

Though as he looked at Ingrid, sleeping peacefully, the soft rise of her pregnant belly growing his child, Clint searched deep within himself for some kind of semblance of emotion, but at this moment he could only find anger, pain and fear.

Those were the kind of emotions she didn't deserve, that their child didn't deserve.

He turned and walked out of her room, silently making his way down the stairs and hoping none of her roommates were around.

He had to put distance between himself and Ingrid.

She'd planned to raise the child by herself. He'd help her financially, but he couldn't be there emotionally.

Not now.

And as he stepped outside into the chilly dawn of a new day, he swallowed down the lump in his throat and buried the emotions of disgust.

Because he was disgusted by how much of a coward he'd become.

A week.

That's how long it'd been since she'd last seen Clint. Well, that was a lie. Ingrid had caught glimpses of him, or rather the back of him. She had the distinct feeling he was avoiding her like the plague.

Ingrid also had the distinct feeling she was being watched.

Either that or she was going crazy.

All she knew was every time Clint glanced at

her, he turned on his heel and walked the other way. He was definitely avoiding her.

Though she should be pleased and though his absence hadn't affected her life in any way differently, it still ticked her off.

Part of her, the part ruled by irrational hormones, felt like he should be here. Helping her. Involved.

Ingrid sighed.

She'd be glad when the pregnancy was over and she could ditch the hormones. For now she was miffed Clint was avoiding her.

It appeared that way anyway. She hadn't been around the hospital much. When she went to her OB-GYN appointment the next day, one Clint had promised to be at, her obstetrician, Dr. Douglas, had told her that her blood pressure was rising and there was a high amount of ketones in her urine.

The threat of becoming toxic was hovering on Dr. Douglas's lips.

"Take it easy, Ingrid. I know where you work and I will pull you from duty!"

Sharon's threats had been clear. She wasn't head of obstetrics at the hospital for nothing. Only Ingrid needed the extra money. When the baby was born, she only had six weeks to take off and then she'd have to head back to work. Day care, diapers and all the other essentials weren't cheap.

Why the heck am I thinking about this?

Ingrid rubbed her temples. It was just too much information. Her brain was being overloaded by the sheer magnitude of it all.

Focus.

Clint had offered help, although grudgingly, it seemed, but she'd turned him down. Which was dumb, she realized. She was going to need help, even if it was just financially, especially if she had to leave work earlier than anticipated. She just didn't like to rely on someone else.

That's not what her father had taught her. He'd taught her to be strong, independent and in charge of your own decisions and take responsibility for your own mistakes.

Her hand drifted over her belly and the baby kicked in response, as if sensing her stress level rising.

Just ask him.

Swallowing her pride, she headed toward him, praying she could sneak up on him and block his way of escape. She didn't want him rushing off again as soon as he caught sight of her. Not that she was positive that's what he was doing, but it had happened so many times that she was becoming a bit paranoid and she didn't like feeling so out of control.

Her life was about control and order.

Since Clint had come into the picture her life had been nothing but chaos. She stopped a couple of feet away from him, where he was leaning over a desk, charting, and tapped him on the back.

He turned around and Ingrid wasn't stupid—she could see the brief flicker of panic on his face before he controlled it.

"Dr. Walton, what can I do for you?"

"Can I speak with you a moment?"

Clint looked around, as if he was trying to find some excuse to take him away, but the E.R. was dead tonight. There was no escape.

Good.

"Sure." He moved toward an empty exam room. Once she was inside he shut the door. Ingrid stood in front of the door, impeding his only means of escape. "Do you really have to block the door?"

"Yes, because lately it seems like every time

I approach, you turn and run the other way. Do you deny it?"

"Wow, you get right to the point, don't you?"

Ingrid shot him one of those cold stares. "Well?"

Clint cocked his eyebrow in question. "You look like a force to be reckoned with."

"Oh, I am, Dr. Allen. Never doubt that."

She wanted to add that she broke bones for a living, but kept that thought to herself.

"What can I do for you?"

The heat of a blush threatened to bloom in her cheeks, but she kept it under control as she came to the point. "Why you been avoiding me?"

Clint cleared his throat. "Why would you think that?"

"Perhaps it was something about you absconding in the middle of the night."

"Sounds a bit like a similar situation on the night we first met, doesn't it, Ingrid or Philomena?"

Ingrid bit her lip. "Fine. You got back at me."

"It had nothing to do about getting back at you," Clint snapped. "I had to return to my duties. Your shift might've been over, but mine wasn't."

"Fine. I'll concede that, but why have you been

avoiding me? I'm not obtuse. I may wear different-colored socks every now again, but that's only because I can't see my feet. It doesn't mean that I can't tell when I'm being avoided."

Clint craned his neck to look at her feet, a brief smile flirting across his lips. Ingrid stifled her chuckle.

"You've got a nice mix of Halloween and Christmas going on down there."

"Shut up, don't change the topic," she snapped.

"I'm not! You're the one who mentioned socks."

Ingrid counted back from ten in her head. "You said you'd be at my next OB-GYN appointment. You were conveniently absent."

"Trauma."

He was lying. Although she couldn't really prove it. She could be neurotic. This confrontation-slash-conversation wasn't going as well as she'd hoped.

What did you expect, that he'd fall on his knees and beg forgiveness?

Although some groveling wouldn't go amiss at the moment.

"It's your mistake, Ingrid. Own it." That's what her father had said when she'd told him about the

baby. She'd get no help from him and she didn't even know where her mother was.

Tears stung at her eyes. *Damn hormones.* She had to get out of there, and fast. Screw it, she didn't need to know for certain whether he'd been avoiding her or not.

"Never mind. I'm sorry for bugging you," Ingrid muttered, as she turned around and reached for the door, but as her hand touched the handle Clint's hand closed over hers, but only for a brief moment. When his hand moved off hers, she took her hand off the doorknob.

"Look, I'm sorry," he said.

Ingrid swallowed the lump in her throat and turned back. "Apology accepted."

"Is that all you wanted, to know why I wasn't at your OB-GYN appointment?"

She met his gaze. Those deep blue eyes drawing her in and making her forget all reason. "One of the things."

"What's the other thing, then?" he asked, before glancing at his watch. "I have to finish my rounds."

She wanted to ask him, but the words just wouldn't come out.

Just do it. What did she have to lose? Nothing. Clint wasn't hers. They had no relationship. All they had was one stolen night together. One that had resulted in binding them together for ever.

"Is there anything else, Ingrid? You're just standing there."

I'm standing here trying to get my courage up.

Come on. "Are you avoiding me?"

There. She'd done it.

She glanced up at him to gauge his expression, but it was unreadable. It was like a slap in the face. He didn't seem to care. He wasn't stunned, confused, hurt. He wasn't anything.

It was like he was numb.

"Apparently, this was an exercise in futility." This time she yanked the door open. "I'm sorry for taking up your time."

She walked out into the hallway, her head held high. She was half expecting him to follow her, but he didn't and when she foolishly looked back, he had returned back to his charting. Oblivious to her and their conversation.

Well, if that's the way he wanted it, two could play at that game.

CHAPTER FIVE

INGRID AVOIDED CLINT for the next two weeks. It was a bit easier to do as she was put on a lighter duty schedule and didn't get as many trauma pages, but when she did see him in the halls she'd duck down a corridor, going out of her way to avoid him.

She was still a bit ticked at him.

As she walking down the corridor she got that distinct feeling she was being watched again, so she spun around and caught the sight of someone disappearing down a corridor, quickly. Ingrid turned to follow the person.

"There you are! Ingrid, wait up!"

Ingrid turned around and saw a very tanned Philomena striding toward her.

Crap.

She'd forgotten that Phil was due back from her vacation and that Phil had no idea Clint, the hunky soldier, was now working in the hospital.

Phil knew the hot soldier was the one who'd got her into this predicament but didn't know that Ingrid had used her name instead of her own.

Although Phil wouldn't be angry. She'd probably think the whole thing was funny, because Ingrid was generally a good girl and didn't lie.

"Phil, welcome back!" Ingrid said, trying not to sound nervous or awkward.

It didn't work.

Phil dropped her arms, which were outstretched for an embrace, and stopped. "What happened?"

"What're you talking about?"

Phil's eyes narrowed and she crossed her arms. "You're acting weird. Something happened here while I was gone."

"Nothing happened."

Phil rolled her eyes. "Puhleeze. This always happens…" She trailed off and her eyes widened.

Dread traveled down her spine and she glanced over her shoulder to see what Phil was focusing on. Though she knew.

Oh, God. She knew.

And she was right. Clint was talking to one of the charge nurses at the far end of the hall.

Ingrid sighed, closed her eyes and then grabbed

Phil by the elbow, dragging her into an on-call room and locking the door.

"Oh, my goodness, Ingrid! Did you see him, did you know?"

"Of course I know. We've become…reacquainted."

"Who is he?" Phil asked, leaning against the wall. "I mean, I thought he was a soldier."

"He's the new trauma attending. I think he's actually head of trauma now."

"He's the new head of trauma?" Phil bit her lip. "How are you doing?"

"I'm fine."

Phil cocked an eyebrow. "You don't look fine. You looked stressed."

Ingrid sat down on one of the cots. "Just a bit."

Phil crossed the room and sat down next to her, putting an arm around her. "So, what's he going to do?"

"Nothing."

"Still, he should man up to his duty as a father. I mean, he's a soldier right? He should have no problem ponying up."

Ingrid chuckled. "Yeah, he was, but what does being a soldier have to do with anything?"

Phil shrugged. "I honestly don't know. Aren't they men of honor?"

Ingrid shrugged.

"So he's really not going to help you?" Phil asked, confused. "Do I have to beat him up?"

"You're really going to beat up the new trauma attending?"

Phil made a fist. "Oh, hell, yeah."

"You're an oncologist. You're about saving lives," Ingrid teased.

"Well, I can't believe he's not going to help you. Are you sure he isn't going to?"

Ingrid bit her lip. "He wants a paternity test."

"What?" Phil stood, but Ingrid dragged her down.

"No, he has every right. He doesn't know or trust me. Why should he?"

"Still, he should've recognized your name when he took the job here."

"That's the reason he doesn't trust me."

"I don't understand," Phil said.

"Well…technically he didn't know my name. The night we slept together, I used your name." Ingrid braced herself for the onslaught of fury. Instead, all she heard was laughter.

"I can't believe you did that, that's so funny."

"Funny?" Ingrid actually did a double take and shook her head.

"Ingrid, I've known you for a long time. You're one of my closest friends, but you had a stick rammed so far up there I thought it had become fused with your spine."

"Pardon? Are you implying that I'm uptight?"

Phil walked over and sat down on the bed next to her. "Yes."

"Thanks," Ingrid said. "I love you too."

She should be mad, but she wasn't. Ingrid knew she took herself too seriously, but that was the way she'd been taught. Ingrid had grown up with this measure of expectation she had to live up to, like she had to grow up and out of this shadow her mother had cast. There were times in her life that she wanted to break free and be that reckless person her mother supposedly was.

Of course, look where that had gotten her.

Still, that night with Clint had been amazing and she didn't regret taking that chance and living, if only for one stolen moment.

"Yeah, I guess I am a bit tightly wound."

Phil chuckled and wrapped her arm around her

shoulders. "What I mean is I'm glad you let loose. You just work and sleep. That's all you've ever done. I know you had a strict upbringing and it was nice to see you break out of that mold. I'm sorry you got knocked up, though. That's the last thing I would ever wish on someone."

"Thanks, I…" A pain ripped across her belly in a sharp contraction, which made her cry out and clutch her belly. She wasn't expecting it and it was definitely not a Braxton Hicks. Ingrid tried to catch a breath, but she couldn't as another contraction rolled through her. She tried to get it under control, but she couldn't. The pain was unbearable.

"Oh, God, Ingrid. Are you okay?"

"Get. Help."

Phil didn't even wait or need to hear Ingrid's plea for help as she'd jumped up and headed for the door.

The pain was making the room spin as Phil stood outside the on-call room, calling for a gurney, as Ingrid fell to her knees. She could see white shoes in her line of sight as her cheek hit the cool tiled floor before everything went black.

* * *

Clint caught sight of Ingrid, her back to him, walking down the hall. He knew since their conversation she'd been trying to avoid him, just the way he had been avoiding her.

Ingrid's suspicions were right. He had been avoiding her.

It was for the best.

Still, when she'd left the room and walked away from him two weeks ago he'd wanted to go after her and tell her why.

Only he couldn't.

Instead, he'd let her go and it was tearing him up inside.

Talk to her.

He was going to do just that when she was greeted by another female surgeon and they disappeared together into an on-call room. He turned to walk away but then paused and glanced back at the room into which she'd disappeared.

He had to talk to her. To tell her the truth, to explain he was avoiding her because he wasn't whole any longer, because he didn't want to hurt her and the baby, because he couldn't be a good father, like his own dad was.

You're a coward.

It was a lot of excuses, but he had no choice.

He had to work. Once he'd saved enough money to fix up the ranch, he could leave medicine. Then he wouldn't have to operate anymore.

Which was something he'd never thought he would even contemplate thinking, because all he'd ever wanted to be was a surgeon and a trauma surgeon at that, but every day, every shift since his return from duty, operating was becoming harder, his flashbacks more frequent, and it was terrifying him.

The last thing he wanted to do was put a patient in danger, which was why soon he'd be able to walk away from what had been his lifelong passion.

It was just better for everyone that way.

Even if it wasn't better for him.

"I didn't raise a coward. Always be honorable."

His father's words echoed in his mind. If his father had still been alive he'd be ashamed, because Clint was the exact opposite of honorable at the moment.

And Clint's career choice had always been a point of contention between him and his father.

His father had wanted him to follow in his footsteps and take over the family business, but that's not what Clint had wanted.

It had become even worse when after his intern year, he'd joined the army and gone on his first tour of duty. His father didn't want him being in the army and putting himself in danger.

Still, that's what Clint had wanted and even though they'd disagreed, his father had stood by him and they'd both agreed that as long as he did his very best and lived honorably, that was all that mattered.

Even though honorable was on his discharge papers from the army, Clint didn't feel like he deserved it. There was no honor in cowardice, and he had no doubt that if his father was still alive, he would be ashamed.

Clint cursed under his breath and turned back. He was going to talk to Ingrid; he was going to help her. He was going to make sure she and the baby were okay. That's all he had to do.

The door to the on-call room flung open and the other surgeon burst out of it, her eyes wide. "Call a code blue. I need a crash cart and gurney, stat!"

And that's when Clint saw Ingrid lying on the floor, unconscious.

God. No.

He didn't even remember how he got to her side, but he was there, barking orders as the gurney appeared. He scooped her up in his arms and set her down. The world around him was muffled, as if he had water in his ears. The only sound was the pounding of his heart, the thing driving him was adrenaline, and he was focused on her face.

"Someone page Dr. Sharon Douglas!" Ingrid's friend shouted.

They wheeled her to the nearest exam room. Clint couldn't take his eyes off her. It was like everything was moving in slow motion, but he knew that wasn't the case. Things were moving extremely fast.

CHAPTER SIX

WHEN INGRID PRIED open her eyes the sunlight burned her retinas. At least she assumed it was sunlight. Whatever it was, it was freaking bright, and she came to the conclusion that an elephant had decided to take up residence between her ears and was practicing a highly intricate tap routine.

She groaned.

"Good morning, or should I say afternoon?"

Ingrid opened her eyes and as they focused she saw Clint sitting in the chair next to her bed. His appearance was disheveled. His black hair was mussed up, a dark five o'clock shadow graced his cheeks and there were prominent dark circles under his eyes.

She tried to sit up but found she was in a hospital bed, hooked up to an IV. Then it hit her. The last thing she recalled was pain and falling to the floor.

"What happened?" she asked. The gentle rhythm of the monitor began to beep sporadically.

"Calm down," Clint said, his tone gentle. "You don't want to overexcite yourself."

Ingrid reached down. She was still pregnant, and in reassurance, the baby kicked back at her. She closed her eyes and sent up a little prayer of thanks.

"Is the baby okay?" Her voice shook as she asked the question.

"Yes, for now. It's you we're worried about."

Ingrid licked her lips. "What happened?"

"You pushed yourself too hard!"

Ingrid looked up to see her OB-GYN enter the room. At just five feet even, Dr. Sharon Douglas was a force to be reckoned with. Sharon nodded in the direction of Clint. "Dr. Allen."

"Dr. Douglas." Clint sat back in his chair.

Sharon's eyes narrowed as she looked back at Ingrid. Sharon was a friend, a comrade, but not at this moment. Ingrid suddenly felt like she'd been hauled into the principal's office. "I take it Dr. Allen is the baby's father?"

"Well, we need a paternity test," Ingrid said.

"Fine. I'll order one, when the baby is born."

"Is that all?" Ingrid asked.

"Dr. Walton, you should know better. So, what do you have to say for yourself?"

"Sorry?" Ingrid asked.

Sharon shook her head and glanced down at Ingrid's chart, making notes. "I told you to take it easy. Your blood pressure has risen to a dangerous level. You're officially off work."

"What? I still have ten weeks to work."

"Not anymore you don't." Sharon flipped the chart closed. "I want to monitor you for the next couple of days to watch for signs of preeclampsia. If all is good in a couple of days, I'll discharge you home, but it's bed rest for you until you deliver."

Sharon left the room and Ingrid let out a groan. "What am I going to do?"

"You're going to follow the doctor's orders."

Ingrid glared at Clint. "What're you doing here? I thought you were avoiding me."

Clint scrubbed his hand over his face. "It's kind of hard to avoid someone who was in need of a trauma doctor."

"Right. Well, you don't have to stay. I'm no longer your patient."

"I'm staying," he said, and it was said in such

a way it made Ingrid smile. Though she'd never needed anyone in her life, never relying on anyone but herself.

It was kind of nice and that thought scared her.

"Why would you stay?"

Clint grinned and leaned back in the chair. "You're my patient, too, even if you think you aren't."

"And what about the rest of your patients?"

"I'm off duty. You can't get rid of me, Ingrid."

"I'm surprised, since you were all about avoiding me earlier."

"And you were avoiding me."

Ingrid cocked an eyebrow. "So you got the message."

"Subtlety is not your strong suit."

Ingrid sighed and leaned back against the pillows. "I can't do this. I can't do bed rest."

"You don't really have a choice."

"I'm not going to dignify that with a response." Ingrid glanced out the window, watching the snow fall softly over the city.

How was she going to be able to do this? She never sat still, unless she was studying.

She could've used the extra money and time

off to take care of the baby. She'd have to find a nanny to take the baby earlier and figure out some way to juggle paying for rent, food, formula, diapers… Just the thought of it all made her head hurt.

"Where's Philomena?"

"I thought you were Philomena?" Clint asked.

"No, my friend Dr. Philomena Reminsky. She was with me before I blacked out, I guess."

"Ah, yes. Well, that explains where you got such an odd name. Does she know you committed identity theft?"

Ingrid rolled her eyes. "What a mess."

"Do you remember anything before you blacked out?" Clint asked in an odd voice that set her teeth on edge.

"No, should I be worried?"

Ingrid watched his face for a reaction, wondering what she'd said or done. Snippets of what had happened flashed through her mind but nothing concrete.

"Ingrid, come back to me."

It was Clint's voice that came through the foggy recesses of her memory. Had he been there the whole time?

"No, there's nothing to be worried about." Clint stood up. "I'm going to grab something to eat. Is there someone I can call for you? Do you have any family nearby?"

"Well, there's my father. He lives in Belle Fourche."

"Do you want me to call him?" he asked.

Ingrid snorted. "Don't bother."

Clint was taken aback by Ingrid's admission. How could her father not come? If it had been him in this bed, in a life-threatening situation, his father would've been right by his side.

"What's his number?"

"It's on my emergency contact form, but I'd really rather you not make the call."

Clint was shocked by the bitterness in her tone. It shocked him because Ingrid was so put together, so sure of herself and so controlled.

"If you don't want me to call him, is there anyone else I can call?"

"No," Ingrid sighed. "I'm sorry, it's just…he taught me to fend for myself. He won't come. I have to do this on my own."

"Dr. Douglas was clear that you need help."

Ingrid winced and her heart rate began to pick up. He needed to back off. The last thing she needed was to have her blood pressure rise or she would be at risk of becoming toxic.

It had terrified him to his very core when he'd watched them work on her, getting her preterm labor to end, bringing her blood pressure down.

And when she'd roused for a moment out of her delirium, she'd reached out and grabbed his hand.

"Help me, Clint. It hurts."

It had terrified him to see her in pain.

"What're you staring at?" Ingrid asked.

"Nothing… I'll go call your father."

Ingrid nodded and turned her head to look out the window again. She looked so small on the bed, under the blankets, hooked up to a bunch of monitors and an IV. He left the room, grabbing her chart from the door and headed over to a nearby phone to call Ingrid's father.

Perhaps Ingrid was being too hard on her father. Maybe she wasn't giving him enough credit. Though he didn't know what he was going to say to the man. *Hi, I'm the man who impregnated your daughter after a one-night stand.*

Man up.

If he didn't do anything else for Ingrid, this was the least he could do, own up to his own part in this mistake.

Clint found her father's number and punched it into the phone. It rang three times before someone picked up.

"Hello?"

"Can I speak to Mr. Walton, please?"

"Speaking."

"Mr. Walton, my name is Dr. Clint Allen and I'm calling from Rapid City Health Sciences Center—"

"Is something wrong with my daughter?" Mr. Walton cut him off, but Clint noticed there wasn't any indication of worry or concern in his voice. In fact, just within the first minute of talking to Ingrid's father, he got the sense that he was a very controlled individual. Not unlike Ingrid.

"She went into preterm labor." Clint paused, waiting for some kind of reaction from the man. If it had been any other parent, they would've been peppering him with questions right about now. "We stopped the labor, but unfortunately Ingrid can no longer work. She's on bed rest."

"For how long?"

"For the rest of her pregnancy. She's at risk of developing preeclampsia."

"I see," Mr. Walton said. "Well, thank you for letting me know."

That was it? That's all the man had to say? Ingrid had been right about her father, and if Clint had been standing in front of the man right now, he wouldn't be as cordial.

Didn't he care about his daughter?

"She needs assistance, Mr. Walton." Clint had a hard time controlling his temper. "If and when she's discharged from the hospital, she'll have to be on strict bed rest until she delivers. There's no one to help her."

"Dr. Allen." Mr. Walton's tone changed. Clint had at least evoked some kind of emotion from the man. "I appreciate you calling and giving me a status update on my daughter. I do. Lord knows, she wouldn't tell me and I wouldn't expect her to. She got into this mess and she needs to own her mistake. She's a big girl. She can take care of herself."

"No," Clint snapped. "That's the point. She can't at the moment. Ingrid needs someone to stay with her."

"What about a nurse?"

"Are you offering to pay a nurse to take care of your daughter?" Clint asked.

"No, I'm sure she could handle paying for that herself. I taught my daughter self-sufficiency, Dr. Allen. I didn't coddle my child."

The grip Clint had on the phone tightened and as he squeezed the receiver he couldn't help but picture squeezing the neck of this arrogant, uncaring man.

"Mr. Walton, as your daughter's physician, I'm asking you to come and help your daughter."

"As I recall, Dr. Allen, my daughter's physician is Dr. Douglas. In fact, I would like to know exactly who you are and why you're calling me. Are you one of Dr. Douglas's residents, because if you are, you have a certain temerity that I'm not that fond of at the moment."

"I am not a resident."

"So you're not an OB-GYN?"

"No." The words came out through gritted teeth.

"Then I'll bid you a good day, Dr. Allen. Thank you for informing me of my daughter's status."

Before Clint could argue back or say anything

further, he hung up. The buzz of the disconnected line rang in his ear.

Clint hung up and dragged his hands through his hair in frustration. Ingrid had no one. Just like he had no one.

She was utterly alone.

She doesn't have to be.

Clint closed his eyes and took a deep calming breath.

There was no other choice. He'd take care of Ingrid and make sure she stayed on bed rest. That's all he had to do. Once the baby was safely delivered, he could walk away.

Even if it was his.

He'd have to.

There wasn't any choice in the matter.

CHAPTER SEVEN

INGRID HELD UP the X-ray, squinting as she tried to examine it in the sunlight streaming into her room. It was a sunny day and there was a blanket of snow on the ground, which made the light coming into her room just a bit brighter. It was a perfect opportunity to work.

No one knew she had the X-rays. Well, the only one who knew was Rose, her intern, who had snuck her X-rays in when Ingrid had paged her. Of course, this had been after she had assured Rose that sneaking her the X-rays was okay.

She was going to get out of bed to examine them. Ingrid was perfectly confident that she could assess this case of spondyloepiphyseal dysplasia from the comfort of her own hospital bed.

They'd said bed rest, but they'd never said she couldn't work from bed.

If she had to stay in the hospital because they

couldn't discharge her home, then she was darned well going to make the most out of her situation.

She hadn't been surprised that her father was indifferent and uncompassionate about her situation. Clint had seemed so angry when he'd told her that her father had refused to come out and help her, and that her father's only solution to her situation was that she hire a private nurse to take care of her.

It all came back down to her father's stance of being self-sufficient and owning up to your own mistakes. Hadn't he pointed out to her often enough that marrying her mother and having her had been one of his own mistakes, yet he'd stood by her. Raised her, even after her mother had taken off.

Ingrid had to work. She couldn't afford the luxury of being bedridden, so she had to figure out some way to strike a happy medium, and examining X-rays from bed was that happy place.

She was keeping her baby and herself safe by staying in bed, but she was earning money by continuing to work.

In fact, she was hoping that maybe she could convince some of her staff to bring in minor splint injuries or sprains for her to examine from her bedside.

Apparently I've lost my mind.

Ingrid set the X-ray down and wondered what the heck she was doing. She'd never believed in that so-called "mommy" brain or the idea that hormones could make a woman irrational.

Now she was starting to believe it.

There was no way she could do her job from her bed, well, not the splinting or bone-setting aspects of it. It was killing her not to work.

Ingrid eyed the X-ray in her hands and held it back up to the sunlight.

"What do you think you're doing?"

Ingrid dropped the X-ray and glanced over at Clint as he walked into the room. Her breath caught in her throat because she'd never seen him without scrubs or in his white lab coat. It surprised her.

His tousled black hair was tamed, there was still a hint of a shadow on his face, but for the most part he was clean-shaven. The blue color of his shirt made his cerulean eyes pop, and with the lab coat and stethoscope slung around his neck,

Ingrid almost swore for a moment she'd walked into some kind of medical soap opera.

Next thing she'd discover that she had a long-lost evil twin who'd been held captive on an island by a Russian prince or something.

I have got to turn off the television when I nap in the afternoon.

"I asked you a question." Clint snatched the X-ray from her hands. "What are these?"

"X-ray films."

"I know that, but where did you get them from?"

"I asked for them."

"You're on bed rest!"

"I know that." Ingrid snatched the films back from him. "I didn't get up and go get them, but this is a specialized patient of mine. I'm helping him with his condition. When I'm cleared again I have to do some surgeries on this young man to help straighten his limbs."

Clint grabbed the X-ray again and held it up to the light. "Ah, it's a case of SED."

"Yes, now would you kindly hand me back the films?"

Clint cocked an eyebrow and handed them back

to her, but almost grudgingly. "You still shouldn't be working. You need to be getting rest."

"I have been getting rest. That's all I've been doing the last two days." She slipped the films back into their envelope. "So, why are you all dressed up?"

"I'm speaking to a new batch of trauma interns today about the joys of being a trauma surgeon."

"Fun?" Ingrid asked, though she could tell by the tone of his voice that it was anything but.

"Not really." This was said through clenched teeth and a forced smile.

Ingrid chuckled. "You don't like speaking to groups?"

"No. I don't. I like to keep to myself. I prefer quiet."

"And you became a trauma surgeon because…?"

Clint smiled, a genuine one that spread from his lips to his eyes, making them twinkle just a little bit, but it was only for a moment.

Just one flash of a moment before it disappeared.

"I don't like making speeches." He took a seat beside her bed. "In surgery, even trauma, it's quiet…" He trailed off.

"Do you want to practice your speech on me?"

Ingrid couldn't believe she was suggesting it. She didn't like giving speeches and she didn't like listening to them. She'd rather be spending her time in the O.R. or setting bones. Even putting on a cast would be preferable.

God, she missed the feel of popping a joint back into place.

"You really don't want to hear me give an inspirational speech." He grinned.

"You're right. I don't. I was just trying to be helpful and kill time." Ingrid sighed.

"You're bored, aren't you?"

"How did you guess?"

Clint ran his hand through his hair, making it a bit messier. Ingrid reached out and straightened it and then she realized what she was doing and her hand froze. Clint reached up and grabbed her hand, holding it.

Warmth flooded her cheeks and they just stared at each other for what felt like an eternity.

Clint let go of her hand and cleared his throat. "I called your father again."

"You wasted your time."

"I don't think it's right, his behavior."

Ingrid shrugged, trying to act nonchalant, but

it hurt. It really did hurt. Though it wasn't unexpected.

What am I going to do?

This was honestly the first time she'd asked herself this question.

Even the moment the stick had turned blue, she hadn't asked herself this question. She'd figured out what she needed to do to make this work. She'd budgeted and planned. That's how she tackled every big decision of her life.

Whatever life threw at her, she dealt with.

So why did it hurt now?

"Perhaps, but that's the way he is. So what did he say when you called again?"

Clint shook his head. "Do you really want to know?"

"No… Yes… I don't know."

"He said that you would be able to handle it on your own."

Ingrid nodded. "He's right."

Clint couldn't believe the words coming out of Ingrid's mouth. "What do you mean, he's right?"

He could tell by her expression, her pallor, that

she was upset. It killed him that he'd had to tell her that her father had abandoned her.

"I mean he's right. This is my issue and I can take care of it. I've always taken care of my own scrapes."

"You call pregnancy a scrape?"

Ingrid began to rub her temples and her face began to drain of color. The reading on her blood-pressure monitor began to increase.

"Ingrid, are you okay?"

"Fine." Only the word was said through gritted teeth.

"You need to calm down."

She nodded and closed her eyes, taking deep calming breaths. Clint watched the monitors and it didn't take long before her blood pressure stabilized.

"I think I'll leave."

Ingrid turned her head. "Yeah, I should get some rest."

Clint walked over to the blind and pulled it down, darkening the room. Ingrid's eyes were closed, her brow furrowed and her lips pressed together in a thin line. He wanted to comfort her, but he couldn't bring himself to utter any encouraging words.

Don't get attached.

That's the last thing he wanted to do.

He couldn't get attached to her.

"Try to rest."

"I'll try," she said, but her voice was tense.

Clint would tell the nurses at the charge desk to monitor her and then he'd get hold of Dr. Douglas and tell her about the spike in her blood pressure. He'd also make sure that no interns or anyone else fetched her any more X-rays. She wasn't to work. Ingrid needed her rest.

That's the least he could do. He picked up the envelope that contained the X-rays and walked out of the room, but before he had a chance to close the door Ingrid turned and looked at him.

"Picture them naked."

Clint paused. "Pardon?"

Ingrid smiled. "Whoever you're speaking to. Picture them naked and it won't seem so daunting. I do it all the time."

"Do you, now?" Clint asked, intrigued. "I have to ask, did you picture me naked the first time we met?"

"Perhaps." There was a small twinkle in her eye as she said it. "But not really. It was mostly the alcohol talking. Are you disappointed?"

"I am a bit."

She chuckled. "Maybe next time I will picture you naked, then."

Ingrid was teasing him, he knew it, and it frightened him.

"Get some rest, Dr. Walton. That's an order."

Ingrid nodded and turned back toward the window.

Clint shut the door, his pulse thundering in his ears as he thought of his upcoming speech, but that soon faded away, because now all he could think of was Ingrid picturing him naked. And then he was doing the same and that wasn't going to help anybody.

Least of all him.

Being around her was too dangerous.

CHAPTER EIGHT

INGRID HAD BEEN stuck in her bed for the last two weeks. Her blood pressure was sporadic and because she had no stable support system at home, Dr. Douglas felt the need to keep her in the hospital.

She was already beginning to have nightmares about her rising medical bills.

Insurance only paid for so much. At least here in the hospital she wasn't totally alone. At least Philomena visited her. They were playing Scrabble today, which she hated, but at least it was something to do.

"Do you want me to bring you another book? How about something spicy?" Philomena asked.

Ingrid rolled her eyes. "I've caught up on reading. I've done puzzles and crosswords. I want to work."

"That was a pathetic whine."

"I know." Ingrid whined some more. "So, has

Dr. Allen been by?" There was a hint of teasing, like she knew something as she changed the topic of conversation.

Clint had been by. He visited her before and after his shifts, and they engaged in awkward conversation.

Actually, his visits were quite painful really.

Sometimes he seemed so interested and engaged in her and they chatted about cases and hospital stuff. There was no more delving into personal lives. No more talk about her father or the baby, which was good. But most of the time, he was distant and cold, and Ingrid was really getting tired of his behavior.

"Well?" Phil probed again.

"He comes by twice a day."

Phil arched her eyebrows. "And?"

"And what? He comes by twice a day."

"Oh, yes?" She grinned and turned the Scrabble board back so Ingrid could read it.

"Oh, yes, what?" Ingrid leaned over and studied Phil's word. "'YOLO?' What the heck is YOLO?"

"You only live once."

"I seem to remember you saying that to me about eight months ago and look how that turned out."

"What? You had hot sex with an army medic." Phil paused. "Please tell me it was hot, you were pretty vague about that night."

"I'm not dignifying *that* with a response." Though it had been hot. Very, very hot. "You can't play that word. It's an abbreviation or slang or whatever."

Phil snorted. "You certainly played that."

Ingrid laughed out loud as she played "hubris." As she placed the smooth tiles on the board, she felt a sharp pain. Sudden, like tearing, and she stopped to breathe through it, counting backwards until the pain dissipated.

Only just.

She had to get a grip on herself. She had to keep calm and not get her blood pressure elevated, and thinking about her one stolen night with Dr. Allen did elevate her blood pressure, though she wished it wouldn't.

Thirty-five weeks. That's all she was. Even though it would be safe to deliver should something happen, the longer she could keep the baby in there the better. Dr. Douglas had injected her with steroids that morning to further mature the baby's lungs, which wasn't a good sign.

"You okay?" Phil asked. "You went really quiet there."

With one more long, deep breath she managed to smile. "I'm fine."

Phil didn't look convinced. Ingrid was relieved when Phil's pager went off. She pulled it out and frowned.

"I've got to go." Phil stood. "Are you sure you're okay?"

"I'm fine, other than I'm bored."

Which was true. She was bored and she felt so out of touch trapped in this hospital room. She couldn't go back to her apartment because there was no one to look after her and she needed to be on bed rest.

If Dad had come... She didn't even want to think about that. There was no point.

So she was stuck in the hospital room. Wasting away. Heck, she didn't even know what YOLO was and she felt fat.

Enormous.

"You look ticked off."

Ingrid glanced up to see Clint in the doorway. Phil had gone, she hadn't even noticed her leave. She was losing her mind.

"Pardon?"

Clint moved into the room. "You were muttering to yourself."

"Is your shift over?"

"No, but I'm on a bit of a break." He came to stand beside her bed and craned his neck to stare at the board.

"YOLO?"

Ingrid chuckled. "Don't ask."

Then it happened again. The tightening, the sharp pain, like her flesh was being torn from her body. This time it was intense and it made her catch her breath.

"Ingrid?"

Only she couldn't catch her breath. It was like her lungs were about to explode. She couldn't answer him as a warm gush spread between her legs.

This can't be happening. No.

When she glanced down at the bedding it wasn't just amniotic fluid staining the sheets.

Then pain ripped through her. An intense contraction that made her cry out. She was terrified. Terrified for her baby, terrified of the pain, but mostly terrified about raising the child alone. "Oh, God. Help me!"

* * *

Clint froze as he watched Ingrid struggle. The sight of her blood made him feel nauseous, which was stupid. He was a trauma surgeon, for God's sake. He saw blood every day, but instead of moving, he was locked in place. Screams of his confinement rang through his head, screams of the men he'd been forced to patch up without anesthetic.

"Clint!"

He shook himself out of it and reached across the bed, pressing the code button. As the alarms went off, nurses and interns came rushing into the room.

"Page Dr. Douglas. Stat!" Clint shouted over the din.

He was a trauma surgeon. He was good at sewing people up, putting them back together. But she was having a child.

His child. Deny it all he wanted, he knew it was his.

This was too much for him.

"Clint." Ingrid reached out and grabbed his hand, her fingernails digging into his flesh. "I'm scared."

He wanted to tell her he was scared too, but he couldn't say anything. Everything was moving in slow motion as Dr. Douglas came into the room.

Clint couldn't hear a word she was saying as she began assessing Ingrid. All he could do was remain frozen, her hand clutching him as pain racked her body.

"Dr. Allen!"

Clint shook his head to clear the fog and looked at Dr. Douglas.

"Ingrid has a placental abruption. I need to deliver the baby."

Ingrid let out a small wail.

Clint couldn't say anything. He just nodded and watched as they rolled a gurney into the room. He stepped back, disengaging Ingrid's hand from his. He let them do their thing and move Ingrid onto the gurney as they were getting her ready to take her down to surgery.

He could walk away. No one would notice if he didn't go down to surgery.

Coward.

As they left the room, left him standing there, he had a choice to make. His gut told him to flee because if he followed Ingrid into the O.R., if he was there to witness his child's birth, he wouldn't be able to disengage himself. He'd be emotionally involved and he couldn't be emotionally involved.

He couldn't.

Clint hovered in the doorway, watching them roll Ingrid down the hall toward the elevator at the other end, and as he watched them move, he had a flashback and all he was aware of was swirling desert sand and the roar of chopper blades in his ears.

Coward.

This was bull. This wasn't him. He wasn't a coward. He was better than this.

So, instead of turning and heading back to the E.R., he ran to the elevator.

"Wait up!"

The orderlies held the elevator and he moved to Ingrid's side, taking her hand. Her eyes were wide as she squeezed his hand.

"It'll be okay. I'm here."

It was a lie. He could never be there emotionally, but he could be there for her now. He would be there for her now. It was the least he could do.

CHAPTER NINE

"HOW DO YOU feel?"

Ingrid's teeth chattered. It was hard to control it. "Cold."

Even though there was a mask covering Clint's face, it was his eyes that told her he was smiling behind the mask. She may have been out of the O.R. for three weeks, but at least she wasn't totally out of touch. She knew how the O.R. worked.

"It's the spinal," Clint murmured.

"I know," Ingrid said through chattering teeth. She glanced at the surgical drape that blocked her from seeing the surgery.

"It's weird, being on this side. It's surreal not being able to see what they're doing."

Clint chuckled. "I'm sure."

"Thanks for coming."

"Of course. Where else would I be?"

There was hesitation in his voice, and deep down she knew he didn't want to be there.

So why was he?

Does it matter? He's here. She wasn't alone.

"The baby is coming, Ingrid," Dr. Douglas said over the drape.

Ingrid's body rocked from side to side. She couldn't feel anything through the numbing of the spinal anesthesia but suddenly there was a small cry, weak but a cry nonetheless, which echoed in the O.R.

"It's a boy!" Sharon announced.

A boy.

Strange emotions washed through her as she watched the nurses take her son over to the warmer. Her son. He was a preemie and the neonatologist was waiting to check her baby's Apgar score.

"Go with him," Ingrid whispered.

"No, he's fine. I'm here for you," Clint said.

"But—"

"He's fine. He's in good hands."

Ingrid nodded. "I only got the steroid shot this morning. It wouldn't have had time to work on him."

Ingrid sent up a silent prayer that her baby's lungs would be okay. She'd been in countless situations, dangerous surgeries, but she'd never felt as scared and helpless as she was feeling right now.

Was this what being a parent was like?

If so, she wasn't prepared for this.

How was she going to handle this on her own?

"How am I going to do this?" she whispered.

"A day at a time."

"I don't live a day at a time. I plan."

"You can plan all you want, Ingrid, but life doesn't always follow that plan."

He was right. She knew it better than most.

"How do you live a day at a time?"

"You just do," Clint said. "It's what I've been doing since I got home."

"Tell me about it."

Clint shook his head. "I don't want to talk about it."

"Sorry." Ingrid bit her lip and stared at the ceiling. "Can you check on the baby?"

"Sure, if you want me to."

"I do."

Ingrid watched as he got up and headed over to the warming bed. He stood back, watching as the neonatologist, Dr. Steane, worked on their son.

"You're doing good, Ingrid. Just take deep breaths," Dr. Douglas said.

Ingrid nodded her head. "Thank you, Dr. Douglas." But she didn't turn to look toward the drape. Instead, she kept her eyes on the warming bed and her son. It wasn't long before an incubator was wheeled into the room and her baby was placed inside, an Ambu bag over his mouth.

Dread knotted her stomach and her blood pressure rose, causing her vitals monitor to go off.

"Clint, what's going on?"

"Answer her, Dr. Allen," Dr. Douglas said.

Clint came over. "Dr. Steane thinks his lungs are underdeveloped. He's grunting. They're taking him to the NICU to monitor him."

Oh, God.

Helplessness was all she felt. Utter helplessness, and she didn't like it. She was a surgeon, she was in control, but right now she wasn't. She was a mother and her son needed help.

Help that she couldn't provide.

Right now, at this moment, she wished she'd majored in neonatology or pediatrics. Of course, that was foolish. She was on the table, giving birth. Even if she had the specialist knowledge, she'd be useless, but running these things through her mind kept it off everything else.

"How did he look?" she asked.

"Good," Clint said.

"Give her more information, Dr. Allen," Dr. Douglas said. "Good won't cut it. She's hormonal."

"It's okay, Sharon!" Ingrid smiled up at Clint. "Do you have a preference for a name?"

Clint cocked his head to one side. "No. Why don't you name him? Anything you want."

"Anything I want? So I could name him Franklin or Hawk or—"

"Okay, not anything. Seriously, Hawk?"

Ingrid laughed. "It's hard to laugh when your body is frozen."

Clint chuckled. "I bet."

"So no Hawk."

"No Hawk. I veto Hawk and Franklin. It's like you're naming him after a turtle or something."

"I wasn't seriously considering Franklin. What about Jase?"

"I can live with Jase."

She smiled. It was the first time he'd agreed with her on something about the baby.

"Have you decided on a name?" Dr. Douglas asked.

"Yes, Jase." Ingrid nodded, because that's all she could do, strapped to the table. "Jase."

"I like that name. Good choice, Mom and Dad. I've almost finished my suturing."

"Dad?" There was tension in Clint's voice. "I don't think I'm ready to be called that."

"But you are," Ingrid said.

Clint sighed. "Not yet. The test."

Ingrid's eyes stung with tears, which were threatening to spill, and she tried to hide her disappointment. "Right. Of course."

Ingrid just shook her head and stared back up at the ceiling as Dr. Douglas finished her suturing. A C-section wasn't something she had planned on. A C-section would take a long time to recover from and she'd need help.

What the heck was she going to do?

CHAPTER TEN

THE PATERNITY TEST came back positive.

He was Jase's father.

Honestly, he had known that the moment he'd seen him.

He should've canceled the test and saved himself the expense, but he was an idiot.

Still, he wasn't sure if he was ready to be a father. So he kept his distance still because he refused to hurt Ingrid and Jase. He didn't want to saddle them with a damaged army medic.

They both deserved so much more.

More than he had to offer at the moment.

Clint watched as Ingrid moved around the room, packing her bag. She had been discharged, though Jase had not, and she was going home alone.

Unless you do something about it.

But if he asked her to move in with him, he was getting totally involved.

She winced as she reached for something.

He couldn't leave her to her own devices.

Not when their son was in the NICU still. Not when she needed help to heal.

There was no one to help you heal.

Clint cursed under his breath and dragged his hands through his hair. He should turn around and walk away, but he'd been telling himself that since she'd walked into the trauma room pregnant and he'd realized he was the father.

Only he couldn't turn away.

He was no good for her. He was damaged goods and Ingrid deserved much more.

"Oh, hell."

He pushed open the door to her room. She looked up and cocked her eyebrows in question.

"How are you getting home, Ingrid?"

"A taxi."

"Good. I'm glad you're not driving."

Ingrid shrugged her shoulders. "I know the routine. No driving for six weeks, no heavy lifting, no…" And she blushed then cleared her throat. "Sex."

Clint cocked an eyebrow. "And that's important to you?"

Ingrid frowned. "No. I'm just regurgitating my

post-op notes." It took a moment for her cheeks to turn back to their normal color, though he liked being able to affect her like that.

"Who's going to take care of you?"

"Me."

"Then how are you going to get back and forth to the hospital to see Jase?"

Ingrid licked her lips. "Taxis, I guess, that is when I can't get a ride with my roommates."

"How do your roommates feel about having a premature baby living with them? That is, of course, when Jase is discharged."

"Well, that won't be for a while. You heard Dr. Steane's diagnosis. He needs time on the ventilator to allow his lungs to develop."

Clint swallowed the lump in his throat. It scared him, but he had to keep it together. He couldn't let his emotions get hold of him. "I was there."

"So I have some time." Ingrid winced again and pressed her hand against her abdomen, before slowly sitting down in a chair. Clint watched her, taking deep breaths. Her usually neat blonde hair was frizzy and unkempt. Her clothing was bagging, her face pale and there were dark circles under her eyes.

And she was still beautiful.

He still desired her and that thought terrified him to his very core.

Walk away. Just turn around and walk away.

“You had a rough experience. You lost a lot of blood and spent a week in the hospital after giving birth. You’re stressed and—”

“What’s your point, Dr. Allen?” Ingrid asked, her voice tired.

“Move in with me.”

Ingrid had to shake her head. Had she heard that correctly? “Move in with you?”

“I want to take care of you. I can take you back and forth to see Jase. You wouldn’t be alone.”

“I’m not alone.”

Only she was. She was alone.

Her roommates all had crazy schedules. A baby crying at all different hours of the day and night would disrupt the entire household.

And the room she lived in was tiny, messy, chaotic, and it stressed her out.

The crib she had for Jase was crammed in the corner of the room. All she had was a narrow path from the crib to her bed and the top of her dresser had to be transformed into a change station.

She'd thought she was prepared. She'd thought she was in control.

Then again, she'd thought she'd had more time before Jase made his entrance into the world. His birth wasn't supposed to be like that.

It was hard to let go of things she'd planned and worked out in her head. But as she glanced down at her baggy shirt and pants she realized she'd already lost control. She just didn't know when it had happened.

"I am alone," she finally admitted with a ragged breath. "You're right. I'm alone."

"Move in with me. I have more than enough room. I live on a ranch, for heaven's sake."

"Aren't you moving a bit fast?"

He grinned. "Right, because we've taken it slowly up to this point."

She laughed. "Good point."

"Move in with me."

"Do you think that's wise? We barely know each other."

Clint crossed his arms. "We've known each other for, what, a month now. Just over a month.

We have a son together. I was there when he was born and we work together. I think it's safe if you move in with me."

He scrubbed his hand over his face and took a seat on the end of the bed, facing her. "You've been through the wringer, but you're alone. You'd have your own room and you'd have your own bathroom."

"Wow, that sounds like some kind of ranch house."

Clint smiled. "Well, it's not quite finished yet. The interior is almost complete. The outside is a bit dilapidated."

"I thought you didn't want anything to do with Jase."

"What gave you that idea?"

"Well, first you didn't believe he was yours, even though he is." Ingrid shrugged. "You're so cool and distant when it comes to him. The nurses tell me you don't go and see him."

"I've been busy. Look, I can take care of you. You can stay with me until you get back on your feet. It doesn't have to be a permanent thing."

It was the way he'd said *"It doesn't have to be a permanent thing."*

What did that mean? Did that mean that it could be a permanent thing? She didn't want permanence. No, she was terrified by the idea.

"What do you say, Ingrid? Are you going to let me take you home?"

"Okay, because it's just for now." It was the right choice. This choice would benefit Jase and not turn her friends into her enemies because they couldn't stand the sound of her baby crying at two in the morning. At least until she got her feet back under her. Then she could move out on her own. This would be better for Jase but not for her.

She was going to be trapped under the same roof as Clint.

The only man who had ever convinced her to throw caution to the wind and have a one-night stand. He was the only man she'd ever been with. The only one she thought about still.

Oh, God. How am I going to do this?

"Ingrid, you're blanking out."

Ingrid shook her head. "Sorry, yes. I'll move in with you, for now." She emphasized that part.

"Good, because that's what I told Dr. Douglas when she signed off on your discharge." He smiled smugly.

"You told Sharon that, without asking me?" Ingrid cursed under her breath. "Assume much?"

Clint shrugged. "Well, I wasn't sure for a while that I was going to ask you to move in with me."

"Really?"

Clint sighed. "Look, I haven't been sure about a lot of things, especially since my discharge from the army. My plan is to eventually leave surgery and just live off the land on my ranch. I want solitude and quiet."

"You're trauma."

"We've had this conversation." Clint stood up and grabbed her suitcase. "Come on, we're going, but you just wait there until I get you a wheelchair."

"I don't need a wheelchair."

Clint glared at her. "Hospital procedure. You'd think after all that other information you'd remember that it's hospital policy that surgical patients be taken out of the hospital by wheelchair."

Ingrid sighed. "Fine. I'll wait here for the wheelchair."

Clint nodded. "Not that you have a choice. Remember, no lifting, no driving." He turned, then snapped his fingers. "Oh, and no sex."

There was a glint to his eye when he said it, one that made Ingrid blush.

"Would you get my wheelchair before I change my mind?"

He nodded and left.

Ingrid leaned back in the chair. What was she doing?

The only thing she could think of was that she was trying to give Jase a better life.

She was trying to give him access to both his parents, because the last thing she wanted to do was have Jase grow up without knowing his father. She didn't want her son to grow up the way she had.

CHAPTER ELEVEN

THERE WAS LIGHT fluffy snow in the air as Clint drove Ingrid along I-90, northwest toward Blackhawk, and because of the snow it was a bit slow going, but Ingrid didn't mind in the least. She loved the snow and she loved it falling from the sky in large, fluffy flakes.

"I didn't realize you lived so far out of town."

"It's not too far," Clint replied as he took the next exit. "On a good day it's about a twenty-minute drive to the hospital. I like the solitude and in the summer the foothills are marvelous."

"I love the badlands," Ingrid sighed.

Clint smiled. "So do I."

"It's why I chose to do my internship and fellowship in Rapid City. I got offers from Mayo and some west coast hospitals."

"Really? An offer from Mayo. What did your father think about it?"

"About what?"

"About you turning down the offer from Mayo."

Ingrid turned and looked back through the window at the falling snow. Her father had almost gone through the roof when she'd told him she'd accepted a residency at Rapid City Health Sciences Center instead of Mayo.

There had been many arguments about it.

Threat of him disowning her, and then he'd laid on the guilt trip, but Ingrid was just as stubborn as he was and had held firm.

It's why she lived with a bunch of roommates instead of staying at her father's house in Belle Fourche. She wasn't welcome to stay under his roof because she didn't do what he wanted.

It's why her mother had left. At least, that's what he'd said.

She understood that. What she didn't understand was why her mother had left her behind. That was hard to forgive.

It was also why Ingrid didn't want to get involved with anyone. She didn't want any man to have any say over her life, but she also wasn't going to cut Jase off from his father. No, she wasn't going to make that mistake.

"You've gone awfully quiet."

Ingrid snorted. "What do you think? You spoke to him. Twice. Besides, why do I have to share everything? You've hardly opened up to me."

She glanced over at Clint and he was frowning as he turned down a side road. "What do you mean?"

"Any time I ask you a personal question you clam up."

"You've only ever asked me about my time overseas, which I won't talk about. You know that."

Ingrid nodded. "Okay, well, why don't you tell me about your family?"

"Mother, father, sister and a brother." Clint flicked on his blinker. "Oh, and a niece and nephew."

"How very concise of you."

"You haven't told me much about your family either. I've talked to your dad, but is there anyone else?"

"My mother left when I was young. I don't remember her. Is that what you wanted to know?"

"I'm sorry." Clint glanced at her.

Ingrid shrugged. "It is what it is. So, what about your mother, father, sister and brother? Tell me about them. They're Jase's family now."

"I guess they are." There was a brief smile on Clint's face and then it disappeared. "I don't want to talk about them."

"Why? Did they disown you?"

"No, my father is dead and the rest of my family…the rest of them don't even know I'm back from my tour of duty."

"What?" Ingrid was shocked. "Why—?"

"Here we are," Clint interrupted.

Ingrid tore her gaze from him as they pulled up a long drive to a house that did look a bit dilapidated on the outside. He parked and exited the car, grabbing her bag from the back before coming to her side of the car and opening her door to help her out.

"It looks…nice."

Clint grinned. "I warned you that the outside wasn't much to look at."

"And you're so confident that the inside is better."

"Very confident. I'm a surgeon and I'm good with my hands." He winked.

He guided Ingrid up the snowy path and then unlocked the front door. "Welcome home."

Ingrid stepped inside and she was surprised.

Inside it was very rustic, with exposed beams, stone on the fireplace at the far end of the living room, and skylights in the cathedral ceiling meant that the house was flooded with natural light.

The decor was leather and minimalistic with dark plaids. Very manly, but Ingrid liked that look. It's what she'd grown up with in her father's house.

The only difference was that her father's taste was a bit more classical.

She preferred this.

Really preferred this.

"What do you think?" Clint asked. There was a twinkle of excitement in his eyes. Pride of ownership. The last time she'd seen this look had been nine months ago, the night they'd conceived Jase.

"It's great. It's beautiful."

"Your room is over here, on the other side of the kitchen."

Clint led her through the massive kitchen, which was just as impressive as the rest of the house.

"Where did you find time to do all of this?"

Clint shrugged. "I'm not always at the hospital."

"Could've fooled me."

He grinned and opened up the room. "Here's the guest room. There's an en suite."

Ingrid wandered into the room. It was larger than her room back at the house. It wasn't as rustic as the rest of the house, but it was a nice room with large bay windows. She held her stomach as her incision site stung.

She sat down slowly on the bed and watched the snowflakes fall outside her window. She was exhausted and she was missing Jase. She wanted to be at the hospital, where she had access to her son.

Then it hit her. More pain but not physical. It was emotional, and she didn't want to cry in front of Clint so she held it in, even though it hurt.

"Are you going to be okay?" Clint asked, as he set her suitcase on the dresser.

No.

"Yeah, I'm just tired."

He nodded. "You look tired. Why don't you rest and once you've napped we can head back to the hospital and you can visit Jase?"

Ingrid was struck by the *you,* not we, but she was too tired to analyze it. "That's a good idea."

She really did need a nap. She hadn't been sleeping well.

Clint left the room, shutting the door gently. Ingrid curled up on the bed, on top of the comforter. She lay on her back, because for so many months she hadn't been able to because Jase would press on her uncomfortably.

She turned her head to the window so she could see the snow falling outside and watched the snowflakes until she couldn't see them anymore.

The buzzing sound of an electric saw or some other kind of power tool woke her up. It felt like her head was full of cotton and when her eyes adjusted she realized it was dark outside. The only light shining through her window was from an unknown outside light.

She got up slowly and made her way to the window to peer outside. It was still snowing, but the fat, fluffy flakes were thicker, denser, and there was a lot of build-up on the ground.

The buzzing sound started again and then it was followed by a crash and a bang. She ran her fingers through her hair and headed out of her room.

She was not prepared for what she saw when she walked into the kitchen. Clint, shirtless in tight jeans, sweat pouring down his back as he hammered and sawed. It looked like he was putting up a room off the large living room. A room that was close to hers.

When he'd said he did all the work himself, she almost hadn't believed it. Surgeons were good with their hands, but they dealt with meticulous sutures, tissue, organs. Things that required a gentle touch.

Hammering, sawing and building walls was tough work and could injure the hands.

It was kind of hot to watch, though.

What are you doing? No sex for six weeks.

It's not like she was missing anything. The one and only time she'd done it had been with Clint. She'd only had it once. Okay, twice that night and, yes, it had been good. At least she thought so, but then again she had nothing to compare it with.

Ingrid rubbed her temple. When had she suddenly become so obsessed with sex?

Hormones. It had to be the hormones. She'd blame as much as she could on hormones.

The buzzing stopped and Clint stretched. She stood transfixed, watching his muscles roll and move under his skin. She'd forgotten how built he was.

Get a grip. Say something so he doesn't think you're ogling him.

She looked down at the ceramic tiled floor, tiles he'd probably laid himself, and cleared her throat before she looked up again.

"Ingrid? Did I…did I wake you up?"

"Yeah. What time is it?"

Clint set down whatever power tool he was using and glanced at the wall. "After midnight."

"What happened to going back to the hospital?"

"The roads closed." Clint wandered over to a cupboard and pulled out a glass tumbler. He filled it full of water at the fridge. "I thought it was best to let you sleep. You were snoring pretty loudly when I checked on you."

"I don't snore!" Ingrid said haughtily.

Clint downed the water. "You do. Loudly."

Ingrid rolled her eyes. "Well, at least I don't operate heavy machinery at midnight to wake up my guests."

"My apologies. I'm so used to being on my own. I don't sleep well, so I work on the house."

Ingrid glanced around the kitchen. "How long have you had this place?"

"Two months."

"You don't get a lot of sleep, then."

Clint shrugged. "I sleep at the hospital in the on-call rooms, that is when I'm not carrying pregnant ladies out."

Ingrid blushed. "Sorry about that. I know…I know you didn't want to be involved with my situation."

"What's done is done. We don't need to talk about the past. Is there anything I can get you?"

"Maybe something to eat. I haven't eaten since I was discharged."

He smiled. "No problem. Just let me put on some clothes."

He turned back into the living room and Ingrid watched him head up the stairs, stairs she hadn't notice when she'd first arrived.

It was only a couple of minutes and he was back in a fresh set of clothes and standing in front of her. "What do you want?"

"What do you have?"

"How do you feel about scrambled eggs?" Clint asked as he opened the fridge.

"I would love scrambled eggs."

"Take a seat over there." Clint nodded toward the oak table. "Sorry, I don't have any bread"

"It's okay. Protein is good for healing."

Clint cocked an eyebrow as he pulled down a frying pan. "Is it?"

"Builds muscle."

"True." He went about cracking the eggs into the pan. "Sorry I don't have much in the house. I'll have to rectify that now I have someone living with me."

Living with him? It made her panic. She wasn't living with him.

"Don't you mean staying with you?"

Clint paused as he turned on the gas burner. "Right."

The eggs smelled awesome. She couldn't remember the last time she'd had scrambled eggs. Most of the time when she was working, she would grab sandwiches or salads or some other low-calorie microwaveable meal.

Sometimes dinner consisted of cereal.

"Voilà." Clint slid the eggs onto a plate and set it in front of her, before taking a seat across from her. "Let me know what you think."

She picked up her fork and took a bite. "Very good."

"I pride myself on my cooking. I could make

something out of nothing, especially when I was overseas."

Ingrid was surprised that he'd started talking about his time overseas. Any time he came close to speaking about it, he became closed off and distant.

"I thought you said you were a medic. I didn't think you were a cook."

"Sometimes, in the thick of it, we didn't have access to a cook and you just had to make do. Most other medical professionals in the MASH unit were terrible cooks. Absolutely horrible. I couldn't stand eating their swill, so I learned to cook."

"You're a true Renaissance man, Clint."

"How about some OJ?"

"That would be great."

Clint got up and pulled a carton of orange juice out of the fridge, pouring her a glass and then pouring himself one before returning back to the table. Ingrid finished the eggs and gladly took the glass of OJ.

"So you know how to renovate, you know how to perform surgery and you can cook. I know how you learned to cook and you got your medical training at school, so tell me where you learned how to construct things."

Clint's gaze narrowed and he leaned back in his chair. "Why this curiosity about my building skills?"

"What are you building over there?" Ingrid nodded to the recent construction. "You're putting up walls."

She wanted to ask about the emotional walls he was putting up, but it wasn't her place. So instead she would just ask about the actual physical walls that were encroaching on his open concept living room and kitchen feng shui.

"The baby's room."

"I thought you had a room for Jase? I don't want you to go to any trouble—"

Clint held up a hand. "It's no trouble. He needs his own room. Look, when I had to get you clothes to come home in, I saw the cramped set-up you had going on in that room. You need your own space. Every mother needs their own space—at least, that's what my mother said."

Ingrid grinned. "Must be nice."

"What?"

"To have a mother. I wouldn't…" She trailed

off and dropped her head into her hands, trying not to cry, because suddenly thinking about how she'd grown up without a maternal presence hit close to home. How could she be a mother when she didn't even remember hers?

She didn't know how to be a mother.

Clint at least had a mother, even though he hadn't told her he was back. That irked her. Why hadn't he told his family he was back? He had a family, obviously a loving family. She only had a father, who didn't give two figs about her or his grandson.

But Clint had people who loved him and he hadn't even told them he was back. She swallowed the lump in her throat, keeping the tears in check.

Ingrid cleared her throat again and pushed her plate away. "So, who taught you carpentry?"

"My father. He owned a construction company. He always wanted me to join him, but medicine was my passion, as was the… Well, it doesn't matter anymore."

Ingrid nodded. "I think I'll go to bed. Maybe after a shower, and then I'll go to bed properly, instead of lying on top of the covers."

"I'll call it a night too. The roads should be

cleared tomorrow. I'm on an eight-hour rotation, but you can spend the day with Jase."

Ingrid nodded again. "That sounds good."

And it did.

She missed her baby. She wanted to see him, even if she could only touch him through the incubator.

"Good night, Clint, and thanks for the scrambled eggs."

She got up and moved toward her bedroom.

"There are towels in the armoire," Clint called after her.

"Thank you." Ingrid closed the door to her bedroom.

Shower and sleep. That's what she needed.

Of course, she needed more. An emotional connection, a human touch. She needed to be held, to be told it was all right.

She'd never had that before. Why should she expect it now?

She shouldn't, but she wanted it all just the same.

CHAPTER TWELVE

"WE NEED TO get this man up to an O.R., stat!" Clint held his hands on the man's chest, trying to keep the blood from gushing out of the gunshot wound in his chest. He hated guns. He hated the destruction they caused.

The doors opened and his interns pushed the gurney toward the O.R. while he barked orders, and as they raced down the hall, flashes of his time in the insurgent compound flashed around him.

Familiar faces of his captors began to appear in the crowds as he moved down the halls.

Focus.

Clint shook his head to clear the thoughts. He couldn't let them jangle his mind right now. He couldn't lose control. The life of the man beneath him depended on him keeping it together.

When they were in the O.R., he leapt off his patient and had one of his residents take over as he scrubbed in.

He pressed the bar and let the water run over his hands, scrubbing them over and over with soap.

"Dr. Allen?"

Clint turned to see Ingrid's replacement standing there with an X-ray. "Yes, Dr. Misasi."

"His X-rays show that he has fractured ribs."

Dammit.

Clint took the X-ray and held it up to the light. "It's not too bad. We can still go in. Will you assist me, Dr. Misasi?"

Dr. Misasi nodded his head. "Of course."

"Good. Scrub in. We have to move fast. The patient is losing a lot of blood."

"Right away."

"Amputate his arm. Do it now!"

Clint froze as that voice from his past infiltrated his brain.

"Give me some morphine or something!" Clint demanded from the insurgent.

"No. You will do the amputation now or I will lash you again. Do it. Do it now."

Clint glanced at the young boy, shivering.

"I'm sorry. So sorry."

"Dr. Allen?"

Clint jumped and gripped the sink. He was still in the scrub room. The clean, antiseptic scrub room, and beyond him was his patient with a GSW, one who was sedated and would receive the correct care.

This patient wouldn't feel him cracking his chest.

This patient wouldn't scream.

The screams echoed between his ears.

Shake it off.

"Dr. Allen?" Dr. Misasi asked. "Are you okay?"

"Perfectly." He took a deep breath. "Let's go."

He turned back to the sink and began to scrub it all away. He had to keep the flashes of his capture away.

Right now he had a job to do.

When he was done, he headed into the O.R. where his scrub nurse gowned him and held out gloves which he slipped his hands into.

"He's ready for you, Dr. Allen," Nurse Warren said.

Clint headed over to his patient, but not before he glanced up into the gallery and saw Ingrid sitting there. She was the only one in the gallery, watching.

It gave him a thrill that she was here watching him.

Keep it together.

"Ten blade."

I miss surgery.

Ingrid watched longingly through the gallery window as Clint operated on a police officer who had been shot in the line of duty.

She'd spent the morning with Jase. Not that they had much interaction with him being on a ventilator, but he was doing good. His lungs were developing and he may be able to come off it soon.

Which meant it wouldn't take long before he'd be home. Which was great but it also scared her. Another unknown. Still she longed to hold him. Though she missed work, too.

When she was in the O.R. or when she was setting bones, she could clear her mind. If she was just a general surgeon then she could get back to work, even on light duty, but she wasn't a general surgeon. She was an ortho surgeon.

An ortho attending.

And an ortho attending needed to have the full use of her abdominal muscles. Setting bones required a lot of muscle. Bones were hard, they took a beating.

Everything about the specialty required strength and guts.

It's what she loved about it.

Her father had wanted her to be a cardiothoracic surgeon. Something that required a gentle touch. Cardiothoracic surgeons got paid more.

Ortho was dirty and gritty and not suitable for a lady, but when she'd been ten she'd broken her arm and this amazing female ortho surgeon had set her bone and wrapped her cast in pink gauze and then signed it.

Her father had thrown away that cast, but Ingrid had never forgotten the surgeon. Never forgotten that moment. It's when she'd decided that's what she wanted to do.

There was something poetic and beautiful about resetting bones.

When you were a surgeon, when you were passionate about what you did, there was nothing that could stop you.

Clint could've been a carpenter, but he'd chosen surgery instead of his father's business. He'd chosen the army to better his skills.

So why did he want to give it up?

Clint was a mystery.

He had pretty thick emotional walls, but so did she, and she wasn't ready to bring them down yet.

The walls were her protection. She needed them.

Her incision twinged and she stood up. It was hard to stand without hunching over, but hunching would be bad for her abdominal muscles and she needed her muscles.

In six weeks, she'd be clear for surgery.

She didn't know what she was going to do with Jase. That was still a worry.

Ingrid closed her eyes and rubbed her neck.

How she envied Clint down there. He was right. There was a quiet solitude to working in the O.R. It was somewhere to collect your thoughts.

It was why she'd come to the gallery to watch him. She was hoping some of that peacefulness would permeate through the walls and that she could get a clear thought in her head, but it wasn't working.

She glanced back down at him. His hands in the man's chest, saving his life. Her replacement, Dr. Misasi, working beside him.

It could've been her if she hadn't been so stupid that night, but then again if she hadn't thrown caution to the wind she wouldn't have met Clint and she wouldn't have Jase.

So she didn't regret it.

She may not feel like much of a mother or a surgeon or even a desirable woman at the moment, but she didn't regret anything.

Ingrid turned to leave, but then stopped when she saw there was a commotion down below. Clint was frozen and she could tell from the monitors that the patient's vitals were acidotic.

She pressed her hands against the windows and watched.

What's going on?

It felt like an eternity, watching as Clint just stood still, his hands in the man's chest. Only it was only for a moment and then he shook his head and continued working. The patient stabilized.

What had just happened?

And then it hit her and she wondered if Clint had been discharged from the army because something had happened over there. Something terrible.

And if that was the case, should he really be operating?

Only she wasn't the chief. She knew nothing about Clint and that was not her call.

Ingrid sat back down in the chair.

Whatever it was, she was going to help him through it.

CHAPTER THIRTEEN

SHE'S SINGING TO him.

Clint froze before he entered the NICU. He'd finished his shift and come to take Ingrid back home, and when he'd heard she was in the NICU, it had been hard to make himself come here. He hadn't been since the day Jase was born. He was a coward when it came to his son.

The emotions Jase stirred in him terrified him.

It was the flood, the rush he felt. He'd been numb for so long that he hadn't been expecting it.

First, seeing Ingrid again when he'd never thought he would, then Jase's birth, and now she was sitting beside Jase's incubator and singing to him.

It nearly broke him.

He'd seen her in the gallery when he'd been doing the surgery. Had she noticed when he'd hesitated?

His scrub nurse had. His interns had.

"Dr. Allen?"

"Dr. Allen, the patient is becoming acidotic."

"Dr. Allen!"

He'd hoped that the flashbacks would've stayed in the scrub room. When he was operating, the flashbacks usually stopped.

Of course, the flashbacks had only started out in his dreams. Which was why he'd managed to do so much work on the inside of his home.

Now they were intruding on his conscious time and he wasn't sure what he was going to do. He needed more time. He couldn't give up his job as a surgeon. Not yet.

Soon his ranch would be paid off.

Of course, now he had Jase.

He needed to keep his job as a surgeon and he couldn't let what had happened to him overseas intrude on that.

He would fight this. He would.

So he swallowed his hesitation and entered the NICU. It was so hard to hold himself back from wrapping his arms around Ingrid, from pulling her tight against him and kissing her, so instead of doing that he jabbed his hands in the pockets of his jeans.

"Hey," he whispered. "How long have you been waiting?"

Ingrid shrugged and didn't look at him. "I don't know. What time is it?"

"Eight. My shift just ended."

"A few hours, I guess," Ingrid whispered. Her hand was in the incubator, touching their son's arm. "Dr. Steane said that Jase is doing well and they're going to take him off the ventilator tomorrow if his chest films look good."

A lump formed in his throat and he cleared it. "That's good. Does that mean I have to work faster on the room?"

Ingrid sighed. "I wish. They have to slowly wean him off the oxygen and he's been losing weight. He'll have to get up to his birth weight again."

"I'm a trauma surgeon, not a pediatrician or neonatologist."

"I'm aware of that. That was quite a…quite a surgery today."

His blood froze. "Yeah, a police officer shot in the line of duty during a bungled robbery."

"Yeah." Though he knew from the look in her eyes she didn't believe him. She had seen his hesitation and he didn't know what he was going to say to her. How do you begin to explain that? He didn't even remember all the horror.

It only came in flashes.

He tried not to think about it, because he didn't want to dwell on it.

Who would want to dwell on something like that? And he resented it that he had to.

Life sucked.

"I'm going to pump and then we can go." Ingrid stood up slowly.

She walked out of the NICU into one of the pump rooms, leaving Clint alone with Jase. The small room they were in was quiet except for the sound of the monitors and the hum of the ventilator breathing for his son.

He turned and looked at the incubator, something he'd been trying to avoid since he'd entered the NICU, but now he couldn't help it.

He was drawn to it.

Clint placed his hand on the incubator and stared down at his son.

Jase.

The name on the tag said Jase Walton. Not Allen.

He leaned in closer to take a look at his son.

It was hard to see anything over the ventilator. There were cords, catheters and a feeding tube. His son was just this tiny little person wrapped up in a bundle of cords.

He didn't even know the color of his son's eyes because he'd been sedated since being put on the ventilator.

"You can touch him."

Clint turned and saw Ingrid behind him, smiling.

"Didn't you just leave?"

"I've been gone for thirty minutes."

Thirty minutes?

"Why did you pick the name Jase? Is it a family name?"

"Nope." Ingrid smiled. "It's a derivative of Jason and it means healer. I thought it was appropriate that the son of two surgeons be named that."

"Good choice."

"Do you want to touch him?"

Clint cleared his throat again. "Uh, I'm not sure."

Ingrid took his hand in her soft, small one. It took his breath away. She pumped some hand sanitizer into his palm and helped him rub his hands together.

His blood heated.

Another emotional response evoked.

Ingrid was breaking through his anesthesia. Soon he would feel pain and he wasn't sure if he was ready for that. He should pull away from her, but he couldn't.

She guided his hand in through the opening, pushing his arm as it extended through, and when his finger touched the warm, soft flesh of his son, he felt pain and joy. All those emotions he'd learned to hide and bury deep within himself as the insurgents had tried to break him.

By all rights, Jase shouldn't be alive, but he'd beaten the odds. Suddenly Clint didn't see a bundle of wires and tubing. There was life in his veins.

Pure. Untainted life.

Jase wasn't broken yet, but his father was.

Ingrid gasped as she shot upright, but that was hard to do when you were only two weeks post-op from a C-section.

The sound that had stirred her from her sleep

was gone. The only sound was the howling wind. Maybe it was just something in her dream that had woken her up.

So she relaxed. She needed as much sleep as she could get before Jase was discharged home.

As soon as her head hit the pillow again a scream rent the night, making her heart palpitate and setting off an adrenaline rush.

The scream came again. It was ear-piercing and it echoed through the house. It sent a chill down her spine. Because it was Clint who was screaming, the noise coming from inside the house.

She got out of bed, bracing her incision site and pulled on her robe.

It was a clear night and the moon filtered through the skylight.

The scream pierced the air again.

And it caused a shudder to move through her. Cold dread.

She moved as fast as she could up the loft stairs, but when she got to the top she couldn't see Clint. The room was cast in shadows.

"Clint?"

She was whacked from behind and fell to her knees.

Clint moved past her, back to the bed. Screaming and thrashing.

Oh, my God.

She was okay. She was fine. The whack had caught her off guard, but she was okay.

"Clint?"

"No!" he screamed. "No."

"Clint!" She moved toward the bed and held him down as he thrashed. "Clint!"

He froze. "Ingrid?"

Thank God.

"Ingrid, what're you doing here?"

"You were screaming." She let go of him.

"I was?"

"Yes."

"Why are you holding me?" he asked.

"You hit me."

His body tensed again under her hands. "Are you okay?"

"I'm fine." She rubbed the back of her head. "I'm okay."

"Good. I'm glad. Now get out."

"Are you sure—?"

"I'm fine. Get out."

Ingrid nodded and left his room. He'd said he

was fine. That it was just a nightmare, but she didn't believe him.

She wanted to help him, but it was impossible to help someone who didn't want it, and maybe that was for the best. She had no business helping him.

They shared a child, a roof and that was all.

And that was all it could ever be.

CHAPTER FOURTEEN

"YOU KNOW, WHEN you get eight weeks off on paid medical leave you're not supposed to spend all your time here! You were discharged two months ago." Phil was, of course, teasing as she reached down and stroked Jase's cheek as he rooted toward her. "Now, how am I going to get my cuddle times when my shift is slow? How can you be going home today?"

Ingrid knew that last remark hadn't been directed at her at all. It had been to Jase and she couldn't blame Phil one bit.

The only thing she could argue about was the home comment.

Living at Clint's home wasn't really a home. Just a place to stay.

Ever since that night he'd had the night terror, Clint had been distant and closed off to her.

It was like they were strangers passing in the halls. Clint didn't even sleep at home anymore.

He took on more shifts at the hospital, and if she was at the hospital, he'd be back at the ranch and working on the house.

It made for long eight weeks. Two months of awkward and polite silence.

Jase's room was ready for him. It was a beautiful room and it connected to hers. He'd even brought all of the baby stuff she'd bought into the room.

"You're cleared to drive, right? Or is Clint taking you two home?"

"Uh-huh," Ingrid replied.

Though all she knew for certain was the fact she could drive herself. She had no idea if Clint would be here when Jase was finally discharged.

She didn't know what was going on with him.

Though she was positive Clint was suffering from PTSD. She wasn't a psych major, but she recognized the signs. If he had it and was closing people off and having night terrors, why didn't he seek professional help?

Was Clint ashamed?

Though she didn't know why he should be. Something had happened to him over there and she wanted to help him.

"Which is it?" Phil asked, confused.

"Clearance," Ingrid muttered. She cleared her throat. "I have clearance. I don't know if Clint will be coming. He was working and..." She trailed off, trying to think of some excuse because she didn't want to talk about what was going on between them. Not that they had a relationship anyway.

She didn't want to tell Phil about the awkward conversations. How he avoided eye contact with her. Clint was physically there but emotionally he wasn't, and she felt so alone.

Some stupid part of her brain had told her that moving in with Clint was going to be good. That she wouldn't be doing this on her own, like she would've done if she'd stayed with her roommates.

Only that hadn't been the case.

She was just as alone as ever and it terrified her.

How the heck was she going to manage?

What if something happened to Jase, something she couldn't control? It terrified her, it made her anxious. Ingrid didn't like the feeling of losing control.

It was her number-one pet peeve.

"Well, I guess you're not going home alone after

all." Phil grinned and nodded to the door. Ingrid turned to see Clint standing there. He was dressed casually in a leather coat, denim trousers and a gray V-neck shirt that brought out the sparkle in his blue, blue eyes. Those damn eyes, which had seduced her and sucked her in, held her again. Enrapturing her.

Dammit.

It had been his eyes that had got her into trouble in the first place. She had to look away and then her gaze tracked down and she saw in his hand the car seat she'd bought and then forgotten at home. He'd remembered.

"Has he been discharged yet?" Clint asked, setting down the car seat and taking off his jacket.

"N-no, he hasn't." Heat flushed her cheeks and she turned away like some shy schoolgirl.

"Well, I'll leave you guys." Phil cleared her throat and moved away. "I'll visit you soon."

"I'll be back to work next week. I'll hopefully find a sitter for Jase soon."

"I have one lined up," Clint interrupted.

Ingrid spun around, shocked. She could see Phil's brows arch in surprise.

"You did what?" she asked, her voice raising an octave.

"I think that's my cue to exit stage left." Phil shot her an encouraging grin and left the NICU.

"Do you think she was running away?" Clint was trying to defuse the tension by making a joke, but after eight weeks of silence she wasn't in a jovial mood.

Ingrid crossed her arms. "What do you mean, you've handled it?"

"What?"

"Don't play dumb with me. I mention getting a sitter or a nanny and you say you've handled it. I want to know how."

Clint ran a hand through his hair, causing it to stick straight up. "You're going back to work next week and you hadn't even started to look. So I handled it."

Ingrid pinched the bridge of her nose. "Okay, but you still haven't told me much. I mean, I don't know this person. How can I leave my baby with a stranger?"

"Do you think so little of me?"

"I don't know what to think. You haven't spoken two civil words to me in weeks."

Clint sighed. "I'm sorry."

"Apology accepted." Ingrid relaxed. "Thank you for bringing the car seat."

"You're welcome." Clint moved toward the crib and looked down at Jase, who was sleeping peacefully. She watched him for some sign of softness, but there was nothing. The wall, which she had thought was down for just a moment, was back up again. He glanced at his watch. "Hopefully they'll be by soon so we can get you both home to rest."

"So tell me more about this…person you've hired."

"She came highly recommended by Dr. Steane. She's a personal support worker who has dealt with children who have had respiratory issues."

Ingrid was impressed. "When did you talk to Dr. Steane? I've never seen you in here."

"When you were at my house and I was working the night shift. I would check on him and Dr. Steane and I got to talking." She was shocked. He hadn't told her. Of course, he'd barely said anything to her lately.

"I'm impressed. Still, I would've liked to meet…"

"Doris Malone."

"Doris."

Clint nodded. "I know that I overstepped my bounds. I know, but you needed someone and you weren't really looking."

Ingrid nodded again. "I know. I was so overwhelmed by it all."

"This has been a crazy few months." A small smile crept on his lips. "Actually, I think we moved on from the realms of crazy to insanity."

She chuckled. "You can say that again."

"Ah, good, you're both here." Dr. Steane and a couple of his residents entered the room. He nodded and acknowledged them both. "Are you ready to take your son home, Dr. Walton?"

"I am." Though her voice caught in her throat at the thought. No one was ever really ready or prepared, and even though she was a doctor, trained and capable of taking care of a baby who'd had a rough start in life, she was still not ready. But she had to sink all those thoughts of self-doubt; there was no place for them.

Not today.

Dr. Steane began writing in the chart. "I'm very confident after talking to both you and Dr. Allen that your son is able to go home. He's been off the vent for two weeks and the NG tube was removed a week ago and he's had no problem feeding. His weight is back up to his birth weight and other than a small hole in his heart that Cardio isn't concerned about at the moment I'm fairly confident the two of you can take care of him."

"Of course," Clint said, but his brow was furrowed and Ingrid's stomach knotted. She hoped he wasn't having second thoughts, that he wouldn't turn around and boot them out, telling her she was on her own.

He's just hired a nanny. One with peds experience. Would he really do that if he was planning to kick you to the curb?

And then a flashback hit her.

A memory that had been stuck deep in her brain.

She was peering through her father's leaded glass window from his study and on the street was her mother, though she couldn't clearly make out her face because she couldn't remember it.

What she did remember was the rain pattering against the roof, her mother's suitcases scattered on the ground, her mother on her knees and her face buried in her hands.

And that memory, though fleeting, rocked her to her very core.

Ingrid's father had always told her that her mother had left. That her mother hadn't wanted either of them anymore. Had her father lied to her?

She shook the thought away. Even if her father had been lying, why hadn't her mother tried to come back? Why hadn't she fought for her?

"Ingrid?" Clint asked. "Are you okay? You kind of zoned out there for a moment."

Ingrid noticed Dr. Steane and his residents were staring at her as well. "Sorry. What were you saying?"

"I was just explaining that we want Jase to have a follow-up in a week." Dr. Steane held out the discharge papers. "You're free to take him home. Good day, Doctors."

"Okay." Ingrid nodded, taking the papers from Dr. Steane, but she was still shaking. "That sounds good."

Dr. Steane and the other medical personnel left the room.

"Are you okay?" Clint asked again. "You look like you've seen a ghost or something."

Ingrid nodded. "Fine. Let's just get back to… your place and get settled."

She'd almost said home, but it wasn't her permanent home. It would never be.

Right now she didn't have that.

All she had was Jase.

The drive back to the ranch was tense and awkward, as the last few weeks had been. Clint had clammed up again, but it was hard to carry on a conversation when you were in the back, next to a car seat.

When she'd got Jase settled into his crib, Ingrid wanted to have a nap. Clint told her that he was headed back to the hospital and that there was a problem with the pipes, so the only bathroom functioning was in the loft.

Then he was gone and she crashed.

When she woke up, Jase was still sleeping.

Now was the time to sneak a shower.

Ingrid collected what she needed, trying not to blunder about, but her brain was foggy as she careened out of her room and toward the loft.

She wasn't looking as she pushed open the bathroom door and stumbled into a steamy, brightly lit room.

As her eyes adjusted to the light, she saw a very naked and wet Clint standing in front of the mirror. His back was to her and she gasped, seeing him. His back was scarred from the top of his shoulders down to over his backside.

His eyes widened in surprise and their gazes locked in the mirror.

"Leave," he said, his voice strained as he grabbed a towel from the counter and wrapped it around his waist. He turned to face her, his blue eyes dark and unreadable.

Clint took a step toward her and she saw his chest was as scarred as his back. His towel was slung precariously low and she could feel her cheeks heat with the rush of blood and arousal.

Scarred or not, he was still dead sexy.

Before she knew what was happening, his arms were around her. Big, strong arms and she was pressed against his chest. His skin was making her silk camisole damp, his large hand on her throat as he tilted her chin with his thumb and crushed her lips with his in a kiss that made her toes curl.

Her knees went weak and she sank into his kiss.

How she remembered this kiss, had longed for it, but before she could relax and enjoy it he tore his lips away and held her at arm's length.

"Get out," he said. "Before I forget myself and why you're here."

Ingrid turned and left, shutting the door between them before retreating to the safety of her own room.

Though there wasn't much protection when there was only four small walls keeping them apart and she wasn't sure she wanted protection from Clint.

CHAPTER FIFTEEN

HE WAS TRYING to pretend to drink a cup of coffee and read a newspaper, but instead he was watching her as she puttered around the kitchen. Jase was in his swing, staring cross-eyed at a dangling monkey as Ingrid got herself breakfast.

She was nervous. He could sense it.

Though he didn't blame her in the slightest.

It had been a week since their run-in in his bathroom.

Though the way he felt, the way his blood heated every time he saw her, it felt like mere seconds ago he'd had her in his arms again. Lips locked and her curves pressed against his chest. Her nipples pebbling under the silky camisole she'd been wearing.

Her pulse hammering against his thumb as he'd held her slender neck.

He'd had a plumber out the next day to fix the shower in her en suite.

It was safer that way.

Only it wasn't, because he thought about it constantly.

How she had been right next to him. There for the taking if he'd only taken a chance.

And during the week, watching her with Jase had only made the temptation that much greater. Though he'd heard her complaining once, over the phone, that she wasn't happy with her body and how clothes didn't fit, Clint saw nothing wrong with her newfound voluptuousness.

Her body hadn't altered that much and as he took in her shape, tilting his head, he could see she only benefited by the slight widening of her hips and the larger swell to her breasts. The birth of the baby had given her one of those classic hourglass shapes. The kind Jean Harlow or Marilyn Monroe would have been envious of.

He liked curves on a woman.

"What time did Doris say she was coming?"

Clint shook his head and ripped his gaze from her figure before she turned around and caught him staring at her behind, which was wrapped up in a tight pencil skirt. He cleared his throat and straightened his paper, flipping the page, not even sure what he was reading because the words looked like jumbled nonsense to him.

"She should be here soon."

Ingrid cocked an eyebrow. "'Soon' is not a definitive time."

Clint shrugged. "She'll be here on time. Don't stress."

"Yeah, right." Ingrid sighed and continued packing her attaché case.

He snuck a glance at her over the top of his paper. She was dressed professionally, but he knew today was consult day for her. She wouldn't be on call. Today would be the day she'd be visiting patients who would be booking surgery with her.

Her golden hair was done up in a French twist, which was a shame. He preferred it loose and hanging down over her shoulders or even gently twisted around his fist while he took her from behind.

Clint cleared his throat and rustled his paper. He shouldn't be thinking like this, but he couldn't help it.

It had been on his mind since that night she'd stumbled into his bathroom.

He'd thought she'd used it while he'd been back at the hospital. He hadn't expected a midnight visitor.

Clint set down the paper and stood. "Ingrid, do you want to have dinner with me tonight?"

She spun around and her mouth dropped open. Even he was shocked as the words spilled from his mouth.

This was not keeping her at emotional arm's length.

This was the exact opposite of what he was trying to achieve, but he couldn't help himself. He was weak when it came to her.

"Pardon?" she said, blinking a few times.

"Dinner. With me."

"What about Jase?"

"We can pay Doris a little bit of overtime. You're off at four and so am I. We can have an early dinner. Go straight from the hospital."

Ingrid's eyes were still wide as she took a sip of her coffee. "You have it all figured out, then. How long have you been thinking about this?"

"Does it matter?" Clint asked.

A sly smile spread across her lips. "If you want an answer from me."

He got up and moved toward her. “That’s blackmail.”

Ingrid was going to open her mouth and say more, but the doorbell rang. “That must be Doris. I’ll let her in.”

She tried to walk away, but he grabbed her wrist. “You didn’t give me an answer.”

The doorbell rang again. It was cold outside, but he didn’t care. He wasn’t going to let her go without an answer. Yes or no. Part of him wanted her to say no, it would be easier, but the other part of him wanted a yes. Needed a yes.

“Fine. I’ll go out with you.”

Clint let go of her hand so she could answer the door.

What have I got myself into?

She could see Clint across the E.R. and he was working on a patient, but it didn’t seem to be such an emergency.

Which was good. It would mean that he would be on time for dinner.

Then she looked down and saw that she wasn’t exactly dressed for a date.

Was it a date?

No, it wasn't a date. It was just dinner. A thank-you for having his baby.

Yes. It was an appreciation dinner.

And that's what she had to keep reminding herself. There was nothing between them. There couldn't be.

Ingrid went through the rest of her consults and tried not to think about it, but it was hard. She hadn't been on a date in a long, long time.

What if she'd forgotten how to date?

Any time she'd had a previous date, well, they hadn't gone well.

The one and only time a date had gone well had been the night she'd conceived Jase.

Lord. Sometimes her life was a bit of a joke.

She finished her last chart and set it back at the nurses' station. In her very near future, she would have surgeries to perform.

Surgery was what she loved to do and she couldn't wait to get her hands back in the O.R. To feel bone. To have a drill in her hand and replace a knee.

Consults were all well and good, but there was nothing like getting your hands dirty. Bloody. That's what she wanted.

Instead, she was standing at the charge station, wondering if she looked okay when she should've been worried about O.R. schedules and whether Jase was okay.

Which he was. She'd called Doris.

There was no way she could go out to dinner. Just no way.

She had to find some excuse, because going out alone with him was dangerous. It was putting her heart at risk and she'd sworn she'd never put her heart on the line like that for anyone.

As she turned around Clint came toward her. He wasn't in his scrubs. He was in jeans, a sports blazer and a white shirt, which wasn't buttoned all the way.

His black hair was neatly combed, but he had five o'clock shadow and he looked tired. Like any new parent.

She was positive she had bags under her eyes. She could feel them. Like giant sandbags, and she was sure she smelled like sour milk.

Stop thinking about it.

Clint stopped in front of her. "You ready to go?"

No. Think of something. Only she couldn't.

"Sure. I just finished up the last of my charts."

Ingrid grabbed her purse and her jacket from where she'd left them. "Where are we going?"

Clint nodded. "Somewhere."

She followed him as they walked down the hall and tried not to roll her eyes at his evasive behavior.

She followed him in silence out to the car and remained silent as they drove across the city to a small Italian restaurant, all tucked away behind some old buildings in the downtown core. He got out of the car and opened her door for her.

"I don't think I've been here before," Ingrid remarked as they walked toward the restaurant door.

Clint cocked an eyebrow. "Really?" He held open the door.

Ingrid sighed as she stepped inside. "I'm getting tired of these one-word answers."

He grinned. "Are you going to blackmail me to get longer answers?"

"It wasn't blackmail."

"Sounded like blackmail to me." He turned to the seating hostess. "Reservation for Allen."

The seating hostess grinned and grabbed two menus. "Follow me."

They followed her to the back, where she led them to a booth tucked in the corner.

Once they were seated Ingrid pled her case. "I wasn't blackmailing you. I'm trying to get to know you. I'm so tired of the silence. We may be roommates, but we share a child together. I'd like us to be friends."

"Just friends?" he asked, and she wondered if there was a hint of disappointment in his voice.

Did he want more?

Well, it didn't matter because she couldn't give him more.

"Yes, friends working together to raise our son in an open and caring environment."

"I can live with that." He took a sip of water. "But I'm not the only one being silent."

"I'm an open book."

Clint snorted and tented his fingers. "Are you? Then why don't you tell me about your parents? Why is your father such a jerk?"

Ingrid laughed. "You're not exactly forthcoming about your parents. Why haven't you told your parents about Jase?"

"You go first."

Ingrid grinned. "Fine, but you'd better order a big bottle of wine."

"You're breastfeeding."

"I pumped earlier. I get wine."

Clint motioned to the waitress and ordered a bottle of red. Once the bottle was uncorked the waitress poured only one glass.

"You're not drinking?"

"No, I don't drink." Clint leaned back. "Only water for me. And I was only teasing before. You can have wine. As long as you don't feed Jase for four hours and I suggest only one glass."

"Deal. Now spill."

"Nice try, Dr. Walton. I believe I asked you first. What is up with your father?"

Ingrid chuckled and pinched the stem of her wineglass. "I've been wondering about that myself for almost thirty years."

"He told me he brought you up to be independent. Well, those weren't exactly his words, but that's the gist I got."

"That's about right. I had to take responsibility for all my actions. I guess in a way it helped me grow up to be a critical thinker. I never took risks, and thought before I made any decision in my life."

Clint cocked his brows. "What did you think about the night we met, then? I'm curious about your thought process."

She blushed. "That was one of the two only decisions in my life where I didn't think things through and just went for it."

And look where it got me. Only she kept that thought to herself.

"One of the two. What was the other one?"

"Keeping Jase."

He dropped his gaze and smiled. "That was a good decision."

Ingrid watched him. "You think so?"

Clint met her gaze. Those dark rims around the blue were darker and making her heart beat just a bit faster. "I know so."

She blushed and looked away. "I'm glad you're happy and I'm glad you're involved."

Clint nodded. "I'm trying to be. I really am. There is… I know I build up walls."

"No kidding." The she sighed. "Sorry, I didn't mean to be so sarcastic."

"No, it's okay. I deserved that."

"Well, I have my own walls too, but you have to build them sometimes. It's just easier to keep people out than let them in."

Which was true. Something her father had taught her. Then again, she wasn't sure what to believe anymore.

"You never talk about your mother. Tell me about her."

Ingrid took a sip of wine and shrugged. "There's nothing to tell. She left and didn't want me."

"What makes you think that?"

Ingrid rolled her eyes. "Because she's never tried to make contact. Even when I became an adult."

"Perhaps she was scared."

Ingrid pursed her lips as the thought processed through her mind and she put herself in her mother's shoes. What if it was Jase and her? What if she'd been forced to leave Jase behind? What if she was too scared to contact Jase when he became a legal adult?

She shook her head at the ridiculousness of it all because she would never, ever do that.

She'd never let cowardice get in her way.

Only you do.

Ingrid cleared her throat. “What about your family? Why haven’t you told them about your return?”

“Way to change the subject.”

“It’s tit for tat, dude.”

“I’ll gladly show you my tat,” he drawled, his voice deep and brushing over her skin like smooth velvet.

Focus.

“Don’t change the subject.”

Clint groaned and leaned back. “I’m not ready to tell them about what happened to me.”

“What did happen to you?”

Clint’s brow furrowed. “That wasn’t the question I agreed on.”

“Do they think you’re injured or something, because if they do it’s pretty awful of you to leave them hanging on.”

Clint scrubbed a hand over his face. “No, they know I got out okay. They just think I’m over in Germany…rehabilitating.”

“From what?” Ingrid’s stomach knotted and she recalled the way his body was scarred. When they had been together before he’d gone overseas there hadn’t been a mark on him and when she’d seen him the bathroom…well, it was too horrible for her to contemplate.

"I was captured," he said, his voice tense. "Captured and tortured."

Ingrid's hand rose to her neck. "Oh, my God, but you were a medic."

"I was an American. It didn't matter to them, but I think being a doctor helped me out."

"How's that?"

"They kept me alive to treat their wounded. The others…" Clint shook his head. "In those few months I was there, let's just say I've seen enough blood shed to last a lifetime."

Ingrid reached out and touched his hand. "I'm sorry."

The waitress came back and they ordered from her. Once the waitress left a tense silence descended between them and Ingrid could feel the wine going to straight to her head. She'd been a lightweight drinker anyway and not having any kind of alcohol for over a year just made it work faster.

She set down her wineglass.

"Are you okay?" Clint asked. "Your face is flushed."

"The wine is going to my head. I'm not used to it."

He poured a glass of ice water from the carafe into her glass. "Drink that. It'll help."

"Thanks." She drank the water quickly and set the glass down. "So how did you escape your imprisonment?"

Clint kissed his teeth. "We're back to that again, eh?"

"I'm curious."

Clint licked his lips and she could tell by the expression on his face he was thinking and that made her nervous. How bad had his capture been? She'd seen the physical scars on his body. Those had healed, but it was the ones down deep he was struggling with. She knew it.

"I escaped through some old sewer pipes. They hunted me through the sewers, but I got out. Eventually." Clint rolled his neck. The word "eventually" had stuck, like he'd had to think hard about it, and then she understood why he'd turned an old ranch house into an open-concept home. Why he lived in such a spacious loft with high ceilings and skylights.

"How long were you trapped in the sewers?"

"I don't want to talk about that."

Ingrid shook her head. "I'm sorry. I know you've been dealing with post-traumatic stress disorder and—"

"What?" Clint asked, his eyes dark. "Who said I was dealing with PTSD?"

"Well, it's obvious."

Clint cocked his head to one side. "How is it obvious?"

"The nightmares, the emotional walls and that time in surgery when you froze."

His gaze was intense. "You saw that."

"Yes."

Clint cursed under his breath. "I don't like surgery anymore. I just want to own a ranch. I can't be a surgeon any longer than I have to."

"I don't understand."

"They made me operate on people who were not sedated. There's only so many times you can listen to the screams before you realize you're just a butcher and no longer the healer you wanted to be."

Ingrid could see him visibly shaking. A wall was crumbling and she wasn't sure if she had what it took to keep him from toppling down with it.

"Clint, you are a healer. You are not a butcher."

He snorted. "I froze in surgery. I loved being a surgeon, but now…no, I do more harm than good."

She reached across the table and took his hand, which was shaking. "I don't know how you can say that. You save lives. The people you help now need it. You're a trauma surgeon. They'd die without you."

Clint was going to say something further, but the waitress brought them their food. All he did was push her hand away and that was the end of the discussion.

The rest of the dinner was tense and Ingrid regretted prying, but she wanted to know.

She needed to know and she wanted to help him.

Badly.

You're going to get hurt.

She told that part of her to shut up. At this precise moment she simply didn't care.

CHAPTER SIXTEEN

THE CRYING INFILTRATED his dreams and Clint woke with a start. His heart was racing and it took him a few moments to orientate himself. To realize that he was in his room.

He was in his big, open bedroom. High ceilings where he could see the sky through the skylight and as he looked up he could see stars twinkling in the inky blackness. So brilliant and enhanced by the cold.

Heat reminded him of overseas.

The bitter cold of a South Dakota winter reminded him that he was no longer someone's prisoner. That he was home.

He was safe.

Only the winter would end soon. It was almost April and spring would come. Then summer, which would bring the dry, arid heat of the badlands.

He planned to spend his summer in a lot of air-conditioning, which wouldn't be good for him. Which could cause colds, but he was willing to be dealt that. If he was hot during the night, it would trigger the flashbacks and he had to keep those under control.

As his pulse rate returned to normal, he lay back down in his bed, but the moment his head hit the pillow the small cry filtered up the stairs from down below.

The only downside to having one's bedroom in a loft—there was no door, no walls to drown out the sounds of the rest of the house, but he just couldn't sleep in a confined room.

It was why he also had a king-size mattress.

He needed space. In his sleep he needed to be able to reach out and not touch anything. He needed to feel like he wasn't trapped in a coffin or a pipe.

A shudder ran down his spine.

Don't think about that.

When he'd built Jase's room he hadn't even been able to finish the walls or the ceiling. Jase's room was basically four walls. Like a really fancy cubicle with a door. The only room that was closed off was Ingrid's, but that was because it had been there when he'd bought the house. Renovating it and her bathroom had been a challenge. Of course, his hatred for confined spaces and his need/love for open spaces was why Ingrid had walked in on him when he had just gotten out of the shower.

He could still see the pink rise to the surface of her skin as she'd looked away, before she'd bolted. Of course, he had told her to leave, even though he had wanted her to come in and join him.

He'd been thinking about her when she'd walked in on him.

It was hard not to think about her. She was constantly on his mind. Ever since that night he'd accidentally hit her, he'd been terrified.

Terrified of all the feelings she brought out in him and terrified of hurting her more badly. Ingrid was not his.

But she could be.

Clint shook his head and covered his eyes with the back of his arm. He couldn't think that way.

He'd let down his guard once and he'd hit her because she'd been concerned about him screaming in the night.

She'd just had surgery too. He could've done

real damage to her and then how would he be able to live with himself?

Only you didn't do any damage.

He groaned and rolled over on his stomach. The baby began to cry again, louder, and Clint knew he wouldn't be getting any sleep.

He climbed out of bed and pulled on his jeans, before heading down the loft stairs to Jase's room.

When he opened the door, he stopped dead in his tracks at the sight he saw. Something he wasn't prepared for emotionally.

Ingrid was in the rocking chair, her golden hair down, and in her arms was her son. His son.

Their son.

And she was rocking him while he fed.

The moonlight filtering through the skylight made her pale skin glow. It was like he had suddenly stepped into some kind of fairy ring and she was Titania. Her skin was radiant, her hair sparkled like gold had been woven into each strand and he couldn't help but stare at them.

Mother and son.

It wasn't long before Jase went back to sleep and, instead of just the creamy white tops of her breast, Clint could see it all.

Her breasts were fuller since the last time he'd seen them, but they were still beautiful and just the thought of touching her made his blood heat.

He wanted her.

More than anything.

You can't have her.

Only he could. She was right here and he knew somewhere, deep down that if he only reached out to her, she'd be his. Even if he didn't deserve it.

She covered her breast and laid Jase back in his crib. When she turned around to leave she gasped when she saw him.

"Clint?" she whispered. "You scared me half to death. What're you doing here?"

He could have said "I heard a cry" or said "I was just watching you" but instead his brain let his other head do the talking and he said, "God help me, but at this moment I want you again."

Clint braced himself for the backlash. The rejection. The outrage.

Instead, she raised her hand and placed it on her chest, her long slender fingers just brushing the hollow of her neck.

"What?" It was barely more than a whisper. "I—I thought you were mad at me."

Clint closed the gap between them. "No, I wasn't mad at you. Okay, I was a little, but…I don't want to talk about that. I just want you, Ingrid."

He tipped her chin and ran his knuckles down over her cheek, feeling gooseflesh break out across her skin. He was having an effect on her, just like she was affecting him.

Her long lashes brushed the tops of her cheeks. She was so beautiful.

"I want you, too," she said, in barely a whisper. "Though I shouldn't, though I've tried to deny it."

It was all the answer Clint needed. He didn't want to discuss things further. He just wanted to be with her. Touch her. Kiss her. Taste her.

He wanted her to chase the ghosts away. He wanted to feel alive again, even if for just a short time.

Clint scooped her up in his arms. Her arms came around his neck, her slender fingers tangling in the hair at the nape of his neck. He carried her to his room, to his bed, because he didn't want to have a claustrophobic moment.

Not with her. Not right now.

No words were needed as he moved up the steps, moonlight the only thing lighting his way to his bedroom. He set her down on her feet in front of him.

"You're so beautiful," he murmured, as he cupped her face with his hands and pressed his lips against her and she melted into him.

The last time they'd been together it had been fast, hot and heavy. This time he wanted to take things slowly with her. He didn't want to hurt her and he wanted to savor this moment, because all the time he'd been captured and even when he'd been in Germany, convincing the whole world that he was okay, it was the memories of her that had pulled him through.

Now that he had her again, it scared him that he was going to lose himself in her, that he would hurt her. If he did that it would kill him.

If he was whole he'd drop down on his knees and give all of himself to her, but he was broken and he doubted that he would ever be whole again.

So for this moment he would savor it while he could.

Clint let his hands drift from her cheeks down to her shoulders and where her simple white cotton nightgown was held up by two ties. He pushed her satin housecoat off and then pulled on the ties of her nightgown.

She let out a moan and bit her lip.

"What's wrong?" He asked.

"I don't want you to see me naked." There was a warm flush to her cheeks. She was embarrassed and was looking away from him.

He tipped her chin so she was looking at him. "You're beautiful. We've both changed physically, but you're sexy and I want to see you."

Ingrid's eyes sparkled in the darkness and she kissed him again, pressing her soft body against his, trying to meld the two of them together.

Clint undid her nightgown and it fell to the floor. He broke the connection and trailed his mouth down her neck, the flutter of her pulse heating his blood further, and when his kiss traveled down over her breasts she gasped.

"Did I hurt you?" he murmured against her ear, drinking in the scent of her.

"No." Ingrid moved and sat down on his bed, taking his hand and pulling him closer. "Make love to me, Clint. Please."

She didn't need to ask him, but it made his body thrum with excitement that she did. Ingrid reached out and undid his jeans, tugging them down so he was naked. He kicked them off and then reached into a drawer for protection and hoped that what had happened to them the last time didn't happen again, because it was way too soon for Ingrid to even contemplate getting pregnant again.

And that thought terrified him.

Why was he even contemplating having another child with her?

"Clint?"

He turned to her and she took the condom packet from his hand.

"What're you doing?" he asked.

Only she didn't answer him, she kept her gaze locked on his, her eyes like diamonds in the darkness as she opened the package and rolled it over his erection. The moment her fingers touched his shaft he almost lost it.

It had been so long. She had been the last woman he had been with and he thought that she would be the last forever, because he was damaged inside. His body trembled as her hands stroked his abdomen.

He let her pull him down on the bed beside her.

They lay down together and he ran his hands over her body slowly, not wanting to hurt her.

And when he slid her underwear off she bit her lip. She'd healed from her surgery, but it was a reminder of what their last time together had brought about and she tried to cover the small scar that ran horizontally just below her hips.

"Don't hide yourself from me. You're beautiful."

And he kissed her again, her legs opening up to welcome his weight. He kept the connection as he entered her. She cried out as he stretched her, filled her completely.

He braced his weight on one arm as he began to move, her body stretched out beneath him, and he stroked her long, slender neck.

Ingrid was so vulnerable to him.

Sex was about trust and this ultimate act between them made him want to protect her forever. He wanted her to tear down all the walls he'd built to protect himself, but he'd built them too high and he was scared to allow them to come down.

Her nails raked across his back as he increased his speed.

The only sound was their breathing as they moved together, joined and fused.

Ingrid bit her lip as she tightened around his erection, her body releasing as her orgasm moved through her. It didn't take him long before he followed her. Allowing pent-up emotion to surge through him, he threw back his head, his hands on her hips, holding her tight against his body as he came.

It took her a moment for her breathing to return to normal.

Clint moved off her and moved to the side, his head propped up on one elbow. She could feel him watching her. Then with his free hand he brushed his knuckles over her breasts.

"I should get back to bed." Ingrid tried to get up, but he gently held her down.

"No, stay the night."

"What if Jase cries?"

"Stay here." Clint got out of bed and she watched him as he walked naked across the loft and disappeared down the stairs.

He was only gone for a couple of minutes before he returned with the baby monitor. He set it down on the nightstand by the bed and climbed back, leaning back against his pillows.

"I thought this might convince you to stay the night with me, not that we really need it. I can hear him quite easily through the house."

Ingrid smiled and climbed in under the covers beside him. "Yes, well, I understand your love of open spaces now."

When she lay back against the pillows she could see the large skylight over his bed. She hadn't noticed it before because she'd been too preoccupied.

"You should've just built a glass roof with all the skylights you have in here."

Clint chuckled. "I wanted to, but it wasn't feasible in South Dakota. The skylights in the kitchen are standard, but I had this custom-made. I wouldn't be able to sleep any other way."

"How long were you trapped in the sewers?"

"An eternity." He raked his hands through his hair. "A couple of days, and then they finally stopped looking for me. They figured I was dead and I crawled out, disappearing into the crowd. My hair had grown out, I had a beard and I blended in. Finally I was able to find a patrolling unit and they flew me out of there and into Germany."

"I'm sorry." She reached out and touched one of the puckered scars on his chest. "So sorry."

She was expecting him to move her hand away, but he didn't. Instead, he closed his hand over the top of hers.

"I don't want to talk about it. I just want to lie here with you. I just want to sleep with you."

Ingrid nodded. "Okay."

She gazed back up at the ceiling. The inky black sky was mesmerizing and though she couldn't see the moon, she knew it was there, but soon the clear starry sky disappeared as fat, white flakes began to fall.

And that was all she saw as she slipped into a comfortable sleep beside Clint.

Clint couldn't sleep with her curled up beside him. He was afraid to go to sleep. He was afraid the dream was going to come again and that he would hurt her. It terrified him. He didn't want to hurt Ingrid.

So instead he disentangled himself from where she'd curled around him and pulled on some clothes. Just as he was about to head downstairs, he heard Jase.

He glanced back at Ingrid, sleeping soundly, and he didn't want to disturb her. Jase had fed not that long ago, so he wasn't hungry.

You can deal with him. But just the thought of handling his son on his own sent his panic into overdrive. He wasn't good with kids or babies or anything that expelled so many bodily secretions in a day.

He looked back at Ingrid again, sleeping so peacefully.

He could do this. She got up to be with Jase every night, several times a night. He could do this at least once.

Clint turned off the monitor so it wouldn't disturb Ingrid and headed down the stairs into Jase's room.

Jase was still crying, the pitch beginning to rise.

"Hey, I'm here," Clint called out in the darkness. Though the room was lit by a night-light plugged in the wall. "You're not alone."

Jase continued to cry, but it wasn't so urgent now. Clint leaned over the crib and touched Jase's belly, which was quite bloated.

The baby scrunched up his fat little face and cried again, stiffening his legs and arms as he wailed. It was obvious the infant was uncomfortable, but Jase didn't know why.

Well, he should probably start with the bottom.

Gingerly he picked up Jase and carried him over to the change table. He began to unbutton the sleeper, but there were so many buttons it was overwhelming as they snapped apart.

Then Clint caught a whiff and winced.

"Dude, that's terrible."

He grabbed a diaper out of a basket and pulled off the dirty one, breathing through his mouth the entire time. He then pulled out ten wipes and cleaned Jase's bottom. He probably didn't need ten wipes for each time he wiped, but he wanted a big barrier between his son's mess and him.

When his son was sufficiently clean he wrapped up the entire packet of wipes he'd used inside the dirty diaper and dropped it into the trash can, which was next to the change table. Then he slathered some antibacterial gel into his hand, thanking God that it was scented.

After that he attempted to diaper Jase, but that proved to be tricky in itself because his son would not stop kicking and moving.

Finally, he got the diaper on and did it up, but when it came to cramming his son back into the sleeper with a million snaps, Clint gave up.

It was late at night—no, scratch that, it was early in the morning—and there was no way he was going to wrestle with that.

He got it partially done up, even though rolls of fat were still sticking out of the sleeper. He carried Jase back to the crib and laid him down, but Jase started to cry again.

"Okay, I'll pick you up again." Clint held him close and then wandered over to the rocking chair. "How about we rock?"

Jase obviously couldn't answer, but Clint started to rock him and the baby settled, but before he settled he let out a large belch and spit up on Clint's bare shoulder.

Oh, my God. Did that just happen?

Clint grabbed a receiving blanket, wiped up the mess and tossed it into the open hamper. He grabbed a new clean receiving blanket and then settled back down into the rocking chair, putting Jase over his shoulder and rubbing his back.

"Gas pain does suck, but you really didn't need to barf on me."

Though he'd had worse things expelled on him.

Still, even with all the gross things he'd seen in his career as a surgeon, the sour milk barf his son had just yakked on his bare shoulder had to be the worst.

No, the worst had been what had been in his diaper.

"Seriously, how does something so small make so many nasty messes?"

Jase didn't answer, he just sucked on his little curled fist, which was in his mouth. Even though Clint had the receiving blanket as a barrier, he could feel it getting damp.

"Just no more barfing, okay?"

And for good measure Jase burped in response as Clint patted his back, but there was no throw-up. Thankfully.

Clint wasn't sure how long he rocked. Finally, Jase's body relaxed and his head rested on his shoulder, but by then Clint's eyes were closing. He got up and put Jase back into his crib and returned to the rocking chair.

He'd stay here for a few moments. He couldn't go back to bed yet and the chair was comfortable. So he lay his head back and closed his eyes.

He only intended for it to happen for a moment, but as soon as his head hit the plush head cushion he fell into a dreamless sleep.

CHAPTER SEVENTEEN

"OH, MY GOD! You had sex last night, didn't you?" Phil shook her head. "Don't try and deny it, I can see the grin from down the hall. I'm so jealous."

Ingrid chuckled and pulled on her scrub top. "Don't announce it to the whole world."

Even though she really wanted to.

The night with Clint had been wonderful. Of course, when she'd woken up Clint had been missing, which had made her panic and her stupid first thought had been that he'd left.

Of course it was ridiculous. When she'd gone downstairs to Jase's room she'd found Clint asleep in the chair with a soggy receiving blanket plastered to his shoulder. She chuckled to remember that. It had been so cute. When she'd peered in on Jase, she'd had to try and stifle her laughter because her son had been partially dressed and the snaps that had been done up hadn't matched. One leg and one arm on opposite sides of his body had been hanging out and his diaper had been on backwards.

Clint had obviously tried to change him and she loved him for it.

It had been a good attempt and she didn't blame him. Those snaps had been tough for her to figure out in the beginning as well.

She could reconstruct a knee, replace a hip, but baby clothes and diapers had eluded her for a while.

She'd woken Clint and ushered him upstairs to clean him up, but he'd collapsed back into bed and then Jase had woken up. After she'd fed Jase, she'd finally got Clint into the shower where everything had started again.

Something had changed between them, but there were aspects that stayed the same.

Clint had lowered his guard slightly, but there were still many walls between them.

There was still a long way to go, but at least it was progress and Ingrid didn't want to mess it up.

"So tell me, what happened?"

Ingrid shrugged and then pulled on her white lab coat. "We had a nice dinner and things just progressed."

"How was it? Was it good?" Phil snorted and crossed her arms. "Of course it was good from the way you're smiling."

"You're pathetic." Ingrid walked out of the locker room and headed toward the E.R. as she was the orthopedic surgeon on call today.

"Well, I've been so busy that now I have to live vicariously through you."

Ingrid rolled her eyes. "That's what you told me almost a year ago before he knocked me up."

"So sue me." Phil winked. "Well, for what it's worth I'm glad things are going better. There were a few times there I thought you were going to tear his throat out or he was going to bolt."

A shiver of dread traveled down Ingrid's spine when Phil said "bolt," but she shook it off.

"I know, he has a lot going on."

Phil cocked an eyebrow. "And you don't?"

They stopped at the E.R. "Are you on call today?" Ingrid asked.

"No. Actually, I'm off duty. I'm going home to sleep. In three days, I'm back on day rotation and we'll have to plan a night out together. You can bring Jase."

"Now, what fun would that be?" Ingrid winked at her. "Give me a call."

"Will do." Phil waved as she walked down the hall.

Ingrid took a deep breath and headed into the E.R. It had been some time since she'd been the ortho attending on call and she had to admit it was great being back. Clint was behind the desk, going over some charts, and the E.R. was eerily quiet.

She wandered over to him. "Anything I can help with?"

Clint barely spared her a glance. "No, Dr. Walton. I'll let you know."

It was like a slap to the face. This morning it had been whispered words of affection and her name on his lips.

You're at work.

And as if he was reading her mind, he shut the chart and looked up. "Sorry, I just thought it would be more..."

"I get it, more professional. I understand. Sorry, it's the hormones in me. I can't quite control them yet."

He smiled. "Well, you're going to have to control them in about ten minutes."

"Why?"

Only before he could tell her she heard the distant wail of an ambulance headed their way.

"Got a call about twenty minutes ago that a woman slipped and fell outside her apartment complex and broke her hip. Paramedics say there could be more damage to her. I'm expecting lots of trauma—the temp is hovering around zero and it's snowing. Lots of black ice."

Oh, joy.

The wail of the ambulance became louder and Clint handed her a trauma gown. "We'd better go."

"I'm right behind you, Dr. Allen."

She pulled on her trauma gown and followed him out to meet the ambulance, which had just pulled up.

The door burst open and the two paramedics lifted the gurney down.

"Female age sixty-four slipped on black ice outside her apartment complex. Suspected hip fracture and possible blunt trauma to the head. Patient is complaining of chest pains and her GCS in the field was four."

Clint grabbed the information notes from the

paramedic and moved to one side of the gurney, while Ingrid moved to the other side.

The woman's eyes were closed as she breathed in the oxygen from the mask on her face.

"Page Neuro," Clint shouted over the din.

"I need a portable X-ray as well!" Ingrid called out, as she helped push the gurney into a trauma pod.

With the help of the paramedics they lifted her onto a hospital bed and the paramedics took back their gurney.

Clint flipped open the chart the paramedics had provided and gave Ingrid a strange look before turning to the patient. "Mrs. ...Walton, you're going to be okay."

Ingrid froze as she stared at the woman. No. It couldn't be. It was just a weird fluke.

The woman groaned. "Just. Heidi."

Ingrid's blood drained from her face and she felt like her stomach was about to leap out of her mouth inside out. Her mother's name was Heidi. Oh, God.

Focus. Maybe she won't recognize you.

"Heidi?" Clint asked.

The woman barely nodded.

"Well, we'll get you some pain meds, Heidi. Hold on. Ingrid, are you okay?" Clint asked.

She rolled her neck. "Perfectly. Would someone get that portable X-ray in here, stat!"

The portable X-ray was wheeled into the room and Ingrid bent over the woman. "Now, Heidi, I have to move the oxygen mask while we get a good look at what's going on."

The woman's eyes opened and they were blue. So very blue, and Ingrid had a flashback.

Of being rocked in a chair. Her mother's arms around her and bright sunlight filtering behind her mother and clear, blue eyes. Kind eyes that were filled with love and pride.

"Everything will be okay." Ingrid could barely get the words out.

The woman just stared at her like she was looking at a ghost and Ingrid couldn't blame her as she stared at the very fragile injured woman in front of her.

"Who—who are you?" Heidi asked, her voice shaking.

"That's Dr. Walton. Ingrid Walton," Clint said. "Now, if you could remain still, we'll get a picture of your hips and see how bad the damage is."

Focus.

"Right," Ingrid said quickly. She moved away from the woman and pulled the X-ray over to get it ready. "Lie still for me, Heidi." It was hard to get the words out.

As Ingrid prepped the machine, the patient on the table wouldn't tear her gaze from Ingrid and it made her feel a bit uncomfortable.

Ingrid's resident covered Heidi Walton with a protective iron apron, and when it was ready they all stepped out of the room while the machine did its work.

When the pictures had been taken, the same resident wheeled the machine away.

Heidi was still staring at Ingrid and it was unnerving the way the woman was watching her.

Don't look at me. Don't.

Clint was bent over their patient, checking on the rest of her vitals, while Ingrid felt like a useless lump. She had to get out of there.

"Do—do you need me any further, Dr. Allen?"

Clint glanced up. "No, I think I can stabilize the hip until you get your films back."

Ingrid nodded. "Call if you need me."

She turned on her heel and ran as fast as she

could, putting as much distance between herself and that trauma room.

She started to pray that by the time they got all Heidi Walton's other problems sorted out, her shift would be over and she wouldn't have to deal with the woman any longer. Or have another trauma come in. One that was more serious than doing a hip replacement.

What she wouldn't give for a nice, clean amputation right about now.

That's horrible, Ingrid.

She berated herself for thinking that way, but she just couldn't deal with Heidi Walton at the moment. She couldn't deal with her mother. Not now. Not after all this time.

She must've been standing at the charge desk for longer than it felt like because the X-rays were delivered to her.

Ingrid took them into an examination room and threw them on the light box.

Crap.

The woman needed a hip replacement.

There was some bone loss as well.

This was just her lucky day.

"Hey, are those Mrs. Walton's scans?" Clint asked as he came into the room.

"Yep." Ingrid sighed. "She's going to need a hip replacement."

Clint cocked his head to one side. "You don't seem very keen on doing a hip replacement. I thought that you were looking forward to getting your hands dirty?"

Ingrid rubbed the back of her neck. "I am, but you know a hip replacement is so mundane."

"What's going on?" Clint asked suspiciously. "What are you not telling me?"

"Nothing!" She pulled the scans down from the light box and handed them to Clint. "You're the doctor on her file. You need to tell her the news. Once she's stable I'll book an O.R. and get her hip replaced as soon as possible."

"Okay, but you're the ortho attending. I'm sure she'll want to hear it from you."

Ingrid shook her head. "No, it's better you tell her. I have to go."

It was a lie. She had nowhere to go, but she had to stall things.

She had to get out of there as fast as she could, because she wasn't really keen on ghosts. Real or imaginary.

* * *

Clint watched her walk away in disbelief.

What had just happened?

He looked down at the X-rays in his hand and then he processed it. Though it wasn't positive and if it was true, something would've been said by now.

There had to be some other reason why Ingrid had bolted. Why she didn't want to do surgery, even if it was just a boring old hip replacement like she had said.

He headed back to the exam room.

Heidi Walton was off the oxygen and the cardio physician on call was just finishing their exam.

"Nothing is wrong with her heart or lungs," Dr. Toneish said. "I think it was the stress of the incident, though her blood pressure is a bit elevated so we'll have to watch for that. Neuro cleared her as well."

"Thank you, Dr. Toneish."

Dr. Toneish nodded and left the trauma pod.

Heidi's gaze landed on him and a shiver crawled down his spine. He'd seen those eyes, even though they were a slightly different shade, before. He knew that look.

"Where's Dr. Walton?" she asked, her voice hitching slightly.

"She had another patient to attend to." Clint moved to the light box and put the X-rays up. "You have a broken hip, Mrs. Walton—"

"Please, just call me Heidi."

Clint nodded. "Okay, Heidi. You're going to have a hip replacement."

Heidi cursed. "I'm a schoolteacher. I can't afford to miss a day. I just returned to the area so I don't have the best in with the school board."

"Well, I think if I call the board and tell them what happened to you, they'll understand."

Heidi nodded. "I appreciate that, Dr. Allen." She bit her lip, like she wanted to talk further, only nothing came out of her mouth.

"Do you have any further questions, Heidi?"

"Will Dr. Walton be performing my surgery?"

"Most likely. Do you not want her to?" Clint asked.

"Well, no. I mean, she looks like a fairly capable physician."

"She's one of the best. She took on her role as attending orthopedic surgeon quite young and it's very rare for a surgeon of that age to move up so quickly. You'll be in good hands."

Heidi worried her bottom lip. "Is there anyone else who could perform the surgery?"

Clint pulled up a rolling stool so he could look Heidi Walton right in the eye. "Now, why would you ask me something like that?"

Heidi closed her eyes. It was obvious the morphine she'd been given by Ingrid was beginning to kick in as she muttered some nonsensical stuff.

"Heidi," Clint said, leaning over. "Is there a reason why Dr. Walton shouldn't operate on you?"

"Because, to put it quite simply, Dr. Walton is my daughter."

CHAPTER EIGHTEEN

CLINT FOUND HER hiding out in the attendings' lounge. The moment he walked in, carrying a tray of swabs and needles, she knew that he knew. Or at least Heidi had told him something.

It was the way the woman had looked at her.

That recognition.

And as their gazes had locked, that whole vivid memory of the night her mother had gone away played back through her mind, only this time her mother had a face instead of a flesh-colored blur.

"So this is where you've been hiding." Clint set the tray down.

"I haven't been hiding."

Clint shot her a look of disbelief and she rolled her eyes.

"Okay, fine, I was hiding, but I wasn't skulking."

"I was never going to suggest that." Clint sat down across from her. "So, she told me. Or she told me what she suspects."

"That I'm her daughter?"

Clint nodded. "I think you sensed something too."

"I knew the moment she told us her name."

"Do you want to do a genetic test?"

"Why?" Ingrid asked. "Does it matter? I know it's my mother. I don't need a genetic test, like some people I know."

Clint winced.

"Sorry," she mumbled. "I didn't mean it like that."

"It's okay, but you should do the test."

"Why?"

"Because if you're her daughter, you can't do her hip replacement."

"It's only biology that binds us, nothing emotional. My judgment wouldn't be clouded by anything."

"No, I wouldn't let you in there. You know you couldn't do it."

Ingrid stuck out her arm. "Then take my blood, Dracula, but be quick about it. I have a knee replacement surgery in an hour."

Clint pulled out the needle and began to prep the site. "Can you recommend a good ortho surgeon if this works out how I think it's going to work out?"

"McAdams is good. I would trust him." Ingrid winced as she felt the tiny bite of the needle. "Call McAdams."

"I will." Clint continued with his work. "Why did you run, besides the fact this woman we're treating is your mother?"

Ingrid shrugged. "Why don't you tell your parents you are back?"

"Are we really going to have this discussion here?"

"No."

Clint nodded. "Good. I'll have the results back for you very soon."

"Even if she's not my mother, I don't want to do the surgery."

"Why?" Clint asked. "Nothing would be stopping you then."

"Except me." Ingrid dragged her fingers through her hair. "If she's my mother then I'm going to have to deal with the pain of her abandonment. If she's not my mother I'm going to have to grieve over my mother's disappearance all over again, and I just can't handle that. Not right at the moment."

"I'm sorry you're having to deal with this."

Ingrid shrugged. "It's just bringing back a lot of stuff that I don't want to deal with. You know, once I thought I'd found her when I was about sixteen. I could've sworn the woman was the spitting image of me. I'd see her every day. She worked at a grocery store and in my mind I would fashion stories about how we'd meet again and what we would say to each other.

"I just built it all up and when my father found out what I was doing, he went ballistic. She wasn't my mother and my little bubble was shattered. It was the one thing that kept me going through my angsty teen years. The years when my father was trying to break my rebellious streak.

"Whenever I was feeling blue or down I could slip away into that fantasy and no one was the wiser. When that fantasy was destroyed, well, I stopped believing that I would ever find her. I'm not sure that I really want to at this point."

Clint didn't say anything to her. "We should have the results soon."

Ingrid nodded. "Look, don't tell me. Just… don't."

"I have to tell you, Ingrid. That's not something to keep from you."

"I would look into McAdams as soon as you can to do her hip replacement because, mother or not, I'm not dealing with those demons from my past today."

"Okay."

Ingrid watched him leave.

Even though she was trying to tell herself she didn't care if that woman was her mother or not, that young sixteen-year-old girl, or what was left of her, was excited on the inside.

Heidi Walton was her mother, but if for some reason she wasn't, whatever was left of those childhood memories would die right alongside it.

Clint got a page from the lab and headed down to collect the results. When he got there, the technician handed him the piece of paper and he opened it.

Bingo.

Heidi Walton was Ingrid's mother.

He folded up the paper in his pocket and headed to his patient's room.

As much as he didn't want to divulge that Ingrid was his patient's daughter, Heidi Walton had asked him why he was doing the tests.

He could've lied and said it was a preoperative workup, but he followed a strict code of truth and ethics. There was no way he could lie. Not even for the mother of his child.

Or even the woman he loved.

And that thought made him pause before he entered Heidi's room.

Did he love Ingrid?

The very idea scared him, because he wasn't sure he was someone who could love. She'd worked her way past his walls last night, but he thought that was just lust.

It had to be.

Only he knew deep down he was falling fast for Ingrid. The woman he'd turned his mind to in order to escape the pain when he'd been tortured.

One of the strongest, most determined women he'd ever met.

Dammit.

How could he give love and be a good father

when he couldn't even tell his own family that his tour of duty was over and he was back home, working and had a child?

When had his life become so messy?

That moment you let a blonde seduce you like a siren.

Clint shook his head, trying to clear the thoughts away. Right now he had a job and that's what he was going to do.

Heidi's head turned as he came into the room, the eyes so like Ingrid's tracking him across the room. "Well?"

Clint nodded. "You two are a match. She's your daughter."

He was expecting a gloat or something, but instead he looked at Heidi to see silent tears streaming down her face. She shook her head and then covered her face with her hand. Long slender fingers, like Ingrid's skilled surgical hands.

"Are you okay, Mrs. Walton?"

"I'm fine. You see, I knew I would never forget my Ingrid." Heidi brushed the tears away on the back of her hand and Clint reached over and brought her the box of tissue. "Thank you."

"Is there something I can do for you?"

"No, I don't think so." Heidi let out a long drawn-out sigh. "I've been looking for her for a long time."

"I thought Mr. Walton and Ingrid were from here."

"No, we're from Idaho. When my ex-husband tossed me to the curb and gained sole custody of Ingrid, he packed up their belongings and moved. He never told me why or where. God, that day almost killed me. I've been looking for so long."

"It was parental kidnapping."

Heidi nodded. "Only in those days that's not what it was called, and parental kidnapping was not a big issue. Not like it is today, that's for sure."

"It took you a long time to find her. Idaho isn't that far away."

Heidi sighed. "I know, but when you don't have money…when all you were was a housewife before your husband threw you out…it's hard to pick up and move, and in those days the internet wasn't around and I couldn't afford a private investigator."

Clint nodded. "The internet is a great thing sometimes."

"Almost a year ago I heard that there was an

orthopedic surgeon in Rapid City, South Dakota. A young woman with blonde hair about the age of my daughter, and I knew I had to come here. I've been watching her for months, but I was terrified to approach her and…" Heidi trailed off and Clint's blood froze.

Heidi had been watching Ingrid for months, which meant she knew about Jase.

"Why didn't you approach her?" Clint asked, desperately trying to change the subject. Instead, it made the elephant in the room quite evident.

"She was pregnant. I didn't want to upset her or the baby." More tears streamed down Heidi's face. "Can you tell me what she had or, if you can't do that, can you please tell me that her husband is good to her? That she didn't make the same mistake and marry a controlling, manipulative man like I did?"

Clint bit his bottom lip. "I can't divulge any personal information, Mrs. Walton. I'm sorry. Truly I am."

Heidi nodded and then turned her head to look out the window. "I hope she didn't marry someone like her father. I hope she was able to choose her own path. My life was chosen for me for so long."

"She's one of the best orthopedic surgeons I've ever seen. I think she chose her profession and I know for a fact she loves her job."

Heidi smiled. "Thank you. Is Ingrid going to still do my surgery?"

"No," Clint said. "You're family. That's against hospital rules."

"So she knows."

Clint nodded. "She does. She recommends Dr. McAdams, another orthopedic surgeon, to do your hip replacement. We're contacting Dr. McAdams and he'll be in soon to discuss your surgery."

Heidi nodded. "Thank you, Dr. Allen."

Clint picked up Heidi's chart and left the room. He had to find Ingrid and tell her that her mother hadn't abandoned her and that she'd been looking for her for all these years.

That's if Ingrid would listen.

CHAPTER NINETEEN

INGRID WAS STANDING in the hallway and through the window she could see into her mother's room.

She was still having a hard time processing it.

Clint hadn't even said anything to her. He'd just brought her the lab results and left.

He hadn't had to. She'd known.

Dr. McAdams had been none too happy about being brought in on his day off, but once it was explained that Ingrid couldn't operate on the patient because it was her mother, he calmed down. Now Ingrid felt like everyone was staring at her, watching for her next move.

Judging her for not going to visit her mom or remain by her bedside.

All she wanted to do now was go home and hold Jase.

What a great way to ease back into work.

"Why don't you go in and talk to her?" Clint whispered in her ear as he came up beside her.

"What're you talking about?"

Clint cocked an eyebrow and clicked his pen. "You've been staring at that window for hours."

"No, I haven't. I've been charting." Ingrid sighed and then smiled. "I guess I'm having a hard time processing it."

"I understand, so why don't you go and talk to her"

Ingrid rolled her eyes. "And what should I say to her? 'Hi, Mom I don't really remember you, but how's it going?'"

Clint shook his head. "Maybe she has an explanation about why she hasn't been in contact with you all these years."

"Oh, yes? And I suppose she told you."

Clint put his pen back into the breast pocket of his lab coat. "She did."

"Are you going to elaborate?"

"No, because that would be violating doctor-patient confidentiality."

Ingrid closed the chart she was working on. "I have to go."

"Ingrid, you should talk to her."

"I have nothing to say to her."

And as the words slipped out of her mouth the

alarms sounded for a code blue, from her mother's room.

Oh. God.

Ingrid tossed aside the chart and ran into her mother's room as the rest of the code team came rushing in.

"Don't touch her, Ingrid. You can't." Clint grabbed her shoulders and moved her to the side. She was simply a spectator as a team of her fellow doctors and nurses tried to save her mother's life.

Ingrid's throat constricted as she watched the proceedings.

Clint was in charge of everything as he examined her mother. Shouting orders as they worked over her.

The world around Ingrid was drowned out and everything seemed like a foggy blur, like she was watching a train wreck in slow motion.

"Ingrid," Clint shouted above the din. "She has an aortic dissection. We need to rush her in to surgery. You're her only next of kin."

Ingrid swallowed the lump in her throat. "Okay."

She couldn't lose her mother. She had so many questions. Why the hell had she hesitated?

Her father had told her for years that her mother hadn't wanted her. That her mother had walked out on them, but what if that wasn't true and now she was going to die?

"Prep an O.R.," Clint shouted. "She needs surgery, stat."

"Page Dr. Granule. I believe she's the cardiothoracic on call," Ingrid said above the din.

"Dr. Granule is in surgery," Clint said. "I've repaired an aortic dissection before."

The residents started moving her mother out of her room toward the elevators. Clint followed them and so did Ingrid.

Ingrid may have been an orthopedic surgeon, but she knew that an aortic dissection was a complicated surgery with a high risk of mortality, and Clint still had issues.

They got into the elevator and it whisked them down to the O.R. suites.

"I want a cardiothoracic specialist to repair the dissection." Ingrid stared at Clint. "Page anyone."

The elevator stopped and they pushed her mother to the O.R. while Clint headed into the scrub room. Ingrid followed him and watched as he peeled off his lab coat and put on a scrub cap.

"Didn't you hear what I said? Page someone else."

"I'm perfectly capable of performing an aortic dissection." Clint stuck his hands under the water and began to scrub. "I've done this procedure before."

"I want someone else."

"Why?" Clint asked. "I told you, I can do it." He put on a mask and headed into the O.R. Ingrid grabbed a mask and followed him.

"Because I don't trust you, Dr. Allen."

The scrub nurses turned and looked, and the anesthesiologist cleared his throat.

"Pardon?" Clint said as he stuck his arms into the surgical gown and then into the gloves. "What did you say?"

"I don't trust you." Ingrid glanced at her mother on the table and tears stung her eyes. "You have PTSD, Dr. Allen. I've watched you freeze during a similar surgery not that long ago. You won't operate on my mother."

She was shaking as Clint's eyes darkened behind the mask.

What she'd said was horrible, but she was frightened. What if he froze when he was inside her mother and her mother died before she had a chance to find out anything? To learn the truth about what had happened between her parents.

"What?" Clint said, a cold tone to his voice.

"I want Dr. Granule. You know why."

She crossed her arms and stared him down.

"Dr. Allen, the patient is crashing," said a nurse.

Ingrid glanced at her and then back at Clint.

Clint moved toward her mother.

"Clint!"

He spun around. "It's Dr. Allen. Now get out of my O.R."

"Dr.—"

"Get. Out." And he turned his back on her.

Ingrid cursed under her breath and stormed out of the O.R. She was mad at the whole situation. Mad that she didn't trust Clint's surgical skills and mad at herself for not talking to her mother, but she had no one to blame but herself.

Because she knew whatever chance she'd had with Clint was gone.

She'd ruined it all.

Clint finished the aortic dissection repair. He glanced once up into the gallery and saw Ingrid standing there. Watching him.

In the O.R. it was tense. The scrub nurses were on edge and his resident asked more questions than usual; even the anesthesiologist was more attentive. As if they thought he was going to crash and burn.

Perhaps it was the hurt. The feeling of betrayal he felt at this moment that kept the demons of his past at bay.

Either way, he wasn't going to let Heidi Walton die on his table. He wouldn't give any of them the satisfaction of knowing he had failed.

"Dr. Hurt, will you close for me?"

"Of course, Dr. Allen." Dr. Hurt stepped up as Clint set down his surgical instruments and moved away from the table.

As he walked toward the scrub room he saw that Ingrid had left the gallery and he groaned. He didn't want to get into it with her again, but something had to be said.

She'd divulged his secret.

Word would get around and he could lose his job.

Though you shouldn't have been working.

He'd been cleared by the psychiatrists in Germany, but he was a good actor. He could understand her worry, especially since Ingrid knew what he was struggling with, but to announce it to the whole O.R. It could've given the surgery a really bad outcome.

She'd shaken the faith of his entire staff.

Ingrid came into the scrub room.

"Not here," he said, barely looking at her. "We won't discuss this here."

"Fine."

Clint finished scrubbing and moved out of the scrub room, Ingrid on his heels. He took her into consult room, flicked on the light and shut the door. He crossed his arms and leaned against it, staring at her.

"How did the surgery go?" Ingrid finally asked.

"Good. I was able to repair the dissection. Once she stabilizes, Dr. McAdams will be able to repair the damage to her hips."

Ingrid pursed her lips together and nodded. "What do you think caused the dissection?"

"Weakened tissue, and it was exacerbated by her fall." Clint scrubbed his hand over his face. "Is that all you wanted to discuss?"

"No. I'm sorry for what I did. I panicked."

Clint nodded. “You could’ve jeopardized the surgery. You do realize that? Everyone was on edge because of what you said.”

“It was good they were on edge. They’d be able to pay attention in case you froze.”

“You had no right to do what you did,” Clint snapped.

“I had every right. She’s my mother.”

Clint snorted. “You could’ve fooled me because just before she coded you wanted nothing to do with her.”

Ingrid’s eyes narrowed. “She left me.”

“She didn’t leave you, your father kidnapped you.”

Her eyes widened and she took a step back. “What?”

“I don’t want to get into this with you, Ingrid.”

Ingrid turned and looked away. “You don’t know what you’re talking about.”

“That’s what she told me.”

“My father wouldn’t have done that.”

“Your father is a terrible person. Remember, I talked to him.”

“Well, at least you talk to somebody’s parents. You can’t even talk to your own family.”

It was like another slap across the face and he felt the walls going back up again. Why did he think he could let someone in? People couldn't be trusted.

People were horrible. Vicious and vindictive.

"I'm leaving now." Clint turned away from her.

"I'm sorry, Clint. This was all a bad idea."

He snorted and barely looked back at her. "You're telling me."

Clint wasn't surprised at all when he was called into the chief of surgery's office. It had only been a matter of time. Once other people in the hospital had legitimate concerns about the safety of their patients and the abilities of a physician in charge of said patients, well, Clint was surprised it hadn't happened sooner.

"Dr. Allen, come in." Dr. Ward motioned to the seat across from him.

It was just Dr. Ward in the conference room. No members of the board. No legal or HR person. Which meant he wasn't being fired.

Yet.

"You wanted to see me, Dr. Ward."

"Yes, your resident on your service this week, Dr. Haynes, had some concerns."

Clint nodded. "He's talking about what Dr. Walton said."

Dr. Ward nodded. "I'm a former army medic myself, Dr. Allen. Do you have post-traumatic stress disorder?"

Clint's blood froze because he didn't know what to say. For so long he'd kept the information guarded within him. Hidden from the world. He was so used to pretending everything was okay when deep down he knew it wasn't.

Who he'd been before his time overseas was long gone. Dead. The shell that remained behind had no feelings any longer and yet Ingrid had evoked some in him. She'd broken through the numb and anesthetized parts of him.

"I believe you have my medical records from the German hospital where I was transferred after my escape."

Dr. Ward picked up the file. "Yes, I have the reports here. They say you're cleared for surgery but discharged from active duty."

"Yes."

Dr. Ward's gaze narrowed. "Do you have post-traumatic stress disorder, Dr. Allen?"

"Yes."

A wave of raw emotion washed through him. It was so strong it overwhelmed him, but he kept himself together.

"I think you need to seek counseling, Dr. Allen. I know that Dr. Walton is…well, I understand it was her mother you were operating on."

Dr. Ward was trying to put it delicately that the whole situation was a mess.

"It's okay, Dr. Ward. I understand her concerns. She's right. There have been a few times when I could've potentially endangered my patient's life. The flashbacks have been increasing, but take a look at my track record. I haven't lost one patient since I started working here. My outcomes are good."

Dr. Ward nodded. "I know, but if the flashbacks are intruding then it's time to seek help."

"I know. That's why I would like to take a leave of absence to get this under control, if I may"

"That sounds like a good plan." Dr. Ward smiled and slipped him a card. "This is the hospital employees' psychiatrist and she specializes in post-traumatic stress disorder. I know because I'm a patient of hers. When I came back from overseas I had a hard time doing surgery because I would think about all the men and women who'd lost their lives during simple surgeries because we hadn't had the supplies or the ability to carry out the procedure safely. The ravages of wartime are not easily forgotten by those who live it."

"I was captured."

"I know, Dr. Allen." Dr. Ward tapped the report. "It's all in here."

"I have a hard time operating because I was forced to perform medical procedures on soldiers who were either tortured or wounded and didn't have anesthesia. It's hard to repair a spleen or cut off a limb while three other men hold the soldier down."

"I understand."

Clint ran his hands through his hair. "I thought about giving up my surgical practice and becoming just a general practitioner."

"But that's not what you want now?"

Clint shook his head. "I'm not sure what I want."

Liar.

He knew exactly what he wanted.

He still wanted to be a surgeon. He still wanted to save lives and make a difference, and he wanted Ingrid in his life.

Even if she hadn't believed in him today in that O.R., he could understand her reasoning. She may not know it but she was suffering the same way he was. Only she'd been suffering for a lot longer.

"Make an appointment with the psychiatrist and go down to HR and tell them you're on a medical leave of absence for a while. When Dr. Cleo gives you clearance, you can return to work. You're a damn fine trauma surgeon, Dr. Allen, and I would hate to lose you."

Clint stood and shook Dr. Ward's hand. "Thank you."

"Anytime."

Clint left Dr. Ward's office and headed down to the surgical floor. He had to find Ingrid. He had to talk to her and tell her what he was planning to do to help himself. He also wanted to tell her how much he loved her, but he couldn't do that.

The mere thought of it made him feel nervous and scared.

Coward.

He found her in the attendings' lounge. Her expression was unreadable and she was staring off into space. She didn't even look up when he walked into the room.

Dread knotted in his stomach.

"Did something happen to your mother?"

"No." Ingrid looked up at him. "I heard that you were called to the chief's office."

"Yes, he wanted to talk to me."

"I'm sorry."

"Apology accepted."

Ingrid nodded again. "Look, I think—I think you need some time to heal."

"What?"

"We've had a lot happen to us in this past year and I'm not ready for a relationship with you." She bit her lip. "Not until you get some help."

"What about you?" Clint asked. "What about you getting some help?"

"I don't have post-traumatic stress."

"I'm not talking about the PTSD I have, Ingrid, but you have demons from your past that you need to work on."

She nodded. "I know. That's why I think I should move out."

Clint took a seat. "Where will you go?"

Ingrid shrugged. "I'm off rotation for the next couple of days. I'm sure I can find a small apartment nearby in that time."

Don't let her go, his mind screamed at him. "Doris has been paid for the next few months, she'll be willing to go anywhere."

"Thank you." Ingrid got up to leave. "I should head back to your place and pack up my things and get Jase packed up."

Don't let her go.

"Okay, but leave a number where I can call you."

She paused. "Won't I see you at work?"

"No, I'm going on leave for a while."

Her face paled. "Oh, God, was that my fault?"

"Yes, but it's okay."

Don't let her go.

"I'm sure it is. I know how you felt about surgery." She waited, hesitating as if waiting for him to reach out and stop her, only he couldn't.

Don't let her go.

Her face was sad. "Goodbye, Dr. Allen."

Clint tried to move his body to stop her, but he was frozen. She left the attendings' lounge, closing the door between them, and he waited for the emotion to overcome him, but nothing came out. Inside his heart was screaming.

CHAPTER TWENTY

INGRID WATCHED THE interim head of trauma speak with her mother. It had been a week since she'd moved out of Clint's house and moved in with Phil.

Phil had an in-law suite above her garage that was currently empty and she'd gladly offered it to Ingrid.

Doris complained about the number of stairs up to the apartment, but that's all she complained about. Doris didn't say anything about Clint and Ingrid didn't either.

He was on paid medical leave, but no one knew for how long. When Ingrid tried to question Dr. Ward about it, he told her it was confidential information and he couldn't release it to her because she wasn't his wife, partner or significant other.

She was nothing.

She was the mother of his child, but that didn't

get her anywhere and Clint hadn't been by to see Jase at all, which broke her heart.

She was a single parent. Even though she'd planned on parenting Jase by herself, it had been different since Clint had become involved.

Now she missed it.

Sure, he hadn't been very hands-on with Jase, but there had been times when he'd held their son or watched him while she'd snuck a bath.

He'd been someone to talk to at the end of the day.

Now when Ingrid came home and Doris left, it was just her and a chubby four-month-old.

And the cherubic four-month-old was cute to look at but she couldn't have a conversation with him.

She cursed Clint for coming back into her life.

She cursed him for making her fall in love with him, for needing him and relying on him, because she loved him. She loved him with every fiber of her being. She loved him and he'd left her.

Her father had raised her to take care of herself and be responsible for her own actions so she wouldn't be hurt like this.

Then again, according to Clint, what her father

had been telling her all these years was a big fat lie. Now the only way to get any answers was from the person sitting in that room, recovering from an aortic dissection and a hip replacement.

The hip replacement had been done yesterday and she was recovering well. The aortic dissection was healing nicely too, though her mother still had a long road ahead.

Dr. McKidd came out of the room and Ingrid approached him.

"How's she doing?"

"She's doing remarkably well. We can most likely move her out of the critical care unit and move her up to the ward tomorrow."

"That's good," Ingrid said, and glanced back over at the room. Her mother was resting with her eyes closed, but somehow Ingrid knew she wasn't asleep. That her mother knew she was there.

So Ingrid took a step forward and paused in the doorway.

"You can come in, Dr. Walton." Heidi opened her eyes, eyes that Ingrid remembered with clarity. "I won't bite."

Ingrid didn't say anything as she stepped inside the room and shut the door. "How are you feeling?"

Heidi cocked her head to one side. "Are you asking me how I'm feeling as a physician?"

"No, because I'm not your physician."

Heidi nodded slowly.

"How long have you been observing me?"

"Not long. Only a couple of months. Is Dr. Allen your husband?"

"No, just the father of my baby."

Heidi chuckled. "I'm sure that thrilled your father."

"He disowned me."

Heidi sighed. "I'm sorry you had to grow up with him."

Ingrid shrugged. "I had no choice really. My mother was gone."

"Not by my choice, Ingrid. Never by my choice."

"I guess I'm having a hard time believing it when I've been told something different for most of my life. Why did you leave?"

"Because I didn't love him. Because he couldn't mold me the way he wanted me. I didn't want to live like that and I didn't want you to be raised like that either."

Ingrid sat down in the chair beside her mother's bed. "So he kidnapped me."

Heidi sighed. "Yes, only back then there was no such thing as parental kidnapping. He had sole custody and there was nothing I could do."

"You could've fought for me," Ingrid snapped.

"I had nothing. Your father took away everything. I had no schooling, no training. Nothing. I scraped enough money together to survive and go to school so that one day I could fight for you, but by the time that happened he'd sold our home in Idaho and moved away."

Her father had lied to her. All those years, telling her that her mother hadn't wanted her. That her mother had left them to live her own life.

That her mother hadn't loved her.

Ingrid dropped her head into her hands. "Oh, God."

"Did he tell you I didn't love you?" Heidi's words were choked. "I've never stopped loving you."

"I don't know what to believe anymore." Ingrid wiped the tears away on the back of her hand. "He always taught me that I wouldn't have help for the mistakes I made. That I had to accept my own consequences and it's what I've lived by, to not take risks, but it's..." She couldn't even finish what she was trying to say.

Other than she felt so alone. Like no one in the world loved her except Jase.

Yes, she'd made a mistake that night. She'd taken a risk and slept with a man. She may have chastised herself for doing it, for letting her judgement lapse, but she'd never regretted it.

Never.

"Life is all about chances, Ingrid." Heidi sighed. "I was young when I married your father. My parents were very much like him. They raised me to be respectable and play it safe. Your father was wealthy, handsome and I was a shy wallflower. When he paid attention to me, it was like I was the most beautiful girl in the world. We were married and he took me on a world-tour honeymoon, sweeping me off my feet and romancing me. It all changed when we got home. Life became dull and then I became pregnant with you."

"Do you regret that?"

"No, never. Only you weren't part of your father's ten-year plan for us. Still, he wanted to live up to his responsibilities and I was supposed to play the good housewife. Only times were changing and I was regretting the chances I didn't take. I started to go to school when your father wasn't around and I met a man."

"You cheated?"

Heidi's face fell. "I'm sorry, Ingrid. I didn't love your father. I loved Patrick. He was just as destitute as I was. Only I could never marry Patrick because your father refused to give me a divorce before he disappeared."

"Where's Patrick now?"

Heidi's face fell. "I lost him to cancer about five years ago."

"I'm sorry."

"Don't be. I've known love, Ingrid. I've regretted a lot of things in my life—marrying your father, losing you—but I've never regretted having you."

Ingrid reached out and took her mother's hand. "Thank you for telling me."

Heidi took it.

Ingrid pulled out her phone and found a picture of Jase and passed the phone to her mother. She braced herself for rejection, for hurt. Heidi Walton was her mother, but they had no relationship. She could easily walk away after she was discharged. Heidi had made her peace and there was nothing keeping her from leaving.

Only something in Ingrid's gut told her that wasn't the case.

Heidi may not have been around for her childhood, but she could be around for Jase's.

"What's this?" Heidi asked as she took the phone.

"This is your grandson. Since Dad wants nothing to do with us, I thought that you might."

Heidi's eyes filled with tears as she stared at the picture. "What's his name?"

"Jase Allen Walton."

"He's beautiful." Heidi handed the phone back to Ingrid. "I would love to be a part of his life, but mostly I want to be a part of yours, Ingrid."

Ingrid bit her lip to keep the tears from flowing. "I would like that."

"So take some advice from me. Don't let Dr. Allen slip away."

Ingrid did a double take. "What—what're you talking about?"

Heidi rolled her eyes. "You've been taught to be self-sufficient and clinical, I can see that. I can see aspects of your father in you, but Dr. Allen loves you."

"How do you know? Did he tell you that?"

"No, he was very tight-lipped. Just as you are. You thought you were hiding from me in the hallway, watching me from a distance, but I saw you. And I saw the way you two gravitated toward each other. I saw the look in his eyes when he talked to me about you and when I told him what happened to me."

"He let me leave his house, though. He went on paid medical leave and I don't know where he is. I haven't heard from him and he hasn't been by to see Jase."

"You need to find him, Ingrid. Don't let him go. Tell him how you feel."

Ingrid let out a nervous chuckle and stood. "I don't know how I feel."

Heidi cocked her head to one side. "Don't you? Search your feelings."

"I'll see you later." Ingrid opened the door and left her mother's room. Her head was whirling and she was trying to process everything.

Did she love Clint? Really love him?

Yeah, she did, but she was terrified of letting

go of that control over her emotions, of allowing someone else in her life.

It was a scary prospect. It would be a challenge to overcome, and since when had she ever backed down from a challenge?

She took an early lunch. She ran out into the parking lot. Glad that it was a mild, clear day and the roads wouldn't be slick.

It didn't take long for her to get out of the city and onto the highway. Even though she hadn't driven this way in two weeks, the route was familiar to her.

Her heart felt like it was going to leap out of her chest by the time she turned down Clint's road and her pulse thundered in her ears when she saw his ranch house. As she pulled up the long drive, something wasn't right.

The door opened and his maid, Maria, came out of the house. Ingrid approached her.

"Maria?"

Maria turned and grinned. "Ah, Dr. Walton. It's good to see you again. How is that adorable baby?"

"Jase is good. Doris takes excellent care of him."

Maria smiled. "I'm happy to hear it."

"Where is Dr. Allen?" Ingrid could barely get the words out of her mouth as her throat was constricting and her heart was racing.

"He left to visit his family, I believe. He left a week ago."

"Do you know where he went?"

Maria bit her lip. "I think he went to Bismarck. I think that is where he said his family had moved to, but I'm not sure."

"Do you know when he'll be back?"

Maria frowned and gave her a sympathetic look. "No, he did not say when he was to return. I drive out once a week to clean, but I haven't done shopping for him in a while."

"Thank you, Maria."

"He said he'll phone me next week. Do you want me to pass on a message?"

"Just tell him that—tell him I dropped by and that the baby is doing well."

Maria smiled. "I will. Good day, Dr. Walton."

Ingrid's stomach sank to the soles of her feet as she headed back to her car. She realized that Clint was gone and there was no guarantee of if and when he would be back.

He hadn't left her a number where she could

contact him, which meant he'd probably washed his hands of her and Jase.

Which meant he didn't feel the same way as she did.

And it broke her heart, but what could she possibly expect?

The man had been damaged by war. He'd warned her in the beginning that he had nothing emotionally left to give her, but she'd continued on with him.

That night he'd come to Jase's room and told her that he wanted her, she shouldn't have given in to him. She should have stopped him.

Except she'd wanted him too.

So badly.

Now it was gone and she had no one to blame but herself.

She'd embarrassed him in the O.R. She was the reason he'd had to go on medical leave.

If she hadn't been so crazy, if she had spoken to Clint about her concerns privately before he'd stepped into the O.R., then none of this would've happened.

You did the right thing.

That's what she kept trying to tell herself. That

she had done the right thing. His post-traumatic stress disorder had the potential to put a lot of patients at risk.

Still, she wouldn't blame Clint for hating her.

That's why she'd moved off the ranch. So she wouldn't have to deal with his cold looks and awkward silence.

Besides, he hadn't exactly tried to stop her from moving out. He'd let her go.

What was she thinking about, driving out here and declaring her feelings for him? He paid Doris, so he knew where she was.

His actions spoke volumes and she was an idiot for driving out all this way because she'd let her emotions get the better of her.

It hurt, but she would get over it. She had to for her son's sake and for her own healing.

This was why she'd never wanted to get into a relationship in the first place. This was why any relationship she'd had in the past simply hadn't worked.

Only you pushed them away.

And she had, because she'd been guarding her heart. Then she couldn't hold back the tears any longer. They began to flow freely, so she pulled her car over to the side of the road at a rest stop. She was thankful she was alone in the car to let out everything she'd been bottling up.

She cried for her mother, she cried for her father and most of all she cried for her son, but none of the tears were for her, because she didn't deserve them.

It was her fault.

And she deserved everything she got.

The only one who would suffer here was Jase and that broke her heart.

She didn't want to be on the same level as her father. She didn't want to deny Jase his father, but she'd done that with her idiotic actions.

When she was finally able to regain control of her tears, she dried her face with a tissue and took a few deep breaths before she even contemplated getting back on the highway and heading back to the hospital.

Ingrid hoped one day that Clint would heal enough to come back, but she wasn't going to rely on that flimsy dream.

She loved Clint and always would.

A man incapable of returning her love. A man who, even though he was claustrophobic, had so many walls guarding his heart that she couldn't even begin to contemplate breaking through, but you couldn't help who you fell in love with.

That was a cruel twist of fate.

As she'd been taught her whole life, she'd live with the consequences and take responsibility for her own mistakes, so when Jase grew old enough to ask about his father she'd tell her son that it was her fault he was gone.

And probably, when that day came, she was positive that she'd lose Jase too and that thought scared her to her very core.

CHAPTER TWENTY-ONE

Two weeks later

CLINT STOOD OUTSIDE Philomena's house. Actually, he stood outside Philomena's garage and stared up at the apartment above it.

Courage.

This was scarier to him than joining the army and going overseas.

He'd left Rapid City a month ago and hadn't told Ingrid where he was going or what he was doing. Though Maria had mentioned to him that Dr. Walton had been by the ranch two weeks ago and he was kicking himself for not calling Maria sooner, but he'd been busy.

He'd been dealing with his PTSD and part of that healing process had been to go and visit his family. Which had been difficult.

So difficult.

His father had never wanted him to join the

army and he had certainly never wanted him to go to medical school and become an army medic. He'd wanted him to go into construction, with him, but Clint had wanted to be a doctor.

When he'd been captured and tortured, he'd lost his love of practicing medicine and in his mind he could hear his father berating him. Clint had felt guilt, because he no longer wanted to be a surgeon but also because he'd thrown away his chance to be a part of his father's legacy.

All this guilt was eating away at him inside.

He'd had a hard time going back to his family. He had struggled to deal with what he'd seen as failures instead of what they actually had been—setbacks.

Hiccups in the road.

When he'd shown up on his mother's doorstep, it had been a shock to her.

"Clint?" He could still hear the shock and the joy in his mother's voice as she'd wrapped her arms around him and held him close. Then the questions had come and a few cuffs to his head for not telling them sooner that he'd come home.

When he'd finished explaining it all, his mother had held him again.

Told him that he had nothing to feel guilty about. He'd done his duty, as well as he'd been able to, and for that his father would be proud.

That his father had been proud of his surgeon son and that he had been proud that his son had gone into the military and that he might have to go overseas one day to save the lives of soldiers and insurgents alike.

And then Clint had broken down and told his mother about everything he'd been through, including Ingrid and what had transpired between them.

How he'd ruined it because he couldn't open up emotionally to the woman he loved. The woman whose faltering and fleeting memory from their one night together before he'd been shipped out had got him through so much.

There were times he wondered if he loved Ingrid only because her memory was like a safety blanket, but he knew that wasn't true.

When she'd told him she was moving out and taking Jase with her, a part of him had died, only he hadn't had the emotional strength to reach out and take what was his.

He was a coward and he was still working on forgiving himself.

It was his mother who had talked him through his feelings. And when his mother had found out she was a grandmother and hadn't known about it, well, that had earned him another cuff to the head.

His mother had actually come down to Rapid City last week to see Jase and Ingrid, and had met Ingrid's mother too.

When Clint had asked his mother if Ingrid had asked about him, his mother had said she had, but only to make sure he was okay.

And that stung, but what did he expect? He'd let her go and hadn't told her he was leaving town.

He'd severed all ties with Ingrid and Jase.

And he was regretting it now, because he wanted them to be a part of his life and he wanted to be a part of theirs.

He wanted to be the kind of man Ingrid deserved. Even though he had a long way to go, he wanted Ingrid and his son by his side.

Leaving her and letting her go had been the stupidest mistake of his life. One he aimed to rectify.

Even if she pushed him away, he was going to stay close to them.

He was going to return to work. He was going to earn back Ingrid's love and trust.

There was no one else for him.

All that mattered to him was Ingrid, Jase and becoming a surgeon again. He was going to beat the PTSD and bury the demons of his past, because they were just ghosts.

He was tired of living in the shadows, of carrying around a haunted past. All he wanted was a bright future.

One full of hope and healing.

With a deep breath he climbed the stairs up to the apartment and knocked on the door.

Doris came to the door and her eyes widened when she saw him. "Dr. Allen, what a pleasant surprise."

"Hi, Doris. Is Dr. Walton in?"

"No, she's at the hospital, but she should be back in an hour." Doris stepped to one side. "Would you like to come in?"

"I would."

As he ducked under the shorter doorframe he realized how cramped this new apartment was and he didn't like it one bit. His fight-or-flight instinct kicked in, but he closed his eyes and counted to ten and got control of the fear of being in a confined space.

"Are you here to stay, Dr. Allen?"

"For a while."

"Well, if you don't mind I need to run down to the store and get Jase some more diapers. May I leave him with you?"

"Of course." Though his heart began to race at the thought of being left alone with his son. It had been so long since he'd seen him.

Doris smiled. "I'll be back in half an hour."

Clint nodded as Doris left the tiny apartment.

He was left alone, standing in Ingrid's tiny living room, which was a mishmash of seventies and eighties decor. It looked like some old lady's apartment and he knew it definitely wasn't Ingrid's style.

As he peered out a small window to watch for Ingrid he heard a cry.

Jase.

Who was supposed to stay sleeping until Ingrid came home, but, then, babies didn't really conform to schedules.

Clint headed down the hall and found Jase's door and opened it.

The first thought that struck him was how much his son had grown in a month. He was lying in his crib, his little fist curled as he rubbed his eye, sniffling as he did and probably smearing snot all over his chubby cheeks.

Tears stung Clint's face and he regretted having missed a month of his son's life. Actually, he'd missed out on more because he'd been so emotionally detached from life for so long.

He wanted to go in and comfort him, but he was also terrified because he didn't want to scare his son. He was a virtual stranger to the boy.

Coward.

He took a step forward and the floor creaked.

Jase's head swung around and Clint was met with two clear blue eyes, and it was like he was looking at himself in a mirror.

Jase's lip stuck out as he pouted and his eyes squinted as he let out another pitiful cry. Clint didn't want to scare him but he also didn't want to leave him here alone and crying.

"Hey, big guy. Don't cry." He moved to the side of the crib and picked Jase up, holding him close. Jase only let out a few small hiccups as Clint bounced him gently in his arms. "Don't cry, your mom will be home soon."

Jase stared at him. His eyes were wide and he reached out with one damp, wet, curled fist and touched his face, smearing drool and who knew what on his cheek.

And then he smiled and gurgled. A great big toothless smile that warmed Clint's heart, and then Jase lay his head against Clint's shoulder, right under his chin, as Clint swayed back and forth.

How stupid he'd been. He'd almost lost all of this because he was an idiot.

Even if it didn't happen today, he was going to make amends with Ingrid because he wasn't going to let her or Jase out of his life.

There was a small snore and he realized that Jase had gone back to sleep. Gently he placed his son back in his crib and then backed out of the room.

All he wanted was Ingrid and Jase.

All he wanted was his family and he was going to make sure he got it.

* * *

Ingrid pushed open the door to her apartment. She was running a bit late, but not that much. She set the chicken dinner she'd bought to go on the counter and realized the apartment was eerily quiet.

"Doris?" Ingrid called, but she got no answer. Confused, she set down her purse.

As she walked to the living room a man materialized from around the corner and she let out a small cry and covered her mouth.

It was like a ghost from her past was standing in her living room.

All six feet of him, clad in a black leather bike jacket, jeans and a dark T-shirt. He looked well rested and had filled out a bit. He resembled the man she'd slept with almost a year ago. The soldier who had gone off to war.

"Clint?" she said, finally finding her voice.

"Hi, Ingrid."

Tears stung her eyes and her body began to shake as she looked at him "What're you doing here?"

"I've come back to town."

"I can see that, but what're you doing here?"

"I've come to see Jase." He ran his hand through his hair. "I've come to see you."

Her heart skipped a beat. "Me?"

Clint took a step forward. "Yes, you."

Ingrid's body began to shake and she suddenly felt nervous so she took a step back. "I don't understand."

He grinned, those blue eyes sparkling. "You don't understand?"

"You left!" Ingrid snapped, finally finding her bearings again. "You left us without so much as a word as to where you went."

"I know," Clint said. "And I regret that, but you moved out. I could say the same thing about you."

"Did you honestly expect me to stay after the fight we had?"

"No, I don't blame you for leaving." Clint took another step forward. "I wasn't emotionally there and I was hiding. I was afraid and I used what happened to me to keep people out because I was terrified of feeling again. Emotions were used against you in the prison I was held in. I learned to bury them. I just hadn't realized how deep I'd buried them."

Ingrid nodded. "I understand. I wasn't imprisoned in quite the same way, but I was taught not to have emotions. I was raised to be clinical about everything so that when I had no control over my emotions because of the pregnancy I didn't know how to handle them. When you bottle things up for so long…"

"They explode." Clint smiled. "I've missed you and Jase and I regret every day we've lost."

Ingrid quickly wiped away the tears that were threatening to spill. "So you went to see your family."

"I did. I believe my mother came last week."

"Yes! Thank you for the warning."

Clint chuckled. "I didn't know until after she'd come here. My apologies. I would've got a message to you. Would you have denied her her grandson?"

"No." Ingrid smiled. "She was sweet."

"She told me I was an idiot."

Ingrid grinned. "Well, now I like her even more."

They both laughed at that.

"So you've come to be a father to Jase?" Ingrid tried not to sound too eager, she didn't want to push Clint and scare him off. She liked this side of him and she wanted him to get better. She didn't want to be so emotionally closed off. Her son deserved his father.

"If you'll let me."

"Of course. I would never deny my son his father."

Clint nodded. "He's not the only reason I've come back."

And then he stepped closer, closing the gap between them, and Ingrid found her knees knocking together again as she stared up at Clint towering over her. She could smell his cologne and it made her blood heat.

She longed for his arms to wrap around her and hold her close, to kiss her, to possess her, because he was the man she loved.

And then he did reach out and touch her, the pad of his thumb brushing across her cheek in a gentle caress that sent a current of electricity and passion through her body.

"I came back for you."

"You did?" A tear rolled down her cheek. "I—I don't know…"

"Ingrid, I know I don't deserve your love, but I do love you. You're the one I want to be with and

I don't blame you if you can't return that love because I blocked you out for so long, but I want you to know how I feel about you. I can't live without you and I will wait for as long as I have to to have you back in my life."

He hadn't abandoned her. He'd come back, which was hard to come to grips with because this was not what she'd been taught to believe.

Ingrid broke down in tears. The ugly crying, big large ugly sobs as everything she was feeling came out.

Clint pulled her close. "Shh, it's okay. It's okay."

Ingrid shook her head and pushed out of his embrace. "No, it's not."

"I told you, I understand if you don't—"

"Shut up. I love you, too."

Clint's eyes sparkled and he smiled. "You do?"

"Of course. I went out to the ranch over two weeks ago to tell you that, but you'd left. I love you, Clint. Only you. I didn't want to, but I can't help it. I love you. Always and forever."

And before she could say anything else, she was crushed against his chest, his mouth claiming hers in a passionate kiss that scorched her very soul.

How could she have thought that she didn't want

this? This was all that mattered. Jase and Clint were all who mattered in her life.

She couldn't live without Clint.

She didn't want to.

When the kiss ended he held her close and she held him tight, worried that this was all a dream.

"So, how long do you think it will take you to pack, and will Phil need some notice before you move?"

Ingrid chuckled. "It won't take me long to pack. All of my furniture except for the crib is still at the ranch."

Clint grinned like a Cheshire cat. Smug and self-assured. "Good. Pack your bags because you and Jase are coming home with me tonight."

"Gosh, what will Phil say? I signed a lease in blood." She winked.

Clint chuckled and pulled her back against him. "Marry me, Ingrid. Tomorrow."

Clint leaned in again to kiss her, but they were interrupted by a shout in the other room. "I think our son would like your attention now, Dr. Walton. Shall we go and tell him the good news?"

"I don't think he'll understand."

"But we'll tell him all the same, won't we?"

Ingrid grinned. "Yes, Dr. Allen. Oh, yes."

Hand in hand they walked to their son's bedroom to cuddle their son together. As well as pack so they could start their life together right. For the second time.

Only this time would be the last and would be forever, because Ingrid knew that this love would last and she would only love once.

Forever.

* * * * *